本好きの下剋上

司書になるためには手段を選んでいられません

第二部　神殿の巫女見習いⅣ

香月美夜
miya kazuki

TOブックス

クラッセンブルク境界門
ハルデンツェル
ヘルツフェルト
レーデ
キューネ
アスマン
ランセル
バウアー
クレマー
フーバー
ロウィン
ワルト
クラッセンブルク管理
旧ザウスガース境界門
国境門
ブロン
クレッシェル
グラーツ
キルンベルガ
エーレンフェスト
直轄地
ヒルシュ
フレーベルターク境界門
カルク
ダールドルフ
ハーセナイ
ジョイソターク
ベッセル
ライゼガング
ゲルラッハ
フォルスト
ビュルス
ヴィルトル
ガルドゥーン
イルクナー
クリーベル
アーレンスバッハ境界門
エーレンフェスト

登場人物

第一部あらすじ

何より本が好きな女子大生は身食いに侵された兵士の娘マインに転生し、識字率が低くて紙が高価な世界で本を自作しようと奮闘する。植物紙を作ったものの、生き長らえるには魔力を吸い取る魔術具が必須。そんな時、洗礼式で神殿図書室を発見する。神殿長に直談判した結果、魔力を納める青色巫女見習いになった。

マイン家族

マイン

本作の主人公。身食いで虚弱な兵士の娘。身食いの熱が魔力だと判明し、貴族の子がなるはずの青色巫女見習いになった。本を読むためには手段を選んでいられません。

ギュンター

マインの父。南門の兵士で班長。家族が好きすぎて周囲に呆れられている。

エーファ

マインの母。染色工房で働いている。暴走しがちな夫と娘に苦笑する毎日。

トゥーリ

マインの姉。針子見習い。優しくて面倒見が良い。マイン曰く「マジ天使」。

カミル

マインの弟。生まれたて。

ギルベルタ商会

ベンノ
ギルベルタ商会の主であり、マインの商売上の保護者。

コリンナ
ベンノの妹で店の後継ぎ。自分の工房を持つ腕の良い針子。

ルッツ
ギルベルタ商会のダプラ見習い。マインの相棒で頼りになる体調管理係。

マルク
ギルベルタ商会のダプラ。ベンノの有能な右腕。

レオン
ギルベルタ商会のダプラ見習い。フランに給仕や礼儀作法を学んでいる。

神殿関係者

神殿長
神殿の最高権力者。威圧してきた平民のマインを憎んでいる。

神官長
マインの神殿の保護者。魔力量と計算能力を買っている。

フラン
神官長の元側仕えで有能な筆頭側仕え。

ギル
問題児だったが、工房管理を頑張っている。

デリア
神殿長の手先。「もー!」が口癖。

ヴィルマ
絵が得意な灰色巫女。

ロジーナ
音楽が得意な灰色巫女。

ディルク
孤児院に捨てられた乳児。

カルステッド……エーレンフェストの騎士団長。
ダームエル……神殿でマインの護衛をする騎士。
ジルヴェスター…祈念式に同行した青色神官。
ビンデバルト伯爵…アーレンスバッハの上級貴族。
ハイディ……インク工房の跡取り娘。
ヨゼフ……インク工房のダプラでハイディの夫。

第二部

神殿の巫女見習いⅣ

イラスト：椎名　優　You Shiina
デザイン：ヴェイア　Veia

第二部 神殿の巫女見習いⅣ

プロローグ

祈念式が終わったばかりの春の盛り。若葉は薄い色合いから日に日に濃さを増している。朝は晴れていたけれど、昼過ぎから少し雨が降り始めた。これは恵みの雨となるに違いない。昼食を終えた農民達は自分達の代わりに畑を潤《うるお》してくれる水の女神フリュートレーネに感謝しながら、それぞれの家で手仕事に精を出すことにする。

農民達の姿が見えなくなった畑と畑の間の街道をよく磨き込まれた馬車が走っていた。立派な馬車の扉には家紋の彫《ほ》られたプレートがあり、乗っている人物の身分の高さを示している。しかし、生憎の雨で道はぬかるみ、悪路《あくろ》となっていた。街中の石畳と違って、ぬかるむと馬車の進みが遅くなることに苛立ちを隠せない。

「……フリュートレーネも気が利かぬものだ」

自分が外出する日に雨を降らすとは何事か、と揺れのひどい馬車にうんざりしたベーゼヴァンスは水の女神フリュートレーネに悪態《あくたい》を吐《つ》いた。

五の鐘が鳴る少し前に、ガタガタと悪路を走っていた馬車がエーレンフェストの直轄地《ちょっかつち》に隣接しているグラーツの夏の館に入った。

「こちらへどうぞ、ベーゼヴァンス様」

肥《こ》えたお腹を揺らしながら馬車から降りるベーゼヴァンスを出迎えたのは、この館の主であるギーベ・グラーツだ。馬車を使ってやってくる客は彼一人で、他に馬車は見当たらない。だが、案内された広間ではすでに十数名の貴族が集まり、談笑していた。貴族である彼等は皆自分の騎獣《きじゅう》を用いてやってきているのだ。

こうして他者の館を訪れるのに騎獣を使うのは、この集まりが従者を含めて誰にも知られたくないような会合だからだ。この場に集う十数人の貴族の中で、この館の主であるギーベ・グラーツが最も肩身の狭そうな顔をしていることから、会合の場として館を提供するようにギーベ・ゲルラッハに命じられたことがわかる。

あまり大っぴらにしたくない会合の時、上級、中級貴族が自分で場所を準備するのではなく、下級貴族に準備させるのは珍しいことではない。特に何の感慨《かんがい》も抱かず、ベーゼヴァンスは当たり前の顔で最も上座に座り、集う貴族達から挨拶を受ける。そんな中に見知らぬ貴族とギーベ・グラーツが話をしている様子が見えた。

「ビンデバルト伯爵、あちらにいらっしゃるのはエーレンフェストの神殿長ベーゼヴァンス様でございます」

「ほぉ、神殿長……」

本来ならば、神殿に入れられたベーゼヴァンスは貴族ではない。何人もの貴族が集《つど》う中で最も上座に神殿の者が座ることなどあり得ない。だが、彼の父親も母親も領主候補であった。そのため、彼には高貴《こうき》な領主の血が流れている。

彼が神殿に入らなければならなかったのは、前ギーベ・ライゼガングのせいだった。生家にとってはやや魔力が低かったこと、彼を生むとすぐに実母が亡くなり後ろ盾がなくなったこと、実母の死後に第一夫人となった父親の妻やその親族であるライゼガングが彼を神殿に入れるように父に強く言ったことが原因で、彼は物心がつく前に神殿に入れられた。そのため、貴族ではなく神官として生きることになってしまったのだ。

けれど、同母の姉が唯一の肉親として彼を今でも大事にしてくれているため、貴族達は神殿にいる彼を無下《むげ》にはできない。姉に進言したり、少々の無理を通したりするためにはベーゼヴァンスの協力が必要であることを貴族達はよく知っている。

「ベーゼヴァンス様、こちらがアーレンスバッハよりいらっしゃったビンデバルト伯爵で、今回の計画における重要人物です」

伯爵ということは上級貴族で、土地の管理を任されている貴族であるとわかる。ベーゼヴァンスも肥えている方だが、ビンデバルト伯爵もかなり肥えた人物である。その目は濁《にご》っていて、悪事に手を染めることを何とも思っていないような顔をしていた。

神殿長である自分を侮《あなど》る光がその目の中にあることに気付かない振りをしながら、ベーゼヴァンスは努めて鷹揚《おうよう》に頷《うなず》く。どこの誰が相手であろうと、上座に座って挨拶を受けるのは彼なのだ。

「水の女神フリュートレーネの清らかなる流れに導かれし良き出会いに、祝福を祈ることをお許しください」

「許す」

ビンデバルト伯爵の左手の中指にはまっている指輪から、ふわりと緑の光が飛び出した。これは貴族として洗礼式を受けた者が親から贈られる指輪で、貴族ならば誰もが持っている物だ。

指輪を見下ろしていると、ベーゼヴァンスの心には何とも言えない苛立ちが降り積もっていく。ライゼガングの者がいなければ、自分も神殿に入れられるようなことはなく、父親から指輪を贈られていただろう。彼の指にあるのは成人した後で姉から贈られた指輪だ。同じように指輪をつけていても、彼は貴族街で洗礼式を受けていないし、貴族院にも通っていない。その明確な差が腹立たしく、同時に、姉の権力目当てとはいえ、れっきとした貴族達が自分の前に膝をついて挨拶をする姿には暗い悦《よろこ》びが湧《わ》いてくる。

「ゲオルギーネ様のお手紙を届けてくださるのもギーベ・ビンデバルトなのです」

その場に集っている貴族達の説明によると、ビンデバルト伯爵はエーレンフェストの南の領地に嫁《とつ》いでいった姪との橋渡し役だそうだ。姪からはこれまで何度も小聖杯に魔力を込めることを頼まれていたが、神殿長であるベーゼヴァンスは仲介役であるエーレンフェストのギーベ達と接するだけで、アーレンスバッハの貴族に直接会うことはこれまでなかった。

「時の女神ドレッファングーアの紡ぐ糸が交わったことに祈りを」

本当に神に祈りを捧げるつもりもないくせに、そんな挨拶と共に昼間からお酒が振る舞われる。トクトクと音を立てて杯に注がれる度に琥珀色《こはくいろ》の酒から芳醇《ほうじゅん》な酒精《しゅせい》が匂い立ち、部屋の中に広がっていった。

準備したギーベ・グラーツが毒見《どくみ》のために一口飲んで見せる。それを見た後、ベーゼヴァンスは重みのある銀の杯を持ち上げて、口元へ運んだ。とろりとした濃厚《のうこう》な味わいの中に、少しだけ舌をピリとさせる味わいがある。それを楽しむように舌を少し動かすと、酒はゆっくりと喉を通っていった。喉の奥をジンとさせるような酒精を感じ、ふっと満足の息を吐く。なかなか良い酒だ。ここに集う者の舌を満足させるためにギーベ・グラーツはかなり無理をしたに違いない。

「ところで、ベーゼヴァンス様。お願いしていた平民上がりの巫女見習いはどちらに……？」

皆が一口ずつ酒を口にするのを見た後、口火を切ったのはギーベ・ゲルラッハだ。ベーゼヴァンスは周囲の貴族達の視線が集まるのを感じながら、ゆっくりと一口だけ酒を口に含む。魔力のある平民を買い取るためにマインをこの場に連れてきてほしいと言われていたが、ここにその姿はない。

「連れてきておらぬ」

「な、何故でしょうか？」

驚いたように目を見開く貴族達にベーゼヴァンスはフンと鼻を鳴らした。

「儂《わし》が何故あのような平民を同乗させねばならぬ？　あれと同じ空間にいようとは思わないし、あの平民のためだけにもう一つの馬車を準備するのも腹立たしい」

「おっしゃってくだされば、こちらで馬車を手配いたしましたのに……」

せっかくの機会を逃した、と貴族達は嘆いているが、神官長に見つからずにマインを連れ出すのは難しい。デリアに連れてこさせることも少しだけ考えたが、神官長の子飼いの側仕《そばづか》えが目を光らせていて、デリアとマインを二人だけにすることはないのだ。失敗の確率が高く、神官長に余計な警戒心を抱かせるだけになる。

……何より、領主の血を引く儂が何故其方等《そなた》のために危険を冒さねばならぬ？

心の中でそう思いつつ、すでに言い訳を考えていた彼はギーベ・ゲルラッハに責任転嫁《てんか》する。

「祈念式の失敗のおかげで警戒が厳しくなっている故、面倒は避けたのだ」

「……いや、あれは誠に残念でした。ビンデバルト伯爵からお預かりしていた身食い兵に祈念式の一行を襲わせて、青色巫女見習いを奪う予定だったのですが……」

祈念式で青色巫女見習いのマインをさらうという計画は失敗したらしい。魔術を容易に扱える貴族が計画すれば、平民上がりの青色巫女見習いをさらうことなど大した手間ではない。それなのに失敗したのは、一行の中に神官長であるフェルディナンドがいたせいだろう。彼もまた貴族で魔術を扱うことができる。

「あの邪魔者のせいであろう」

「本当に残念ですこと。あの平民上がりの青色巫女見習いはもちろん、フェルディナンド様にもできるだけ痛い目に遭ってほしいと思っていたのですけれどね」

マインだけではなく、神官長であるフェルディナンドにも憎悪《ぞうお》を募《つの》らせているのはダールドルフ子爵夫人だ。彼女は秋にあったトロンベ討伐《とうばつ》で、息子がマインの護衛《ごえい》に任じられたことによって処分を受けた。

ベーゼヴァンスはこの夫人に頼まれてフェルディナンドに文句を言ったり、姉にシキコーザの処分の軽減を頼んだりしていたが、正直なところ、シキコーザがどうなったのか、その末路についてはは特に感じることはない。政変と粛清《しゅくせい》によって神殿を出ることが叶ったシキコーザの運の良さには少しばかり苛立ちを覚えていたからだ。

「フェルディナンド様は予想外に手練《てだ》れだったようです。ライゼガングで宿泊している時に青色巫女見習いをさらうことができれば、ライゼガングに罪を被せることができたのですが……」

残念そうな顔でベーゼヴァンスを見ながらそう言ったゲルラッハ子爵に、彼は心の中で「無能」と悪態を吐く。

祈念式の途中で誘拐させることができれば、あの腹立たしい平民の子供を自分の手を全く汚さずに退《しりぞ》けることができ、祈念式の責任者である神官長に責任を負わせて罰することができた。神殿を遠く離れた土地で痛ましい事故に巻き込まれたという報告を心待ちにしていたのに、実際に彼の元にやってきたのは二人を乗せた馬車が無事に神殿に戻ってきたという報告だった。本当に忌々《いまいま》しいことだ。

「ライゼガングだけではなく、私の領地とガルドゥーンの境界付近でも領民を扇動《せんどう》させて襲撃させたはずなのですが、誰一人として戻ってきませんでした。エーレンフェストの領民も半分ほどいたにもかかわらず、その襲撃で消し飛ばされたのです」

ビンデバルト伯爵の言葉に、ガルドゥーンと隣接《りんせつ》しているザイツェンのギーベであるザイツェン子爵が腑《ふ》に落ちないような顔になる。

「しかし、ガルドゥーン子爵からは領民が大量に消し飛んだというような声は上がっていませんでした。境界に近かったせいか、襲撃にも気付いていない様子でしたが……？」

「それは、また不思議な……」

神官長が領地の所属によって攻撃を変えたのだろうか。そのようなことができるのだろうか。どのような状況だったのか詳しいことを聞いてみたいけれど、ガルドゥーン子爵はライゼガング伯爵と仲の良い貴族で、祈念式の襲撃など知らされていないし、この場にいない。襲撃をした者が全く戻らなかったのであれば、その場で何が起こったのか知ることはできないだろう。

「あの時に領民だけではなく、身食い兵も半数が潰《つぶ》れました。魔術具を作動させるのに適した下級貴族並みの強い魔力を持つ兵もいたのです。自分の手を汚さずに事を行うにはとても使い勝手が良かったのですが、残念な結果に終わりました。兵力補充《ほじゅう》のためにも、その青色巫女見習いを売ってほしいと考えています」

ビンデバルト伯爵がそう言いながら低く笑う。その笑い声がぐふっ、ぐふっとひどく下品に聞こえて、ベーゼヴァンスは少しだけ顔をしかめた。だが、その表情が申し出を拒否しているように見えたようだ。周囲の貴族達は顔を見合わせると、一見穏やかそうな笑みを浮かべて言葉を重ねる。

「青色巫女見習いに関する契約や情報を得るためにも神殿長であるベーゼヴァンス様にはぜひご協力いただきたいのです」

「貴方にとってもあの平民上がりの巫女見習いは不愉快《ふゆかい》な存在ではございませんか。悪い取引ではない。違いますか？」

確かにマインの存在は不愉快で危険だ。あれがいなくなればすっきりするし、マインの庇護者《ひごしゃ》を名乗るフェルディナンドがどのような顔をするのか楽しみでもある。だが、彼の責任になりそうな売買はどうにも気が乗らない。よほど上手く事を運ばなければフェルディナンドから糾弾《きゅうだん》されるのは巫女の売買契約書に署名する彼になる。

「相手は平民です。灰色の孤児達とさほど変わりはございません。そうは思われませんか？」

「だが、あれは灰色巫女見習いではない。青の衣をまとうことが許されるだけの魔力を持っている。ただの平民ならば威圧など使ってはこない」

その身でマインから魔力の威圧を受けたベーゼヴァンスは知っている。マインの魔力はそこそこ強い。油断していたとはいえ、平民上がりの子供が持っている魔力ではないのだ。それはフェルディナンドと二人で行っていた奉納式《ほうのうしき》でも実証された。ある程度魔力が釣り合わなければ一緒に儀式はできないのだ。

「あれは非常に反抗的だ。こちらから手を出してマインからまた威圧を食らうのは御免被《ごめんこうむ》る。魔術具をたくさん持っている其方等と違って、儂には威圧を防ぐ手立てもない。たかが巫女見習いの売買のために、そのような危険を冒す気はさらさらない」

ふぅむ、と言いながらたぷたぷとした顎下《あごした》の肉を撫《な》でつつ、彼の意見を聞いていたビンデバルト伯爵が、腰につけている革袋の中から布に包まれた丸い物を取り出した。でっぷりとした手の上でゆっくりと布が外されていく。

「……これは……？」

「魔力を吸収するための闇の魔石です。こちらを使えば、平民上がりの巫女見習いの威圧など、全く意味がなくなります。お近付きの印にいかがでしょう？」

再び布に包まれていく真っ黒の魔石をじっと見つめながらベーゼヴァンスはゆっくりと唇の端を吊り上げていく。これがあればあのような平民の子供は恐れるような存在ではない。領主の血を引く彼に無礼な態度を取ったことを後悔させてやることができる。

食い入るように包みを見ている彼を見て、ビンデバルト伯爵は包みを差し出しながらニィッと唇の端を吊り上げた。

「……ご協力、いただけませんか？」

ビンデバルト伯爵の濁った目がギラリと光っている。ベーゼヴァンスが協力するのを確信している目だ。他人の思い通りに動くのは業腹《ごうはら》だ。しかし、彼を威圧した無礼なマインを他領に売り飛ばし、彼の命令を聞こうとせずに盾突《たてつ》いた忌々《いまいま》しいマインの両親を絶望に落とし込んでやりたいとは常々思っている。ビンデバルト伯爵が持っている黒い魔石は何よりも欲しい物だ。

ベーゼヴァンスはすぐに頭を切り替えた。ビンデバルト伯爵の思い通りに動くのではない。自分を可愛がってくれている姉のために動くのだ、と。

大勢の騎士に向かって「自分の庇護下にある」と宣言した巫女見習いが売り飛ばされたと知ればフェルディナンドは苦しむだろう。そうすれば、きっと姉は上機嫌になる。そこでベーゼヴァンスの返答を待っているダールドルフ子爵夫人も息子の敵討ちができて少しは気が晴れるに違いない。

……ビンデバルト伯爵が利を得て喜べば、儂と関係の深い貴族が全員喜ぶことになるではないか。

自分の中で理由付けができれば、差し出された手を取ることに何の躊躇《ためら》いもない。ベーゼヴァンスはビンデバルト伯爵の濁《にご》った目を見て、同じような笑みを浮かべた。

「ぜひ神殿にお越しください。何かあっても儂が姉に頼めば大丈夫です」

彼が協力する姿勢を見せたことで、その場に集った貴族達が「おぉ」と感嘆の声を漏らした。これは心強い、という声が上がるのは姉の権力によるものだが、もうそんなことは気にならなかった。

「さて、どうなるか。ふむ、楽しみだ」

ベーゼヴァンスが杯を持ち上げてエーレンフェストの街がある方向へ視線を巡らせば、雨が強まっているのが見える。荒れ模様の天候さえ、今の彼には好ましく思えた。

カミルのお世話

さて、可愛い弟が生まれた記念すべきお姉ちゃん一日目である。お姉ちゃんらしいことをしようと決意するまでは良かったのだが、わたしの宿敵ともいえる睡魔《すいま》が襲ってきた。母さんが産気づいたのが夜明けで、カミルが生まれたのは二の鐘と三の鐘の間だったのだ。夜が明ける頃から母さんを心配しながら井戸の周りをぐるぐるしていたわたしは、すでに体力が尽きていたようだ。食事を終えるとすぐに眠たくなってきた。

……ダメダメ。寝ちゃダメ。

母さんに水を持ってきたり、食器を洗ったり、わたしにもできることはあるはずだ。せめて、下の広場の宴会に参加している父さんやトゥーリが戻ってきて交代できるまではお手伝いをしたい。勝手に重くなってくる瞼《まぶた》を必死に押し上げながら睡魔と闘っていると、母さんがポンポンと自分の奥の布団を軽く叩いた。

「寝てもいいわよ、マイン」

「ううん。トゥーリや父さんが戻ってくるまでは起きてるよ。わたし、カミルのお世話をして素敵なお姉ちゃんになるの」

生まれたばかりのカミルがいるのに寝るつもりはない。初抱っこもできたことだし、これからどんどんお世話をするのだ。わたしの決意表明を聞いた母さんが優しく目を細めながら苦笑する。

「気持ちは嬉しいけど、マインが倒れる方が困るわ。今はおとなしく寝てちょうだい」

母さんにそう言われて、わたしはコクリと頷いた。お産の疲れが残っているように見える母さんにこれ以上の心配や世話をかけたりするわけにはいかない。食器を片付けると、靴を脱いでもそもそとベッドに上がる。そして、カミルを潰さないように少し距離を取ると、寝ているカミルの横顔を見ながら目を閉じた。

……お姉ちゃん、起きたら頑張るからね。

寝ると決めれば、後は早い。母さんが布団をかけ直して、頭を撫でてくれるのを感じているうちに墜落《ついらく》するような勢いで意識は落ちていった。


せっかく気持ちよく寝ていたのに、ふみゃあ、ふみゃあ……と猫のようなか細い鳴き声が聞こえてきた。そのせいでゆっくりと意識が浮上してくる。眠たいところを無理やり起こされる感覚に、むぅっと顔をしかめた。まだ眠たいのにうるさいなぁ、と思いながら、布団の中に潜り込むようにして寝返りを打った。それなのに、何故か鳴き声が近くなる。

……んもぅ、こんな近くで何の鳴き声？……あ、カミル！

ハッと目を開けると、泣いているカミルを抱き上げて授乳《じゅにゅう》を始める母さんと目が合った。クスッと笑った母さんが「よく寝ていたわね。そろそろ五の鐘が鳴るわよ」と言った。ずいぶんと長い時間寝ていたはずなのにまだ寝足りない感じだ。シパシパする目を擦《こす》りながらわたしはカミルを見た。

小さな弟は一生懸命に母さんのお乳を飲んでいる。んくんくと動く口元も、どこを見ているのか焦点が合っていないように見えるくりくりとした目も、握られたままの小さな手も、全部可愛い。

「ただいま。カミル、起きてる？」

「おかえり、トゥーリ。今お乳を飲んでるところだよ」

わたしが玄関に向かってそう言うと、下の宴会から戻ってきたトゥーリが寝室に顔を覗《のぞ》かせた。

トゥーリがベッドの端に腰かけて、「ホントに小さいよね」とカミルを見つめる。母さんは「トゥーリもマインも同じくらい小さかったわよ」と笑うけれど、そんなことを言われても覚えてないし、どう反応すれば良いのかわからなくて困る。

もういらない、というように顔を離したカミルを抱き上げて、母さんは背中を軽く叩く。カミルの口から「けぷっ」という声がした。

「マインはお乳を飲むのが下手で飲むのも遅かった上に、よく口の端から零《こぼ》したり、やっと飲めたと思えば盛大に吐いたりしてたわ」

懐かしそうに目を細めた母さんがわたしを見ながらそう言った。生まれてすぐから手がかかる子だった、と言われたわたしはむぅっと唇を尖《とが》らせる。

「そんなこと言われても、生まれたばっかりのことなんて覚えてないよ」

「え～？　マインは今だって食べるのが遅いし、調子に乗って食べすぎてお腹が痛いって唸《うな》ってるんだから、全然変わってないじゃない」

「トゥーリ、ひどい！」

母さんも「あら、本当ね」なんて笑っているけれど、わたしにも言い分はある。ウチで食べるパンは硬すぎるのだ。そのままではとても噛《か》めないので、スープや飲み物でべちゃべちゃにしてから食べる。柔らかくなるのを待っていると、どうしても食べ終わるのが遅くなるだけだ。わたしが遅いのはパンが硬すぎるせいだと思う。

「皆が同じパンを食べてるのに、マインだけ遅いんだからパンのせいじゃないでしょ？　あんなにふにゃふにゃになるまでスープに漬けておくから遅いんだよ」

「だって、噛みにくいもん」

最近は神殿でふわふわパンを食べていたから、前よりも咀嚼《そしゃく》力が落ちた気がするけれど、わたしはいつだって少しでも硬いパンがおいしく食べられるように日々研究に励《はげ》んでいるのだ。

トゥーリとそんな言い合いをしていると、母さんが苦笑しながら手を振った。

「母さんはカミルのおむつを替えるから……」

「やらせて！　やってみたい！」

トゥーリが目を輝かせてそう言うと、おむつ替えに挑戦する。わたしもおねえちゃんらしくお手伝いできるように、おむつの替え方を見学することにした。ぐるぐる巻きにされている布を外して、その内の綺麗《きれい》な部分でお尻を綺麗に拭いて、新しいおむつ布でぐるぐる巻きにしたら完成だ。トゥーリが「できた！」と満足そうな声を上げた。トゥーリは一度でできたし、結構簡単そうである。

……次はわたしもやってみよう。

トゥーリが手早く汚れた布の塊を籠《かご》に放り込みながら、青い空の広がっている窓の外を見つめる。

「ねぇ、母さん。カミルのおむつはこれだけ？　時間は遅いけど、早く洗っておかないとこれから天気が悪くなるよ」

「あら、本当。急いだ方が良さそうね。ここにある分だけだから、よろしくね。おむつを干せるようにに台所に紐を張ってもらったけど、二人にはちょっと高いから干すのはギュンターに頼んで」

母さんとトゥーリがさくさくと話を進めている中、わたしは少し首を傾げながら窓の外を見つめていた。少し雲はあるけれど、青空だ。太陽が傾いていて夕方になりつつあるのはわかるけれど、どこを見れば天気が悪くなるのか全くわからない。

「……なんで皆は天気が変わるのがわかるの？」

「むしろ、なんでマインはわからないの？　天気が変わるのがわからなかったら、危なくて森へ行けないよ。……って、そんなことより急いで洗濯しなきゃ。マイン、行くよ」

トゥーリの勢いにつられて一緒に玄関を出たところで、わたしはハッとした。

「わたし、外に出るなってダームエル様に言われてるんだった……」

井戸の広場くらいなら平気かな？　という気持ちもあるけれど、言いつけを守らなかったら周囲に危険を撒《ま》き散《ち》らすことになるぞ、と言われている。インク協会の会長が亡くなったことや祈念式で襲撃されたことを思えば、安易に外へ出ない方が良い。

家まで送ってくれたダームエルが厳しい顔で「迎えに来るまで外には出ないように」と言っているのを一緒に聞いていたトゥーリは「そういえばそうだった」と肩を落とす。

「お貴族様の命令には逆らわない方が良いもんね？　じゃあ、わたしは洗濯してくるから、マインは先に夕食の準備をしてて。わたしも父さんも下で色々と食べたから、そんなにお腹は空いてないし、スープを作るだけで良いでしょ？　ご近所さんがお祝いに春の野菜やソーセージを少しずつくれたの」

もらった春の野菜でスープを作ろうと言われ、わたしはお昼もスープとパンだったことを思い出して、お腹に手を当てる。

「……わたしはお昼もスープだけだったから、お腹が空いてきたんだけど。それに、せっかく神殿の皆から贈られたお肉もまだ食べてないし、お乳がいっぱい出るように母さんにはしっかり栄養を摂ってもらわないといけないんだよ」

わたしがお腹を押さえて「お肉を食べたい」と訴えると、トゥーリは「じゃあ、マインは鳥の肉を処理しててね」と物置を指差した。

「わかった。塩と薬草で揉み込めばいい？」

ハーブ焼きを提案すると、トゥーリは首を横に振り、「薬草は妊婦さんや出産すぐの人が食べない方がいい物もあるから、塩だけでいいよ」と言って、洗濯物や石鹸《せっけん》が入った盥《たらい》を抱えて階段を下りていく。塩だけで焼くよりはハーブ焼きの方が好きだけれど、母さんが食べられなくなるのでは意味がない。

「……薬草がダメなら、せめて父さんのお酒をちょっともらおうっと」

わたしはトゥーリを見送ると、家に戻って冬支度の部屋へ向かった。お肉を取ってきて、台所の棚に置かれている父さんのお酒に手を伸ばす。

父さんがいる時にわたしが料理にお酒を使おうとすると、父さんは必死で抵抗する。「俺の酒を使わなくてもマインの料理は十分うまいぞ」と言うけれど、あれは少しでも多くのお酒を確保しておきたいだけだ。

……父さんが嫌がっても、わたしはお酒を使うよ！　お肉を食べる時にお酒で下処理をするのとしないのでは大きな違いがあるからね。

お肉をお酒と塩で揉《も》んだ後は、普通の野菜を切り始める。まだ危険な野菜の処理は難しい物も多いけれど、さすがにわたしも危険野菜と安全野菜の区別がつくようになってきた。

「……ん？　あれ？　神殿で冬籠《ごも》りしてたせいで下手になってない⁉」

長いこと神殿に籠って、何から何までお世話をされるお嬢様生活をしていたせいで感覚が鈍ったようだ。ナイフを持つ手がちょっとプルプルする。

「あぅ、切ない。ただでさえ低い生活力がまた低下してるよ。家事も日常的にしなきゃダメだね」

生活力の低下を嘆きながら、怪我をしないように気を付けて野菜を切っていく。

「あ、ヴァルゲールだ。これはスープに入れるよりバター炒めがいいな」

ヴァルゲールは一見ホワイトアスパラに見えるけれど、味としてはベビーコーンとかヤングコーンと言われる物に似ている。湯がいてバターで炒めたり、クリームに絡めたりするとおいしい春の味覚だ。

「ただいま」

わたしが野菜を切っていると、洗濯を終えたトゥーリと酔っ払ってご機嫌な父さんが帰ってきた。

「父さんはこれを干してね。わたし達はご飯の準備をするから」

トゥーリは洗濯の終わったおむつを父さんに渡して、盥を物置へ置きに行く。父さんは台所の天井付近に張り巡らされた何本もの紐に布を広げて干し始めた。食事の準備をしている時に布を広げられるのは落ち着かないけれど、カミルのおむつが乾かないのは困るから我慢するしかない。

「晴れたら外に干せるのにね」

「あぁ、雨は困るぞ。毎日おむつは汚れるのに乾かなくなるからな」

台所にゆらゆらとおむつが並んで揺れる光景は、見慣れていないせいでどうにも落ち着かない。紙おむつの偉大さがよくわかる光景である。しかも、吊り下げられているのは布のおむつだが、麗《うら》乃《の》時代に見たことがあるような白い物ではなく、ボロ布を縫い合わせたような物だ。もっと清潔に！と思うけれど、布がないのだから仕方がない。何よりも「汚物で汚れるのがわかっているおむつに、新しい布なんて使えるわけがないでしょ」と言われれば反論できなかった。何度も洗って布が薄くなって柔らかいので、肌触りだけは良い。

「マイン、どこまで終わった？」

「わたしに切れる野菜は終わったよ。もうそろそろヴァルゲールも終わりだね。結構固くなってる」

一番おいしい時期が過ぎてしまったヴァルゲールをトゥーリに見せると、「そりゃ春も半ばに近付いているもん」と当たり前の答えが返ってきた。

「寒さが長く残る時はヴァルゲールも長く残るけど、わたしは早く暖かくなってくれる方が嬉しいよ。森で採れる物が増えるからね」

トゥーリがお肉を塩焼きにして、バター炒めにしたヴァルゲールを添《そ》える。わたしはその間に春野菜のスープを作った。

「マイン、母さんを呼んできて」

トゥーリに言われて、わたしはカミルを起こさないようにそっと寝室に入る。母さんはカミルの横で寝ていた。もう薄暗くなっているからだろうか、顔色が悪くて、すごく疲れているように見える。起こすのを躊躇って、わたしはなるべく足音を立てないように台所へ戻った。

「トゥーリ、母さんが寝てるんだけど……」

「じゃあ、起こさなくていいよ。カルラおばさん達が言ってたの。お産の後はできるだけ体を休めなきゃダメなんだって」

トゥーリが配膳《はいぜん》をしながらそう言った。お産の手伝いをしている時におばさん達から色々と聞かされたらしい。出産してしばらくは母さんがほとんど動けないから、家族が協力して家のことをしなければならないそうだ。

……そういえば、麗乃時代にも床上げって言葉があったくらいだもんね。

「マインは見てないからわからないかもしれないけど、お産は血もいっぱい出て、母さんがすごく苦しそうで、痛そうで、本当に大変だったんだよ」

トゥーリが小さい声で呟《つぶや》き、心配そうに母さんの寝ている寝室を見る。今回の出産では追い払われたし、麗乃時代でも身近に出産した人がいなかった。本で読んだことはあるし、話だけならば聞いたことがあるけれど、実際のお産を知らない。産後の母さんがどんな状態なのかは想像するしかないけれど、とても大変そうなことだけはわかる。

「しばらくは母さんに家のことをさせないくらい頑張ってお手伝いをしないと。母さんに無理をさせたらなかなか体が元に戻らないんだって。だから、マインもできるだけ手伝ってね」

「わかった」


その夜はカミルが泣く度に目が覚めた。間近で泣かれるので、どうしても意識が浮上してしまうのだ。母さんがあやしながら授乳するのをぼんやりと見つつ、目を閉じるのを四回くらいはしたと思う。おかげで寝不足だ。朝から頭がぼーっとする。

「三日もすれば泣き声に慣れて眠れるようになると思うけどね」

困ったようにわたしの頭を撫でながらそう言った母さんに、「そんなに簡単に慣れるわけないよ」と返事をしたけれど、二日目の夜は泣いているカミルの泣き声を意識の向こうの方で聞きながら、ほとんど起きることなく朝を迎えた。

「……うーん。わたし、意外と適応力高いかも？」

「マインは父さん似なんだよ」

今日も寝不足のトゥーリがわたしをじとっと睨みながら、ぐっすり寝ている父さんを指差した。

身食いの捨て子

家や近所でやる誕生祝いのイベントらしきものを全て終えると、家族も日常へと戻っていく。わたしも今日からまた神殿へと行くことになった。迎えに来てくれたダームエルとフランを連れて、ギルベルタ商会へ向かう。お祝いのお礼として、ベンノにカミルの可愛さを伝えなければならないのだ。ついでに、印刷関係のお話もしなければならない。

「ホントにね、生まれたばかりで、すごくちっちゃくて、泣いたら赤くて、くちゃくちゃで、可愛いんです。まさか弟がこんなに可愛いものだと思いませんでした」

道中でルッツとフランとダームエル相手に延々《えんえん》と語っていたことをベンノにも語る。ベンノはものすごく嫌そうにこめかみを押さえた。

「もういい。ウチの子自慢はオットーで聞き飽きているんだ。さっさと印刷の話をしろ」

「え？　コリンナさんのところ、生まれてたんですか？　わたし、聞いてませんよ⁉」

いつの間に⁉　とわたしが目を丸くすると、ベンノはむむっと眉根《まゆね》を寄せた。

「言っていなかったか？　お前が神殿に籠っている間だったから忘れていた可能性はあるな。オットーがあまりにもうるさいから、お前の父親から話が流れているか、ルッツかレオンから聞いているものだと思っていたが……」

そう言いながら、ベンノは赤褐色《せきかっしょく》の目をルッツに向ける。視線を受けたルッツは困ったように肩を竦《すく》めた。

「旦那様から話をするのが筋だとレオンから聞いたので、敢《あ》えて言いませんでした」

「まぁ、確かに俺が言うのが本来だし、生まれてからマインと顔を合わせたが……。そんな話をする余裕がなかったな」

金属活字の完成の時も、青色神官の見学で呼び出された時も、と言いながら、ベンノは少し遠い目をした。思い返してみれば、確かにいつもバタバタしていた。とても「コリンナの赤ちゃんが生まれたんだ」なんてほのぼのした話題が出せる状況ではなかった気がする。

「改めて報告しておくか……。冬の終わりに生まれた。名前はレナーテ。ギルベルタ商会の跡取り娘だ。今後よろしく頼む」

ウチの父さんが周囲に言いふらしている様子と比べるとあまりにも淡々《たんたん》とした紹介に、わたしは首を傾げた。

「ベンノさんはあまり舞いあがっていないんですね。待望の跡取りなのに……」

「あぁ。オットーが俺の分も舞いあがっているからな。アイツは阿呆《あほう》のように甘やかしそうだ。俺が厳しく教育しなければ、ギルベルタ商会が潰れる」

苦虫を噛み潰したようなベンノに苦笑が漏れた。厳しくしなければ、と言いつつ、甘いことを言うベンノが容易に想像できる。

「何だ?」

「いえ、何だかんだ言っても、ベンノさんは結構甘いですから」

「あぁん？」

じろっと赤褐色目で睨まれたが、わたしは肩を竦めた。

「コリンナさんに教育を任せておけば大丈夫ですよ。ニッコリ笑って穏やかに優しく甘く、しっかり利益を確保できる跡取りに育ちますって」

コリンナのおっとりほやほやしている雰囲気に騙《だま》されるが、後で思い返してみると、貴重な情報をベラベラ喋っていたことに気付いて、ガックリしたことが何度かある。ベンノはわたしが甘い対応をしていると指摘してくれたり、情報を垂れ流していることに気付くようにヒントをくれたりするが、コリンナは一切しない。笑顔で更に情報を得ようとする。フリーダはガッと前のめりになって商売の話をするので思わず引いてしまうけれど、コリンナは世間話の延長で情報を得ていく。

……商売相手として考えると、フリーダより怖いんだよね。

商人として考えるならば、ベンノの方が甘いくらいだ。多分、ベンノの場合は、商人の見習いとしてわたしを育てようとした時の保護者感覚が今でも続いているせいで、わたしへの対応が甘いのだと思うけれど。

「そのコリンナを育てたのは俺だぞ」

「じゃあ、ギルベルタ商会はしばらく安泰《あんたい》ですね」

わたしの言葉にベンノは「当然だ」と頷いて、今日の本題を促《うなが》す。

「それで、印刷に関する話とは何だ？」

「活版印刷はしばらくするな、と神官長から止められました。このまま突き進むと、対立する既得《きとく》権益《けんえき》が貴族になるそうです。わたし達に勝ち目がありません」

「……貴族が既得権益？　それは逃げるが勝ちだな」

既得権益に喧嘩《けんか》を売るのが好きなベンノも、さすがに貴族相手に喧嘩を売るつもりはないようだ。

わたしは少し安心しながら、神官長に言われたことをベンノに伝える。

「具体的には写本は貴族がしているので、大人向けの字がびっしり詰まった本を作ってはならないということでした。子供向けの本を作る分には対立しないだろうと言っていたので、これから数年間は子供向けの絵本作りに全力で取り組みたいと思います」

「全力……だと？　むしろ、そっちを具体的に言え」

ベンノに睨まれたわたしは大きく頷いて、これからのマイン工房の事業計画を発表する。

「具体的には、絵に色付けができるように色付きインクの開発をします。それから、ロウ原紙の開発をして、ガリ版印刷の技術を向上させたいと思います。結構大急ぎでしないと間に合いません」

「……間に合わない？　何に？」

怪訝《けげん》そうに首を傾げるベンノに、わたしは胸を張って答えた。

「ウチの可愛いカミルの成長に合わせた絵本が必要なんです。カミルのためにも全力で取り組みますので、近いうちに蝋《ろう》の工房に紹介してくださいね」

「それは、神官長からの許可を取っているのか？」

ものすごく疑わしそうに顔を歪《ゆが》めながら、ベンノはわたしに問いかけた。神官長からもベンノからも「許可を取れ」「報告しろ」としつこく言われているのに、はみ出たことをするわけがない。

「神官長は子供用の絵本なら、既得権益とぶつからないから構わないって言っていましたし、絵本に色を付けるのは、もともと神官長の注文なんです。ヴィルマの絵は白黒ではもったいないとか、本には色が付いているべきだ、って……」

「許可を得ているなら良い。近いうちに蝋工房の親方と会えるように手を回そう」

蝋の工房へと連れていってもらう約束をして、わたしはギルベルタ商会を出た。


「おはようございます。ただいま戻りました」

「お帰りなさいませ、マイン様」

デリアとロジーナに迎えられ、わたしは青の衣に着替えた。着替えながら二人にカミルが生まれた話をする。

「先日、わたくしの弟が生まれました。名前はカミル。生まれたばかりですごくちっちゃくて、泣いたら赤くてくちゃくちゃで、とても可愛いんです」

「マイン様、その言い方ではあまり可愛いようには聞こえませんわ」

クスクスとロジーナが笑いを零す。赤くてくちゃくちゃしたところもカミルは可愛いのだが、あまりうまく伝わらないようだ。

「マイン様の弟が可愛くても可愛くなくても、あたし達には関係ないですけれど、どうしてあたし達にそんな話をするのです？」

「たくさんの人に話して、覚えておいてもらうためですって。カミルが誕生したことをたくさんの人に知らせてほしいと言われたのです」

ひとしきりカミルの可愛さについて話をし、満足したところでフェシュピールの練習を始める。ロジーナの指導を受けていると、一階でノックと扉の開く音がした。しばらくすると、フランが階段を上がってきて、少しばかり困惑した顔で声をかけてくる。

「練習中、申し訳ございません。マイン様、ヴィルマが火急の用があるそうです」

「通してちょうだい」

ヴィルマの火急の用となれば、孤児院関係のことに決まっている。わたしはフェシュピールをデリアに片付けてもらって、ヴィルマを迎え入れるため、テーブルの方へと移動した。

二階へと上がってきたヴィルマは腕に赤子を抱いていた。カミルよりは少し大きい赤子を腕に抱いて上がってきたヴィルマも、案内してきたフランも助けを求めるような顔でわたしを見てくる。

「ヴィルマ、その子、どうしたのかしら？」

少なくとも妊娠した灰色巫女が神殿にいるという話は聞いていない。青色神官の側仕えになっていたとしても、妊娠すれば孤児院に戻されるのが常だそうなので、ここで生まれた子供でないことだけは確実だ。

「捨てられたそうです。門番に預けられたというか……」

ヴィルマの話によると、下町側の門番をしている灰色神官がいつも通りに門のところへ立っていると、一人の女性が足早に近付いてきた。そして、「これを神様に捧げます」と言って、布に包まれた丸い固まりを渡されたのだそうだ。

時折、神に祈ってほしいと捧げ物を持ってやってくる人や、神に助けてもらったからと奉納する物を持ってくる人がいるので、それほど疑問に思わずに門番は受け取ったらしい。

「青色神官に渡す前に品物を改めようと布を解いたら、この子がいたのだそうです」

下町からもたらされる物は一体何が入っているかわからないので、青色神官に渡す前に必ず中を改めることになっている。

「子供を神様に奉納って……」

親が殺すこともできず、育てることもできず、神様にその先を託すということで連れてこられるのが孤児院だ。カミルよりちょっと大きくて、首は座っているけれど、まだ這《は》うこともできないくらいの大きさの赤子を前に、わたしは捨てた母親に対する怒りを募《つの》らせる。

「マイン様が孤児院の院長ですから、まず、ここに連れてきたのです。どうすればよいでしょう?」

孤児院に入れるならば、院長の許可が必要だ。だが、わたしが孤児院の院長に就任してから子供が増えるのは初めてなので、どのような手続きをすれば良いのかわからない。

「どうすればよいでしょうと言われても、孤児院に子供が増えるのは初めてですもの。神官長に相談しなくてはわからないことばかりだわ。フラン、火急の用件ということで神官長に面会をお願いしてくれるかしら?」

「かしこまりました」

フランも初めての案件なのだろう。困ったような表情で足早に部屋を出ていった。こちらの困惑など全く知らぬように、赤子はヴィルマの腕でぐっすりと眠っている。

「よく眠っていますね」

眠っている赤子を見ていると、カミルを思い出して顔が緩《ゆる》んでいく。

……この子も可愛いけど、ウチのカミルの方が断然可愛いね。うん。

「今は眠っているから良いのですけれど、起きたらどうすれば良いのかわかりません。子供を産んだ灰色巫女が今は誰もいないのです。誰もお乳をあげることができないのですが、どうすればいいのでしょう……」

これまでは外から赤子が連れてこられても、地階に連れていけば妊娠中や産後すぐで子供を育てている灰色巫女がいた。小さな赤子でも彼女達が我が子と一緒に面倒を見てくれていたそうだ。けれど、今は孤児院から母となった灰色巫女が消え、地階だけで共有されてきた育児についての知識が完全に途絶えてしまった。残っている灰色巫女や見習いは、花捧げさえ関わったことがないような女の子ばかりだ。洗礼式と共に地階から出て、親から完全に離されて育つ孤児院の子供達に妊娠、出産、子育てについての知識はなく、赤子をどうすれば良いのか、全くわからないらしい。

「母のない子をどのように育てれば良いのか、マイン様は何かご存じないでしょうか？」

「母乳の出なくなった母親がヤギの乳を代用したという話を本で読んだことがあります。牛の乳より子供に良いそうです。時間はかかりますが、小さな匙《さじ》で少しずつ含ませれば、飲ませることができるはずです」

戦争中を舞台にした物語で読んだだけの知識だが、全くわからなかったヴィルマには光明が差した気分になったらしい。わたしを称賛《しょうさん》するように顔を輝かせた。

「ありがとう存じます、マイン様。すぐに準備いたします」

「おむつや服も準備しなくてはなりませんね」

カミルの世話をするために必要な物を頭に思い浮かべていると、ヴィルマは緩く首を振った。

「いくらか昔の分も残っております。少し増やさなくてはなりませんが、今すぐのことでなくても大丈夫です」

「そう」

神官長のところから戻ってきたフランに頼んで、ヤギの乳を準備してもらった頃に、目を覚ました赤子が自分の手をしゃぶりながら泣き始めた。

「お腹が空いたのだと思うわ」

わたしの言葉に赤子を抱いたヴィルマが少しずつ小さな匙でヤギの乳を飲ませていく。最初は母親と違うことに気付いたのか、嫌がって首を振っていた赤子も空腹の方が優先されたのか、ピチャピチャと少しずつヤギの乳を飲み始めた。

赤子の様子をじっと見ていた皆がホッと安堵《あんど》の息を吐く。これで少なくとも食べられる物がなくて、飢《う》え死にするような事態だけは回避できた。

三の鐘が鳴り響く。鐘の音にビクッとなった赤子だったが、すぐに食欲を優先させる。

「フラン、神官長のところへ行きましょう。ダームエル様、護衛をお願いいたします」

二人と一緒にやや早足で神官長の部屋へ向かった。カミルが生まれて、お姉ちゃん意識が高まっているせいだろうか、早急にあの子の環境を整えなければ、と気が急いてしまう。

「神官長、お話がございます」

わたしは神官長に面会し、赤子が捨てられていたことを告げた。孤児院に子供が増えた時の手続きについて質問し、どのように面倒を見れば良いのかを相談する。

「どのように？　今まで通りで良かろう？」

「子を成して育てていた灰色巫女がいないから、相談しているのですけれど？」

わたしの言葉を聞いて、神官長はハッとしたように目を見張った。

「そうだったな。だが、いないものはどうしようもない。乳母《うば》でも雇うか？　残念ながら私には子育ての経験がない」

「乳母って、雇えるのですか？」

それができるとずいぶん楽になるのではないか、とわたしが目を輝かせると、神官長は緩く首を振った。

「……孤児院に来たがる奇特《きとく》な者が見つかれば、の話だな」

「それは難しそうですね」

多分、神官長は貴族の子育ての感覚で言ったのだろう。しかし、下町でもあまり良い目で見られていない孤児院へ乳母として来てくれるような奇特な者がいるとは思えない。母さんに頼めば来てくれるかもしれないけれど、それは母さんが動けるようになってからだ。家事さえできないくらいに弱っている今の母さんに神殿へ来てほしいとは言えない。

わたしは乳母を入れるのは無理そうだと早々に結論付けた。ひとまず、わたしの側仕えで何とかするしかない。皆への負担はかなり大きいと思うが、死なせたくなければやるしかない。

「名前はどうしましょう？

「そちらで付ければ良い。今、孤児院にいる者と同じ名前にならなければ構わない」

「かしこまりました」

一通りの相談を終えると、わたしはすぐに部屋へ戻った。赤子はお腹が満たされて、おむつも替えてもらったようでご機嫌だ。おむつを替えたヴィルマによると、この赤子は男の子だったらしい。

「交代で面倒を見なければならないわね。ヴィルマ一人で見ていたら、ヴィルマが倒れてしまうわ」

何人もの妊婦と母親が世話していた時ならば、地階の灰色巫女に任せておいても問題なかっただろう。けれど、今の孤児院に残っている灰色巫女は乳児を扱ったことなどない。世話の仕方も知らない。誰にも質問できない。そんな状況ではいくら子供達の面倒を見るという役目を負っていても、ヴィルマ一人には任せられない。世話をする方が倒れてしまう。

「夜中も授乳が必要だもの。夜遅くまで起きている人と、早く起きて世話する人で眠る時間もずらさなくてはダメね」

昼間は孤児院でヴィルマが面倒を見て、夜はわたしの部屋で側仕えが総出で面倒を見ることに決めた。もともと夜遅いのが苦手ではないロジーナが夜半まで面倒を見て、代わりにフランは早めに寝て起きて面倒を見る。デリアが起きたら、ヴィルマが迎えに来るまで面倒を見るのはデリアに交代する。

「もー！　どうしてあたしがそんなことをしなければなりませんの!?」

主であるわたしの面倒を見るならばともかく、毎日、捨て子の面倒を見る意味がわからない、とデリアが怒った。デリアの気持ちもわからないわけではないけれど、面倒を見ずに赤子を死なせるわけにはいかない。

わたしはじっとデリアを見つめる。何か効果的な言葉はないだろうか。デリアが進んでこの子の面倒を見たくなるような、そんな言葉が必要だ。考えているうちに、ふっと思い出した。家族がわからないと言っていたデリアが羨《うらや》ましそうな目をしていたことを。デリアは強烈に家族への憧れを持っている。

「面倒を見るのは当然ですわ。デリアはこの子のお姉ちゃんですもの」

「え？　お姉ちゃん？」

デリアは鳩《はと》が豆鉄砲を食らったような顔でわたしと赤子を見比べた。

「デリアの年を考えると、お母さんではないから、お姉ちゃんでしょう？　この子をデリアの家族だと思って可愛がってあげてちょうだい」

「あたしの家族……？」

デリアは不思議な言葉を聞いたように首を傾げて、「家族」「お姉ちゃん」と何度か口元で呟きながら、しげしげと赤子を見つめた。

「わたくしは先日お姉ちゃんになったばかりですけれど、デリアも今日お姉ちゃんになったのです。

どちらが良いお姉ちゃんになれるか、競争しましょう」

「それはあたしの勝ちに決まっています！」

自分の胸を叩いて、デリアが得意そうに胸を張った。わたしはデリアの様子に小さく笑う。これで、デリアは良いお姉ちゃんになるために一生懸命に面倒を見てくれるだろう。基本的にデリアは努力家で、勤勉《きんべん》で、真っ直ぐなのだ。

すっかり乗せられた様子のデリアに、周囲の側仕えも生温かい目になる。けれど、まだ幼いデリアが一生懸命に世話をする様子を見れば、ロジーナもフランも負担に思いながらも世話をしてくれるに違いない。

「まず、この子の名前を決めましょうか。孤児院にいる子と同じはダメだけれど、こちらで自由に決めて良いそうよ。何か希望はあって？」

「あたしと似た名前が良いわ。家族って感じですもの」

ヴィルマの腕に収まっている赤子を興味深そうに見ながら、デリアがそう言った。それで愛着が増してくれるなら良いか、と思って、わたしはデリアに近い響きの名前を考える。

「デリアに似た名前……。ディータやディルクではどうかしら？」

「ディータ……ディルク……。ディルクがいいですわ」

デリアはわかりやすく顔を輝かせて、「ディルク、お姉ちゃんですわよ」とディルクの頭にそっと手を伸ばす。撫でられたディルクは、へにゃりと笑顔を浮かべた。

「マイン様、ご覧になった？　笑いましたわよ！」

「……すごいわね、デリアは。わたくし、カミルに泣かれてばかりだわ」

いきなりお姉ちゃん力の差を見せられて、わたしはほんの少し落ち込んだ。

その日は早めに帰宅して、わたしはお姉ちゃん力を上げるため、カミルの面倒を見ようと張り切った。けれど、母さんとトゥーリで大体のことが終わってしまい、わたしはほとんど何もさせてもらえない。おむつを替えるにもコツがあるのか、わたしが替えようとすると、何故かカミルが替えている途中でオシッコをして、辺りが大変なことになるのだ。

「そう、捨て子が孤児院に……。面倒を見られる女性がいないんじゃ大変ね」

母さんはカミルに乳を与えながら、わたしの話を聞いてくれる。

「ねぇ、母さん。わたしにできることはあると思う？」

「そうね。……お昼寝ができるだけで夜の授乳がぐっと楽になるわ。世話をする人達の睡眠時間をなるべく確保してあげるのはどう？」

子育て経験者からの貴重なアドバイスを得て、わたしは大きく頷いた。

「じゃあ、わたし、母さんや皆がお昼寝できるように、カミルやディルクのおむつ替えを頑張るよ」

「早くできるようになってちょうだい」

あんまり期待はしていないけれど、と言いながら、母さんは嬉しそうに笑った。

次の日、神殿へ行くと、フランとロジーナが疲れた顔をしていた。やはり、今までの生活リズムを崩して、夜にヤギの乳を準備して与えるのは大変らしい。本格的にお昼寝が必要そうだ。

「フランとロジーナは昼食の後、鐘一つ分くらいの間、お昼寝をしてください。夜中に起きるのは大変ですから、午後に身体を休めてくださいね」

「恐れ入ります。助かります」

ホッとしたようにフランとロジーナがそう言った。母親が我が子の面倒を見るのも大変なのだ。突然孤児院に入ってきた他人の子供の面倒を見るのは、かなり大変に違いない。

「それより、マイン様。ディルクは何だか変なのです」

デリアが心配そうにディルクを見ながらそう言った。今はすやすや眠っていて、どこにも変なところは見られない。

「今朝早くのことなのですけれど、ディルクが泣き出しても、まだヤギの乳が準備できていなくて、仕方なく泣かせておいたのです。そうしたら、泣いているうちに突然熱が上がってきて、顔の頬がぼこぼこになったのです。乳をあげればすぐにおさまったのですけれど」

フランも見たと言ったけれど、今のディルクの顔には何の跡もない。二人が言っている意味がよくわからなくて、皆で首を傾げた。

「ヤギの乳を準備したまま、ちょっと泣かせてみましょう。どのようになるのか、少し見てみなければわかりませんもの。赤子によくあることなのか、聞いてみることもできませんし」

空腹で泣き始めたディルクを皆で見つめる。しばらくすると、金切り声を上げるような泣き声になり、本当に一気に熱が上がってきた。

「ほら、マイン様。すごく熱いのです」

わたしが触るとピリッとまるで静電気が走ったように、反発するような感触がして、ディルクがより激しく泣き出した。

「マイン様、頬の皮膚がぼこぼこになってきましたわ」

「デリア、すぐに乳をあげて」

「はい。ディルク、お待たせ」

デリアが小さな匙を口に当てる。口の中にヤギの乳を流し込むと、ピタリと泣き止み、夢中で飲み始める。すると、すぐに頬のぼこぼこがおさまって熱が下がった。今度はわたしが触っても何ともない。

「フラン、神官長に面会を申し込んでちょうだい。……できるだけ、早く」

少し尖ってしまったわたしの声に、フランはすぐさま部屋を出ていき、不安そうにデリアがわたしを見つめる。

「マイン様、何かわかったのですか？」

「確定していないから、この場では言えません」

デリアの問いかけにわたしは目を伏せて首を振った。予想が違えばいいと思っている。けれど、多分間違いない。ディルクは身食いだ。それも、赤ちゃんの時に死んでしまうくらいの魔力を持った身食いだと思う。

はっきりと答えなかったわたしを見つめながらデリアは不安そうに瞳を揺らし、ディルクを守るようにぎゅっと抱きしめた。

ディルクについての話し合い

ディルクが大きな魔力を持つ身食いならば、魔力を吸い取る魔術具を借りられるまでに命が危険になる可能性も考えられる。一つでも危険を回避できる術が欲しい。

「ルッツ、お願い。森へ行ってタウの実を取ってきてほしいの。工房の下が土になっているところに置いておけばしばらくもつでしょ？」

わたしは工房にいたルッツを自室の二階に呼び出して、扉の辺りに立っているダームエルには聞こえないように小さな声でそう頼んだ。タウの実の存在は貴族に知られない方が良い。

わたしがちらりとディルクを見ると、それだけである程度の事情を察したらしいルッツは小さく頷いて、すぐさま森へ向かって走ってくれた。これでディルクがいきなり魔力を暴走させて死ぬような事態は回避できるはずだ。


「マイン様、面会許可が下りました」

フランが疲れた顔で戻ってきた。昨日の今日でまた火急の面会依頼をしたため、神官長にもアルノーにも嫌な顔をされたらしいが、本当に急用なのだから仕方がない。ディルクが身食いかどうか、そして、どの程度の魔力を持っているのか、どのように対処すれば良いのか、神官長に話さなければならないことはたくさんあるのだ。

「神官長の部屋にディルクを連れていくなら、今日はヴィルマに預けるのは止めておいた方が良いかしら？　フランがディルクを連れていってくれる？」

わたしは話題の当人であるディルクを連れて、神官長の部屋へと行くつもりだったけれど、デリアはディルクを守るように抱きしめ、フランがゆっくりと首を振った。

「マイン様、洗礼を終えていない孤児を孤児院から出すことはできません」

わたしの部屋は孤児院長の部屋なので、孤児院の一部とみなすことができるけれど、神官長の部屋に連れていくことはできないらしい。子供達をこっそりと森へ連れ出しているのですっかり忘れていたが、そういえば青色神官の目に触れないように、洗礼前の子供達は孤児院に閉じ込められているはずなのだった。

「……神官長と話し合うならば、ディルクを連れていった方が良いと思ったのですけれど、仕方がないですね」

わたしはいつも通りフランとダームエルを連れて、神官長の部屋へと向かった。入室したわたしに神官長が「今度は何だ？」と少しばかり面倒そうな顔を見せる。

「とても重要なのですけれど、この場でお話ししてしまっても大丈夫でしょうか？」

わたしは少し声を潜めて、そっと部屋に視線を向ける。神官長はわずかに眉を上げて、盗聴防止の魔術具を差し出してきた。わたしはそれを握り込む。

「君が周囲の視線を気にするほど、重要な話か？」

「……はい。昨日の赤子、ディルクのことですけれど、身食いと思われます」

わたしは朝見たディルクの様子を伝えた。神官長はきつく眉根を寄せて、重い溜息《ためいき》を吐く。

「魔力の量によるが……赤子の状態で、それだけ症状が出るならば、魔力量がそこそこ多いことは間違いないだろう」

「身食いで間違いないですよね？」

神官長が「あぁ」と重々しく頷き、トントンと指先で軽くこめかみを叩きながら、わたしを見る。

「魔力量にもよるが、早急に貴族と契約させた方が良いかもしれぬ」

「契約……」

「そうでなければ、生きられぬ」

神官長の言葉にわたしは強く盗聴防止の魔術具を握りしめる。貴族と契約するというのは、生きていくための魔術具を与えられる代わりに、貴族に隷属《れいぞく》して魔力を絞《しぼ》り取られ、飼い殺しの一生を送るということだ。自分の弟と同じ赤子であるディルクの行く末を考えると、身体が震える。

「神官長、わたくしのように魔力を提供する青色神官にしたり、貴族の養子にしたりするわけにはいかないのでしょうか？」

「その赤子を青色神官として育てるには金がかかるが、その金は一体誰が払う？」

青色巫女見習いになったわたしは嫌というほど知っている。この生活にどれだけお金がかかるのか。マイン工房を動かしていても、冬籠りの前には危うく赤字に足を突っ込むかと思った。服や靴、身の回りの物がいちいち高価なのだ。

「君の場合は、必要な費用を自力で稼げたが、孤児の赤子に同じことを求められるか？」

「……いいえ」

「それとも、君が二人分の費用を賄《まかな》うのか？　自分の家族でもない赤子のために、それだけの金額が払えるか？　君の家族はそれを許すのか？　仮に家族が許したとしても、孤児院長が一人の孤児だけを優先することに繋がるのではないか？」

わたしは言葉に詰まる。ずっと二人分の費用を払えるかどうかわからないし、孤児院で一人だけ優先することは禁止されている。助けたくてもどうすればよいのかわからなくて言葉にならない。

神官長はわたしの躊躇いを見てとったようで、少し表情を緩めた。

「貴族との養子縁組についてだが、養子縁組には領主の許可が必要だ。誰とでも好きなように縁組ができるわけではない。君の場合は、膨大な魔力量と自分で稼げる才覚とその知識を有効活用するために、上級貴族の養女とする方が良いと判断されたのだ」

神官長の物言いに、わたしがカルステッドの養女となることが決められた背景にも色々とあったことを知る。間違いなく神官長が奔走《ほんそう》してくれたのだろう。

「マイン、その赤子は女か？」

「男の子ですが？」

そういえば、昨日、神官長と話をした時点ではまだ性別が判明していなかった。わたしがディルクの性別を述べると、神官長はゆっくりと首を振った。

「……男ならば、養子は更に難しくなるな。次代の魔力は母の魔力量が影響すると言ったはずだ。女の赤子ならば養女の道もあったかもしれない」

養女というよりは、最初から貴族の娘として、政略結婚の駒として育てられることになるだろう、と神官長は呟く。わたしは軽く唇を噛んだ。政略結婚の駒も、契約して飼い殺しも、自分で人生を選ぶことができないという点で大して変わらないような気がするのは、わたしが自由に生きられる日本人だった記憶を持っているからだろうか。

「魔力不足の今ならば、もしかしたら養子として欲しがる者もいるかもしれぬが、まずは赤子の魔力量を測ってみなければ、何とも言えぬ。明日の朝……そうだな、三の鐘が鳴った後、測定するための魔術具を持って君の部屋へ行く。いいな？」

「かしこまりました。お待ちしております」

わたしが盗聴防止の魔術具を返そうとしたら、神官長がもう一度、それを差し出してきた。言い忘れたことでもあるのか、と首を傾げながら、わたしは魔術具を手に取った。

「マイン、その赤子が身食いだと知っている者はどれだけいる？」

神官長の言葉にわたしは軽く目を伏せて考える。わたしの側仕えは、身食いには詳しくない者ばかりだ。フランでさえディルクの症状を見てもわからないから、わたしに質問してきたのだ。ルッツはタウの実を欲するわたしの視線で気付いただろうけれど、側仕えは誰もわかっていないと思う。

「ディルクの症状が魔力によるものだとはっきりとわかっているのは、今のところわたくしくらいだと思います」

「ならば、しばらくは伏せて養育しなさい。特に、神殿長には知られぬように気を付けるように」

「……はい」

デリアには身食いのことを隠しておかなければならない。ディルクが身食いだと知らなければ、神殿長に教えることもできないのだから。良いお姉ちゃんになろうとディルクを可愛がっているデリアに隠さなければならないことが、少し憂鬱《ゆううつ》に思えた。


次の日、三の鐘が鳴ると、神官長はアルノーを伴ってわたしの部屋へとやってきた。神官長が来る時間に合わせて、ディルクへの授乳は終えたし、おむつも替えてある。おむつだけは替えた直後に、「やられた」ということも多々あるけれど、それは仕方ない。

ただ、ディルクはあまり泣かない赤子だ。お腹が満たされて、おむつが汚れていなければ、基本的に機嫌良く笑っている。寝る時にぐずることも少ないし、手がかからない赤ちゃんなので、その点は非常に助かっている。

ちなみに、ウチのカミルはディルクに比べるとよく泣く。特に眠たい時のぐずぐずが長い。母さんが抱っこしなければ、なかなか寝ない。月齢が変われば寝るようになるのか、赤ちゃんの個性なのか、わたしにはよくわからない。

今、わたしの部屋の片隅には藁《わら》を詰めた大きなクッションのような物が置かれ、そこにディルクを寝かせている。ディルクの隣にはデリアが座り、相手をしているのだ。このクッションはフランが面倒を見る時は一階、ロジーナやデリアが面倒を見る時は二階やそれぞれの部屋へ簡単に移動できるディルクのベッドである。

「おはようございます、神官長」

扉を開ける音がして、一階の方からフランの声が聞こえてきた。

「例の赤子はどこだ？」

「今は二階に。こちらへどうぞ」

神官長を出迎えるフランの声に気付いたデリアが機嫌よく笑っているディルクを抱いたまま、硬い表情で階段の方を振り返る。神官長は、わたしにとって何でもお任せできる相手だが、デリアにとって信頼できる相手ではないのかもしれない。

「わざわざご足労いただきまして、ありがとう存じます」

「マイン、人払いを」

アルノーは持ってきた魔術具をテーブルの上に置くと、一度手を胸の前で交差させて下がっていく。神具に使われている小魔石がずらりと並んだ環のような魔術具だ。

「全員、下がってちょうだい」

わたしが人払いをすると、デリアは不安そうにわたしと大きなクッションの上できょとんとしているディルクを見比べながら、ゆっくりと階段を下りていった。

全員が一階に下りたことを確認した上で、神官長は盗聴防止の魔術具を取り出す。

「ここは人払いしても声が筒抜けだからな」

わたしは盗聴防止の魔術具を握った上で、ディルクを寝かせているクッションの方へ向かった。

神官長も魔力を測る魔術具を持って、ディルクの方へと向かう。そして、環の魔石をディルクの額に当てれば、ぴたりと頭の大きさに合わせて魔術具が大きさを変えた。わたしも魔術具が使う人に合わせて大きさを変えるくらいでは驚かなくなった。

「あ、色が変わってきましたね」

神具に奉納するのと同じように魔力が吸い出されていくのが、石の色の変化でよくわかった。貴族の子供は生まれたら、これで魔力を測るらしい。色の変化が緩やかになってきたところで、神官長はサークレットを外した。そして、色の変わった石を数えていく。

「ふむ。……少し強めの中級貴族といったところか」

「中級貴族、ですか？　わたくしより多いと思っていたのですけれど……」

身食いとして五歳まで生きていたマインより、今にも死にそうなディルクの方がよほど魔力は多いと思ったのだが、違ったらしい。

「魔力を抑えることを知らずに垂れ流す赤子と、見た目は幼子でも成人するほどまで生きたことがある君の精神力は違う。何より、君は誰に教えられることもなく、魔力を圧縮《あっしゅく》しているだろう？」

魔力を抑え込むことに慣れてくると、魔力が圧縮され、同じ器の中にも溜められる魔力の量が変わってくるのだと神官長は言った。

神官長の話から察するに、元々のマインは五歳で意識を食われるくらいの魔力の持ち主だったのだろう。生まれた時点ではディルクの方が魔力の量は多かったはずだ。だが、わたしが意識を持ち、熱を奥の方に押し込めることに成功すると、できあがった隙間にどんどん魔力が増えていった。満たされた熱が暴れようとするので、それを更に押し込めて隙間を作った。その繰り返しで、魔力が馬鹿みたいに増えていったらしい。

今のわたしは幼女の身体にはあり得ないほど、ぎゅぎゅっと魔力を圧縮して身体の中に溜め込んでいるのだ、と神官長は言う。本来は身体の成長する第二次性徴期を前に貴族院で教えられる魔力の扱いなのだそうだ。

「じゃあ、小さい時から訓練すれば、貴族だってもっと魔力を増やすことができるじゃないですか」

「簡単に言うな、馬鹿者。全身に魔力を行き渡らせ、それを精神力で抑え込んでいくのは、死の危険と隣合わせだ。君は経験があるだろう？」

「はい、何度も」

身体に広がる熱を奥に押し込めようと戦ったことは何度もある。どうやらわたしの魔力が強くなったのは、マインとして生活し始めてから神殿に入るまでの一年半ほどの間、毎日が命の危機だったせいらしい。

「魔力をねじ伏せる精神力がなければ圧縮するのは難しい。成長するまで待って、扱いを教えるのは当たり前だろう。魔力の扱いに失敗して、命の危機にさらされる生徒も毎年数名はいるのだ」

わたしにとっては日常だったが、貴族の子供はそんな危険を冒さずにすむように、生まれると魔術具を贈られるのだそうだ。貴族院に行って魔力の扱いを覚えるまでは、基本的にその魔術具に魔力を垂れ流しなのだそうだ。ちなみに、貴族院へ行けない青色神官は魔力の扱いや増やし方も教えられないので、ずっと神具に魔力を流し続けることになるらしい。

「まぁ、君のことはどうでもよい。この赤子の魔力量は魔力不足の今ならば、養子として欲しがる者もいるかもしれぬな。だが、君の身の安全を考えて情報を抑えている今、あまり情報を広げて希望者を募るのも危険だ」

養子縁組が絶望的ならば、せめて、ディルクにとって良い契約者を探したい。わたしは神官長を見上げた。

「……あの、神官長がディルクと契約することはできるのですか？」

「できるが、しない。私にその赤子の魔力など全く必要がないからだ」

身食いと契約をするのは、基本的に自分の魔力だけでは心もとない貴族らしい。土地の維持や貴族として扱う魔術具のために魔力を欲して契約するのだそうだ。あまり大っぴらにしたい契約ではないので、表に出せる者ならば愛人や側仕えなどとされ、さりげなく周囲に置かれるが、全く教育されていない者は地下室で飼い殺しも珍しくはないらしい。

……ギルド長が大金をはたいてフリーダを貴族らしく育てようとするわけだ。

ディルクの行く先を考えて溜息を吐いていると、神官長もやれやれと呆れたように溜息を吐いた。

「そこまで心配するならば、君がカルステッドの養女となった後、君自身が契約者になれば良い」

「……わたくしが？」

思わぬ言葉にわたしは目を瞬く。わたしが貴族としてディルクの契約者になるという発想はなかった。

「養女となり、貴族の身分を得れば契約は可能だ。それまでは身食いであることを伏せて、孤児院で育てるように」

「ありがとう存じます」

わたしが契約者になれれば、ディルクを育てることに文句を言える人はいなくなる。神官長や養父となるカルステッドの意見を聞く必要はあるけれど。わたしがカルステッドの養女となるまで、ディルクが身食いであることを隠して育てれば良い。最初に考えていたよりも、ディルクの将来が明るい結果になりそうだ。わたしが喜んでいると、神官長は睨むように目を細めた。

「マイン、あまり浮かれている場合ではない。神殿長がこの赤子の存在を知れば、確実に利用されるだろう。自分の意のままにならぬ君と、まだ自我の無い赤子、神殿長がどちらを取るかは明らかだ。守りたいと思うならば隠し通せ」

自分が自由にできる魔力を得るために神殿長はディルクを欲しがるだろう。そして、神殿長にディルクを寄こすように、と求められれば、わたしに抗う術はない。

「この赤子を守りきれるかどうかで、君の立場や環境が大きく変わるということを、常に念頭に置いておきなさい」

「はい」

今回の魔力測定で、魔力を吸い取ったので、しばらくは魔力が溢れるほど増えることはなかろう、と言った後、神官長は魔術具を回収して、退室していった。

「マイン様、神官長は何と言ったのです⁉　ディルクは何か病気なのですか？」

神官長が帰るなり、デリアは階段を駆け上がってくる。わたしはゆっくりと首を振った。

「いえ、特に問題はないようです。このまま孤児院で育てなさいとおっしゃいました」

「そう、ですか。よかった……」

デリアは心底安堵したように肩の力を抜き、ディルクを抱きしめて頬擦りする。その様子を見て、他の貴族の養子にしたり契約させたりはできないな、と改めて思った。


「マイン様、ディルクを預かりに参りました」

「ヴィルマ、よろしくお願いしますね」

午後からはフランとロジーナが休憩に入る。ディルクがいるとゆっくりと休めないので、孤児院へ移動させるのだ。ヴィルマに抱かれて孤児院へ向かうディルクをデリアが寂しそうに見送った。

「ディルクと一緒にデリアも孤児院へ行っても良いですよ？」

「そのようなことをすれば、フランもロジーナも休憩に入るし、ギルは工房へと行っているのに、マイン様のお側に控える側仕えがいなくなるではありませんか」

「では、わたくしも一緒に孤児院へ行きましょうか？」

キッと睨んだデリアに側仕えの仕事について叱られたので、わたしはデリアが動けるように提案してみた。

「マイン様、あたし、孤児院へは行きたくないと以前に言いましたよね？」

冷たく返されたので、わたしは「そうでしたね」と軽く流して執務机へ向かう。フランとロジーナが休憩するので、わたしもあまり部屋の外をうろうろするわけにはいかない。そのため、わたしはディルク用に白黒絵本の第二弾を作ることにしたのだ。生まれたてのカミルと違って、寝返りを打とうと頑張っているディルクなら、そろそろ白黒絵本が見えるようになってくると思う。

「マイン様、ディルクはどうしているかしら？」

「お昼寝でもしているのではなくて？」

白い紙にインクで丸や三角を組み合わせた絵を描いた。あとは冬の間に乾燥させた膠《にかわ》を使って、板に絵を描いた紙を貼り付ければよい。フランが起きたら膠を溶かしてもらおう。できあがった板を持って帰って、父さんに穴を開けてもらって、紐で繋げていけば、白黒絵本は完成だ。

「マイン様、ディルクは泣いていたり、寂しい思いをしたりしていないかしら？」

「たくさんの子供達がいるから、寂しくはないでしょう。……うるさくて眠れないことはあっても」

「そんなの、ディルクが可哀想ではないですか！」

「……わたくしに怒られても困ります。本当にうるさい環境かどうかは、実際に見てみなければわかりませんもの」

デリアの言葉を受け流して、わたしはこれから先にしなければならないことを書字板に書き出していく。まず、蝋工房で数種類の蝋を購入しなければならない。ガリ版印刷のロウ原紙は本来ガリ切りしやすいように、蝋だけではなく松ヤニなどが混ぜられている。けれど、今回は蝋だけでとりあえず、蝋引きをしてみようと思う。わざわざ加工しなくても印刷に問題なく使えたらいいな、と思うけれど、どんな結果になるだろうか。

「マイン様はディルクが心配ではありませんの？」

「ヴィルマがきちんと見ていてくれますから、それほど心配していません」

次に、色の付いたインクを作成するため、できればインク工房の人とも話がしたい。孤児院では食材になりそうな素材は使えなかったけれど、余所の工房にお願いするならば使えると思う。

「そんなの、わかりませんわよ。もー！　マイン様はあたしの話をちゃんと聞いていらっしゃるの⁉」

わたしが適当に流していたら、デリアが噴火した。書字板から目を離し、わたしはデリアを見て、わざとらしく溜息を吐いた。

「それほど気になるなら、デリアが見に行けば良いでしょう。ヴィルマはダメだとは言いませんよ」

「……あたし、孤児院には行きたくありません」

デリアが悔しそうにキュッと唇を噛んだ。行きたいけれど、行きたくないデリアの複雑な感情が顔に透けて見えている。

「そう。では、わたくしはディルクの様子を見てこようかしら？」

「ず、ずるいですわ！」

デリアがガシッとわたしの袖をつかんだ。けれど、側仕えもいない状態で部屋の外に出ることは、淑女《しゅくじょ》としてあり得ないと言われているので、「孤児院へ行く」というのは言ってみただけだったのに、予想以上のデリアの食いつきに吹き出しそうになる。

「ねぇ、デリア。一緒に行きません？」

わたしが問いかけると、デリアは水色の瞳を泳がせ、紅の髪をふるふると振りながら、しばらく葛藤《かっとう》していた。顔を上げたデリアは悔しそうに唇を引き結び、目を潤ませて、わたしを睨む。

「……行きません」

行かないと決めたデリアに肩を竦めて、わたしはまた執務机に向かう。今度はデリアも何も言ってこない。手持無沙汰にうろうろとしているだけだ。でも、何となくディルク可愛さに、デリアが孤児院に向かうのはそれほど先のことではないような気がした。

インク工房の跡取り達

「マイン、空いている日を尋ねてこいって言われたんだけど……」

ギルベルタ商会から呼び出しがかかったのは、カミルが生まれて十日ほどたった日のことだった。蝋の工房へ連れていってくれる算段がついたのだろう。それ以外にベンノから呼び出される理由が思いつかなかったわたしは満面の笑みを浮かべてルッツを見上げた。

「ベンノさんが蝋の工房に連れていってくれるんでしょ？　だったら、フランが一緒の方が良いから、明後日の午前中でどう？」

「いや、会いたいって言っている人がいるらしい」

「……なぁんだ」

一気にテンションが下がった。早く蝋工房に行きたいのに違ったらしい。わたしは唇を尖らせながら了承《りょうしょう》する。

「今回連れてくる側仕えはフランじゃなくて、ギルの方がいいかもな。旦那様はインク工房の職人だって言ってたから」

ルッツの言葉にわたしのテンションはＶ字回復した。インク開発のためにインク工房の人と会いたいと思っていたのだ。せっかくなので、色インクを作れないか、相談してみよう。

「うふふ～ん。楽しみだね、ルッツ」

「急に機嫌が良くなったな」

ルッツに呆《あき》れた視線を向けられても浮かれていたわたしだったが、はたと思い出した。亡くなったインク協会の会長はわたしの情報を探っていたのだ。新しい会長が今も情報を集めているかもしれない。

「……あ、わたし、インク工房の人と顔を合わせて、話をしちゃって大丈夫なの？」

一気に不安になったわたしを見て、ルッツは少し考え込む。

「旦那様が大丈夫だと判断したから、会わせることにしたんだろうし、大丈夫だろ？」

「じゃあ、素直に楽しみにしておくね」

約束の日の朝、迎えに来たルッツとダームエルとギルと一緒に、わたしはギルベルタ商会へ向かった。忙しそうなマルクが、それでも、わたしに気付いて店先へと出てきてくれる。

「マイン様、おはようございます。お客様はすでにいらしています」

「マルクさん、おはようございます。忙しそうですが、案内していただいてよろしいですか？」

穏やかに笑ったマルクによってギルベルタ商会の奥の部屋へと通されると、見覚えのあるインク工房の親方と若い女性がいた。インク工房の親方は相変わらず神経質そうに眉間に皺《しわ》を刻んでいる。若い女性は髪を上げているので成人しているようだ。でも、赤茶の髪を後ろで三つ編みにして、それを上にあげて留めているだけの髪型で、外見には気を配らないタイプの女性らしい。好奇心に満ちた灰色の瞳があちらこちらを忙しなく観察して動く様子は、彼女をとても幼く見せていた。

「ねぇねぇ、父さん。あの子？」

「相手はお嬢様だ。指を差すな」

どうやら親子らしい。短く低い声で怒られて、彼女はわたしを指差した手を慌てた様子で自分の背後に隠す。しかし、その好奇心の塊のような灰色の目はわたしに固定されたままだ。

「マイン様、おはようございます」

ベンノがそう言って、わたしを迎え入れ、自分の隣の席に座るように手で示す。わたしはコクリと頷いて、ダームエルを見上げた。流れるような動きでダームエルがエスコートして、椅子に座らせてくれる。さすが、お貴族様。優雅な動きである。

「ヴォルフが亡くなったため、俺が新しくインク協会の会長になったビアスだ。望んだことではないが、引き受けることになってしまった以上、できるだけのことをしたいと思っている」

そう言った後、ビアスが眉間を押さえてインク協会の内情を教えてくれた。どうやらヴォルフはかなり不審《ふしん》な死を遂げていたらしく、インク協会の会長の後釜はインク工房の親方達が押し付け合って、なかなか決まらなかったらしい。最終的には誰もやりたがらない会長をビアスが引き受けることになったそうだ。お気の毒である。

「亡くなった人のことを悪く言うのは良くないが……あの人は強引すぎたし、とんでもないところに足を突っ込んだんだ」

ビアスは項垂《うなだ》れてそう言った。後始末を全て押し付けられる形になって、非常に苦労しているらしい。あまり饒舌《じょうぜつ》な性質ではないようで、ビアスはポツポツと言葉を紡いでいく。

「俺は工房を運営し、インク工房をまとめていきたいと思っている。だが、この通り口下手で、販売には向いてない」

本来ならばインク工房はインクを作るだけが仕事だ。販売は商人ギルドの商人や商店を通して行うことになる。だが、下町でインクを扱っている文具店は一つしかなく、そこに卸《おろ》す以外の貴族向けの営業は強引な手法でヴォルフがずっと独占して利益を得てきたらしい。

「今までは販売のことなど全く気にせず、職人達はただインクを作っていれば良かったが、ヴォルフが死んでしまうと代わりに誰かが窓口にならなければならない。今まで貴族と付き合いのなかった文具店のじいさんに、貴族と取引しろと言うのも無茶だろう？」

確かに実入りも多いのだろうが、貴族との付き合いは面倒が多い。わたしから見れば特に問題なく貴族と取引しているように見えるベンノでさえ、ジルヴェスターや神官長と面会する時は胃を痛くしたり、神経をぴりぴり尖らせたりしている。挨拶一つとっても覚えることは多いし、失敗は店の進退を決めるのだから、当然だ。

下町の富豪層《ふごうそう》だけを相手に平和に店をやってきたおじいちゃんにいきなり貴族と付き合えと言うのは酷な話だ。店主が貴族との付き合い方を知らないのに、跡取りやダプラが知っているはずもない。貴族について調べて覚える機会があるならばともかく「インク協会の会長が不審死を遂げたので明日からよろしく」と言われて、頷けるような話ではないのだ。

「……その死の不審さに貴族の関与が疑われたら、誰だって逃げるよ。実際、下町の商店でも貴族と付き合いがあるのは、大店《おおだな》と言われる店の旦那くらいだ。数は決して多くない。大店の中でインクを商品として取り扱ってもおかしくない店となれば、更に絞られて数店になる。

「ギルド長の店がそういう貴族向けの小物も扱っていただろう？　そちらに頼めばどうだ？」

ベンノが軽く眉を上げてビアスを見た。ギルド長から仕事を奪ってやろうと思うほど、インク販売に魅力がないのか、実入りに比べて面倒が多いのか、もうこれ以上手が広げられないのか、「俺がインクを販売してやろう」とベンノは言わなかった。ベンノが引き受けてくれるのを期待していたのか、ビアスはがっかりしたように肩を落として首を振る。

「そうしたいのは山々だが、商人ギルドのギルド長がもともと取り扱っていたのをヴォルフが会長になった途端《とたん》、独占したんだ。……もう一度頼みに行けばどうなるか、わかるだろう？」

即座にギルド長がどのような態度を取るのかが思い浮かんだようで、ベンノは顔を歪める。

「足元を見られるな。嫌らしく笑うじじいの顔が思い浮かぶぞ」

「だから、俺はギルベルタ商会に頼みたいと思ったんだ」

新しいインクを考案し、これから大口のお客となることが確定しているマイン工房とマイン工房で作り出す絵本の販売を一手に引き受けているギルベルタ商会ならば、インクの販売を取り扱っても不思議ではない。ビアスの主張にベンノはこめかみを押さえて、頭を振った。

「簡単に言うな。今までヴォルフがこっそりと引き受けていた後ろ暗い仕事を引き受けてくれるのか、と言い出すお貴族様もいるだろうし、俺がインク販売もすることになれば、ギルド長が今まで以上に妙な言いがかりをつけてくるようになるだろう？」

わたしはちろりとベンノを見上げた。

「……じゃあ、余所に譲るんですか？」

ベンノが難色《なんしょく》を示す気持ちはわかるけれど、インク協会が他の店にインクを卸すようになれば、わたしはその店と取引しなければならない。見た目で侮《あなど》られ、まともに取引できるようになるまでにどれだけの労力がかかるか考えただけでげんなりする。

「これから先、マイン工房で本を印刷しようと思ったら、インクが大量に必要になるのはわかりきっていることですから、わたしとしては他のお店が扱うよりはベンノさんに扱ってもらった方が安心なのですが」

「ほら、お嬢様もこう言ってるじゃないか。頼む、旦那」

「う～ん、だが、なぁ……」

難しい顔で難色を示すベンノだが、先程よりは断る勢いが弱まっている。それを察したビアスがわたしを見て、必死の顔で懇願《こんがん》してきた。

「お嬢ちゃんからも、もっと頼んでくれないか？」

「……ベンノさんの説得に助力するのは構いませんけれど、色インクの開発に協力してください」

「色インク？　何だ、それは？」

首を傾げるビアスの隣で、じっと座っていたハイディがビシッと手を挙げた。

「アタシがやる！　その話がしたくて、ここに来たんだから」

「えーと……ハイディさんですよね？」

「あぁ、俺の娘でウチの工房の跡取りだ。インク作りが好きで、新しい物が好きで、二十歳を越えたというのに落ち着きがない。お嬢様が言い出した植物紙専用のインクを作っているのが、こいつとその旦那だ」

パッと見た感じは成人してすぐくらいに見えるが、実は二十歳を越えていて、既婚者だったらしい。ビックリだ。

「お嬢様のインクの作り方は斬新で、今までと全く違って、とても刺激的だったよ。これからもよろしく」

「マインと申します。こちらこそよろしくお願いいたします」

「今のところ、植物紙専用インクを作っても購入見込みがマイン工房しかないんだよね。どんどん買って、どんどん使って」

今までのインクでは植物紙が傷みやすいというだけで、全く使えないわけではない。そのため、少し安めの植物紙を買う者が増えたとしても、インクは今までの物で代用することがほとんどになる。わざわざ買ってインクを使い分ける必要はないのだ。何より、わたしが作ってほしくてインク工房に公開したのは印刷用の粘度《ねんど》の高いインクの作り方だ。今はまだ他の人が欲しがるとは思えない。

「では、早めに絵本の第二弾を作らなければなりませんね」

「そう。それで、植物紙用インクを作っている時に思ったんだけど、同じ作り方で黒以外もできるんじゃないかって……」

ハイディは色インクが作れるのではないかと思いついたけれど、すぐに作ることができなかったらしい。

「黒インクの権利を譲るために契約魔術のような高額の契約をしてくるギルベルタ商会が相手だ。色インクに関しても様々な契約があるかもしれない」と父親であるビアスに言われたそうだ。

どうしても色インクを作ってみたくなったハイディは、ベンノに色インクを作っても大丈夫かどうかを相談に来たらしい。インク作りに関してはベンノが知っていることはほとんどないので、わたしと会わせることになったようだ。

「黒以外もできます。ぜひ、作ってください」

「ただ、素材がねぇ、何が適しているのかわからなくて……。何か情報があったら、と思って、ここに来たの。絵具や染料に使われる素材ならたくさん集めたけど、どんな素材が向くの？」

キラキラと輝く灰色の目に真っ直ぐに見られて、わたしが口を開こうとすると、ベンノがガシッと肩を押さえた。

「マイン、わかっているな？」

無料でベラベラと喋るな、と目が雄弁《ゆうべん》に語っている。わたしはハプッと口を閉じて、ベンノに向かって一度コクリと頷くとハイディに向き直った。

「色インクの売り上げの一割を情報料としていただきます」

「高すぎるよ！　商品になるまでにものすごくお金がかかるのに！」

ハイディが悲鳴のような声を上げた。研究や開発に手間とお金がかかることは知っている。わたしは、うーん、と首を傾げた。

「色インクの売り上げの一割はいただきますが、初期の研究費の半額は持ちます」

「よし、乗った！」

ハイディが顔を輝かせて、即座にバッと手を出してきた。商談成立だ。わたしがハイディの手を握ろうとすると、わたしの頭はベンノの手にガシッとつかまれ、ハイディの頭には父であるビアスの手がベチッと飛んだ。

「勝手に決めるな、お前ら！」

わたしとハイディは揃《そろ》って頭を押さえて、それぞれの保護者を見る。

「……え？　でも、妥当《だとう》なところじゃないですか？」

「妥当じゃない。お前が出しすぎだ。情報を出すなら、初期投資の四分の一でいい」

「そのくらいが妥当だ」

ベンノの修正を受けて、ビアスもそれに頷いた。細かい取り決めを保護者同士が始めると、わたしはハイディと色インクの話がしたくて仕方がなくなってきた。ハイディも同じことを思っているのか、うずうずと体を動かしながら期待に満ちた目でわたしを見ている。

「お嬢様、工房に行かない？　思い当たる素材を片《かた》っ端《ぱし》から揃えてみたの。おかげで父さんに思いきり叱《しか》られたんだけど」

「素敵！　ぜひ行きたいです！」

何だろう、ハイディとはとても気が合うようだ。わたしとハイディが同時に立ち上がろうとした瞬間、それぞれの保護者が首根っこをつかんで、椅子に座り直させる。

「まだ話は終わってない！」

「落ち着け、阿呆！」

保護者同士も息ぴったりだ。ベンノはわたしの首根っこを押さえたまま、深い溜息を吐いた。

「……仕方がない。インクの取引はウチがひとまず取り扱う。ただし、ウチが独占するのはマイン工房で扱う植物紙専用のインクのみだ。これには色インクも含まれる。それ以外のインクに関しては、他が参入したいと言ってくれば、参入させてやればいい。ギルド長の矛先《ほこさき》を増やしてくれ」

「わかった。助かる」

疲れきったようなベンノとビアスのやり合いで、無事にインクの売り方も決まったらしい。

「では、工房に行ってもよろしいですか？」

「早速、新しい色を作ってみよう」

わたしとハイディが立ち上がると、ベンノはルッツを呼んで、その肩に手を置いた。

「ルッツ、よく見張っていろ。……マインが二人になったようなものだぞ」

「旦那様、オレだって、そんなの面倒見きれません。マイン一人で手一杯ですよ」

非常に不安そうな顔で見送ってくれるベンノに笑顔で大きく手を振って、わたしはインク工房へと向かう。けれど、わたしの歩くスピードに耐えきれなくなったらしいハイディは「先に準備してるね」と言って、一人で工房へと駆け出していってしまった。ビアスは顔を青くして、わたしに謝ったけれど、別に機嫌を損《そこ》ねるようなことではないので構わない。

「ねぇ、ルッツ。ハイディって、お仕事熱心そうで面白いけど、変わった人だね」

「……マインが言うな」


ビアスに案内されたインク工房は、まるで理科の研究室のようだった。たくさんの器具が置いてあり、天秤《てんびん》のような秤《はかり》があり、慎重《しんちょう》に分量を量って、没食子《もっしょくし》インクを作っている職人の姿がある。

隅の方の一角に、わたしが頼んだ植物紙用のインクを作る場所があった。できたインクが瓶に詰められていくつか置かれている。そこで先に戻ったはずのハイディが二十代半ばの男性にガミガミ叱られていた。「遊ぶ前に仕事をしろ」というような内容だ。

「ビアスさん、ハイディは忙しいのかしら？」

「……いや、お嬢様が気にすることじゃない。おい、ヨゼフ！　今日はいいんだ。ハイディには客の相手をさせる」

ビアスがそう大声で言うと、ハイディは顔を輝かせて振り返り、ヨゼフと呼ばれた男性は驚いたように目を丸くした。

「親方、ハイディに客の相手をさせるって、正気か⁉」

「新しい色のインクを欲しがって、アイツの研究費の四分の一を負担してくれる貴重なパトロンだから、今日はハイディの研究を止める必要はない。失礼がないかどうかだけ、見ていてくれ」

二人のやり取りで、普段のハイディが一体どのような扱いをされているのか目に浮かぶようだ。

「お嬢様、こいつはヨゼフ。ハイディの夫で、実質的なこの工房の跡取りだ。ハイディ共々、よろしく頼む」

「マイン工房の工房長のマインです。本日はできている植物紙用のインクの買い取りと新しい色インクを作るところを見せてもらうために伺《うかが》いました」

わたしの言葉にヨゼフはホッとしたように息を吐いた。作ったものの、植物紙インクを欲しがる客がいなくて、どうしたものか、と思っていたらしい。

「これが、今できている分だ」

「では、これだけを明日中に店へ運び込んでください」

ギルベルタ商会のダプラであるルッツが親方から買い取り、マイン工房に売る。一見面倒だが、そういう手順を踏まなければならないらしい。商人としてのやり取りはルッツに任せて、わたしは工房を見回した。一緒に付いてきているダームエルとギルも下町の工房は珍しいようで、興味深そうに辺りを見回している。

「お嬢様、こっち、こっち」

ハイディが手招きする方へと向かうと、素材を集めたというだけあって、少量ずつ色々な物が集められていた。すでに粉々になっているので元が何か全くわからない。そして、色を作るための素材だけではなく、色々な種類の油も集められていた。

「ハイディ、ここにある油は？」

「片っ端から集めてみたの。亜麻仁《あまに》油だけじゃ足りなくなるかもしれないでしょ？」

「えぇ。わたくしも同じことを考えていたの」

インクを作るのに乾性《かんせい》油が欲しかったけれど、この街で目にする物の中でわたしにパッとわかるのが亜麻仁油だけだったのだ。生地に麻のような物があるのだから、存在するだろうと見当をつけてみた。けれど、亜麻仁油だけでは量が心もとないし、値段も高い。他に代用できる油がないか、わたしも探そうと思っていたのだ。せっかくなのでこの機会にこの世界の油の種類を調べてみたい。

「油には乾燥させれば乾く乾性油と乾燥しても乾かない不乾性油があるのだけれど、インク作りに向くのは乾性油なのです」

「えーと、それなら、亜麻仁油の他には数種類しかないよ。ミッシュ、ペード、アイゼ、トゥルムがそうだね」

並んだ油の中からハイディはパパパッと名前を挙げながら選別する。胡桃《くるみ》や花の名前を次々と挙げられ、わたしは慌てて書字板にそれを書き留めていった。

「わたくしが知っているインクは色の付いた鉱石を粉状にして、混ぜる物が多いのです。……そうですね、このような黄土の土で黄色と茶色の中間のような色ができます」

「よし、やってみよう。ヨゼフ、手伝って」

ハイディがヨゼフを呼んで早速作り始めた。ヨゼフが大理石の板の上で、黄土と油を練り始める。

「……ん？　茶色になんてならねぇぞ⁉」

「な、なんで？」

黄土と油を混ぜれば黄土色になるはずだ。他の色になるはずがない。それなのに、わたしの前には何故か青があった。晴れた青空のような鮮やかな青が大理石の上に広がっていて唖然《あぜん》とする。

「ほ、他の油でも試してみましょう」

ミッシュ、ペード、アイゼ、トゥルムの順で、ヨゼフとハイディが黄土と混ぜていく。唯一アイゼだけはわたしの知る黄土色に仕上がったけれど、それ以外は赤く変化したり、青緑のような色になったり、予想外の結果になった。

五色の大理石を前に、わたしだけではなく、全員がぱしぱしと目を瞬《またた》く。

「どう考えてもおかしいよな？」

「えぇ。油の種類でまさか色が変わるとは思いませんでした。結果は予想外ですが、少ない素材で色数が増えるのは歓迎できることですよね？」

次々と混ぜていたヨゼフが腕や肩の筋肉を解《ほぐ》すようにぐるぐると回しながら、疲れた顔でわたしを見る。

「お嬢様、予想以上に前向きだな」

「わたくしが欲しいのは色インクですから。無色透明にならない限りは問題ありません」

ひとまず書字板にできあがった結果を書き込んでいく。何か法則があるかもしれない。ルッツはできた色インクを見つめて首を傾げた。

「どうしてこんなことになるんだ？」

「君もそう思うよね？　不思議だよね？　ぜひとも解明してみたいよね？」

ハイディが顔を輝かせてルッツの手を取った。ハイディはどうやら不思議を解明したくて仕方がないタイプのようだ。わたしはパタリと書字板を閉じる。

「ハイディ、どうしてこうなるかはこの際どうでもいいです。大事なのは何色ができるかなのです」

「えぇ!?　お嬢様はこの不思議が何故起こるのか、知りたいと思わないの？」

まるで裏切られたとでも言わんばかりに、ハイディが灰色の目を見開いた。直後に横からヨゼフの腕が伸びてきて、ハイディの頭をガシッと押さえる。

「こら！　お嬢様をお前の変人仲間にするな！」

「変人なんてひどい。このお嬢様とはわかり合えると思っただけなのに」

ハイディには悪いが、わたしは別に不思議の解明がしたいわけではない。可愛い弟のカミルのために色付きの絵本を作りたいだけだ。ちなみに、自分で不思議解明をしたいとは思わないけれど、研究結果をまとめた本なら大歓迎である。

「わたくしは理由や原因より結果が知りたいです。アイゼは予想通りの色ができましたもの。今度はそこの青をアイゼに混ぜてみましょう。次々とやってみれば共通点や相違《そうい》点が明らかになるかもしれません」

わたしが青の粉末を指差すと、ハイディは笑って大きく頷いた。

「それに関しては同意見。次々とやってみよう」

黄土色は予想通りの色が作れたアイゼだったが、ラピスラズリの粉末のような青と混ぜると、何故か鮮やかな黄色になった。菜の花畑を描くならピッタリだが、わたしが求めた色は黄色ではない。そして、ラピスラズリのような青ができたのは亜麻仁油だった。

「……これは難しいかも」

大量の素材と五種類の油を前に、わたしは自分の知識と異世界の常識の違いに大きな溝《みぞ》を感じながら結果の記された書字板を睨んだ。

色作り研究中

作った色インクが詰まった瓶が林立している。それに一つ一つ油と素材の組み合わせを記した小さな木札を付けていった。それを浅い木箱に並べてヨゼフが片付けていく。

数時間ずっとインクを混ぜ続けてヨゼフとハイディの腕が限界を訴えたことと、お昼が近付いたこと、書字板が二人分いっぱいになってしまったことで、本日の実験は終了にしたのだ。自分の書字板には書ききれなくなったので、ルッツの書字板も借りて実験結果を書いていたわたしは、二つの書字板を見ながら、うーん、と唸る。

「色が予測不可能というところが困りますね」

「でも、こうして見てみると多少傾向がわかってきたんじゃない？　それに、こんなにはっきりと実験結果が残るなんてすごいよ。字が書けるお嬢様がいてくれてホントに嬉しい。最高だね！」

ハイディが嬉しそうにわたしの書字板を覗き込んで絶賛《ぜっさん》する。ハイディは仕事に関する数字や単語ならば多少は読めるけれど、完全には字が読めないそうだ。今までは色々と実験をしても実験結果を全て記憶するしかなかったらしい。

「わたくしは大量の実験結果を記憶できるハイディの記憶力こそ最高だと思うのですけれどね」

「残念なことに、ハイディの記憶力は実験でしか活かされないんだ。最高からは程遠い」

ヨゼフが肩を落としてそう言うと、ルッツはわたしを見てからかうように笑った。

「マインと一緒だ。本が関わった時だけ異様な集中力や行動力を見せるんだ」

ヨゼフとルッツは変なところで気が合ったようで、時々肩を叩き合って慰《なぐさ》め合っている。

……気が合う人が見つかるっていいよね。毎日がちょっと楽しくなるもん。

「では、明後日には本日の実験結果をまとめてきますね」

「アタシは書けないから、お嬢様にお願いするわ」

わたしとハイディは笑って握手して別れた。今日はこのまま家に帰って、結果をまとめていこうかと思っていたら、ギルが少し躊躇うような素振りを見せながら、わたしの袖を軽く引いた。

「どうしたの、ギル？」

「マイン様、オレも書字板が欲しいです……」

ギルが目を伏せて、ポツリとそう零した。そういえば、字が読み書きできるようになったので、春になったら作ってあげると言っていたはずだ。

「じゃあ、今からヨハンの鍛冶《かじ》工房へ寄ってギルの鉄筆《てっぴつ》を注文しましょう。その後は、わたくしはウチへ帰って本日の結果をまとめます」

職人通りにあるのでインク工房と鍛冶工房はそれほど離れていない。お昼の休憩に入る直前のお客になるのでヨハンは嫌な顔をするかもしれない、と思いながら、わたしは鍛冶工房へと向かった。

「こんにちは。ヨハン、いますか？」

「おう、嬢ちゃん」

別のお客の相手をしていた親方がギョロリとした目で扉の方を見、わたしを見つけた途端、笑いを堪《こら》えるような顔になった。うっしっしっと笑いながら、空いている席に座るように勧めてくれる。

「ヨハンならすぐに呼んでやる。……おーい、グーテンベルク！　お前のパトロン様がいらっしゃったぞ！」

「ぶふっ！」

親方のからかい交じりの大声にルッツとギルが慌てて口元を押さえた。鍛冶工房でヨハンは完全にグーテンベルクという呼び名が定着したようだ。

「だから、その名前で呼ばないでくれって言ってるじゃないか、親方！」

グーテンベルクはわたしにとって誇らしくて良い呼び名だが、呼ばれているヨハンはあまり気に入っていないようだ。涙目で親方に抗議しながら、ヨハンが奥から飛び出してきた。

「こんにちは、ヨハン」

「あ、マイン様。いらっしゃいませ」

「お昼前にごめんなさい。注文があるのだけれどいいかしら？」

「……まだ、前の注文が終わってないんだけど」

わたしが追加注文した金属活字を作っているらしいヨハンが決まり悪そうな表情になった。神官長に活版印刷《かっぱんいんさつ》を止められたので、金属活字はそれほど急いではいない。二年くらいかけてゆっくり大量に作ってくれればそれでいいのだ。

「こちらの注文を優先してくださいい。以前に注文したことがある鉄筆なのだけれど、ギルの分を作ってほしいのです」

「やります！」

わたしが鉄筆を注文した瞬間、ヨハンの顔がパァッと輝いた。グッと拳を握って突き上げる。万感が籠《こも》った顔で呟いた。

「くぅっ……久し振りすぎる。金属活字以外の仕事……」

……なんかごめん。

わたし以外のパトロンがまだ付いていないらしいヨハンは延々と金属活字を作っているそうだ。そして、金属活字を作っていると、親方を始め、職人達にグーテンベルクとからかわれるらしい。たまに違う仕事も頼んであげた方が良いのかもしれない。

「今度は金属活字以外の物も注文に来ますね」

ロウ原紙を作るためのアイロンとか、ガリ版用の鉄筆とか、ガリ版用のやすりとかはどうだろうか。いくつかヨハンに協力して作ってほしい物が思い浮かんだけれど、どれを作っても印刷のための道具だ。

「金属活字以外の注文、楽しみにしています」

嬉々として鉄筆の注文を受けてくれるヨハンの笑顔にちょっとだけ罪悪感を覚えた。どう考えてもヨハンはグーテンベルクから逃れようがなさそうだ。


ギルの鉄筆を注文し終えて鍛冶工房を出ると、お昼を示す四の鐘が鳴り響いた。

「マインは家に帰るんだよな？」

「うん」

「オレ、腹が減ったから、早く店に帰りたいんだ。急ぐから負ぶされ」

ルッツはそう言ってその場にしゃがんだ。急いで帰らなければ昼食の取り分が減るらしい。急ぐ時には足手まといになるわたしはおとなしくルッツに負ぶさった。ルッツはすっくと立ち上がると、半ば駆け足で井戸の広場へ戻る。

「マインは昼から家で今日の結果をまとめていろ。オレは昼からマイン工房も見てくるし、旦那様に報告もしなきゃいけないから。外に出るなよ」

井戸の広場にわたしを下ろし、書字板をわたしの手に置くと、ルッツはすぐに店へ向かって駆け出した。よほど昼食が心配らしい。ルッツを見送った後、わたしは目を瞬いているギルとダームエルに視線を移す。

「……ギルとダームエル様もありがとうございました。今日はもう外出しませんから、お二人も神殿へ戻ってください」

「あぁ、明日は神殿に来るのだな？」

「はい。本当はインク工房に行きたいのですが、フェシュピールの練習を怠《おこた》ると、ロジーナに叱られるのです」

ルッツの書字板をトートバッグに入れて、わたしは一人で階段を上がり、家へ帰った。

「ただいま」

わたしはなるべく静かに玄関のドアを開く。それでもギギギギッと蝶番《ちょうつがい》が軋《きし》む音は避けられない。

滑《すべ》り込むように入ると、「お帰り、マイン。早かったのね」と母さんが声をかけてきた。竈《かまど》の前に立っているところを見るとお昼ご飯の準備をしていたようだ。

「母さん、カミルは？　寝てる？　起きなかった？」

「えぇ、大丈夫よ」

ちらりと寝室の方へと視線を向けながら問いかけると、母さんは小さく笑って頷いた。

わたしはカミルを起こさないようにこっそりと寝室に入ると、カミルの寝顔をちらりと見て、荷物を置く。その後、手を洗い、母さんと昼食を食べ始めた。

「ほわぁ、ほわぁ……」

食事の途中でカミルがか細い声を上げて泣き始めた。母さんは自分の食事を慌てて食べて、カミルのところへと駆けて行く。

「マイン、悪いけど片付けてね」

わたしは自分の分と母さんの分の食器を洗って片付け、台所のテーブルで自分の書字板とルッツの書字板に書き留めた本日の実験結果を失敗作の紙に書き写し始めた。

法則性が全くないように見えた実験結果も表にまとめてみると少し法則が見えてくる。亜麻仁油は青系に、ミッシュは緑系、ペードは赤系、アイゼは黄色系に変色することが多く、トゥルムは不規則に変化するが、できあがりはパステルカラーになるようだ。

「うーん、時々、法則から外れた物があるけど、ちょっと傾向が見えてきたかも」

素材の組み合わせで意外とたくさんの色が作れる。どう変色するかを表にまとめておけば、思ったよりたくさんの色が作れそうだ。

「難しい顔しちゃって、マインは今何をしているの？」

母さんが長い布でぐるぐると包みこむベビースリングのような物にカミルを入れて、寝室から戻ってきた。授乳も終わって満腹なのだろう、カミルはパッチリと目を開けている。

「カミルのために絵本を作るの。そのために今は綺麗な色のインクを作っているところ」

「一から作るの？　先が長そうね」

「うん、長いと思う。カミル、今日はご機嫌？」

わたしはスリングの中に納まっているカミルの顔を撫でる。カミルは瞬きもせずにじっとわたしの顔を見ていた。ディルクとべったりしているデリアにはお姉ちゃん力で完全に負けているけれど、ちょっと泣かれなくなっただけでわたしは満足だ。

「カミル、カミル。マインお姉ちゃんだよ」

しばらくの間、カミルとの触れ合い時間を取ったらカミルはまたうとうとし始める。母さんが寝かせに行くのを見送ると、わたしは自分で書いた表をじっと眺めた。

「あれ？」

油の名称を見ていたわたしは、自分にとって馴染みの深いパルゥ油が入っていないことに気付いた。試してみる価値があるかもしれない。

「パルゥ油はどうなんだろう？　ちょっと工房へ持っていってみようかな？　それから、作ったインクを紙に塗ってみても変色しないか、時間がたっても大丈夫か、確認してみないとダメだね。重ね塗りしたらどうなるかも試してみなくちゃ」

気になること、調べてみたいことを思いつくままに次々と書き出していく。今度ハイディに聞いて実験してみなければならない。

次の日は神殿へと行って、フェシュピールの練習と神官長のお手伝いをこなした。午後からはディルクが孤児院へ行って暇になるらしいデリアの相手をする。ルッツに頼んで工房から紙や筆を持って帰ってきてもらった。明日はインク工房に持っていって、インクを実際に塗ってみるのだ。

そして、その次の日。冬の残りのパルゥ油と紙や筆を持って、わたしはギルとダームエルとルッツと一緒にインク工房へ向かった。よほど待ちかねていたのか、工房の前でハイディがうろうろしていた。わたし達の姿を見つけて、顔を輝かせて大きく手を振る。

「おはよう、お嬢様。待ってたよ！」

「おはようございます、ハイディ。これが実験結果をまとめた表です」

工房に入るとすぐにわたしは先日の実験結果をまとめた紙を見せる。ハイディは興味深そうに表を覗き込んだ後、ガックリと項垂れた。

「材料はところどころわかるけど、ほとんど読めないよ」

「あと、こちらは表をまとめる時に思いついたことなのですが……」

わたしが試しておきたいことを述べていくと、ハイディは目を輝かせて大きく頷いた。

「パルゥは冬の間しか採れないから、油の数に入れてなかったよ。面白い結果になるかもしれないね。早速やってみよう」

わたしが持ってきたパルゥ油に、ハイディとヨゼフがそれぞれ別の素材を混ぜていく。ハイディが赤、ヨゼフが青の素材を入れて、練って、練って、ぐりぐりと混ぜていくけれど、妙な変色をしない。そのままの色でインクができあがった。

「パルゥ油は両方とも思った色ですね。すごい」

大理石の台の上にできたインクを見て目を見張る。妙な変色ばかりするインクを見てきたわたしは、普通に色ができただけでものすごく感動した。ハイディもできあがったインクを見て、ハァ、と感嘆の息を吐く。

「これ、色も鮮やかですごく良いよ。……これでパルゥが冬以外にも採れれば良かったんだけどね」

ハイディの言う通り、冬の晴れ間にしか採れないパルゥ油は気安く使える素材ではない。いい油だが、量産には向かないのが非常に残念だ。わたしとハイディが残念がっている横で、ヨゼフはさっさと次の準備を始めていく。

「じゃあ、次は今まで作ったインクを紙に塗っていくか」

ハイディがヨゼフを手伝ってバタバタとこれまで作ったインクを持ってきた。二人が準備するのを見ながら、わたしはルッツに問いかける。

「ねぇ、ルッツ。パルゥの木って紙にできないかな？」

トロンベという魔木が良質の紙の素材になっているのだから、もしかしたら、パルゥの木も良質の素材になるかもしれない。パルゥ油の質から期待を込めて尋ねると、ルッツは「どう考えても無理だ」と即答した。

「火をぶつけたら溶けてなくなるような木だぞ。蒸《む》しただけで消えてなくなるから、皮が剥《む》けるわけがない」

「……パルゥってそんなヘンテコな木だったんだ？」

わたしは冬の森に行けないので、パルゥの木を見たことがない。冬の晴れた朝だけに現れる不思議で綺麗な木だと話だけは聞いているが、未だにどんな木なのか知らない。

「お嬢様、準備できたよ」

ハイディに呼ばれたので、筆を構えているギルを呼んで紙にインクを塗ってもらう。紙は一応フォリン紙とトロンベ紙の失敗作をいくつか持ってきた。トロンベ紙で絵本を作ることはないけれど、一応反応は見たいと思ったのだ。

「……うわぁ」

なんと紙の種類によっても発色が違った。トロンベ紙はほとんど作った時のままの色だったが、フォリン紙は少しくすんだ色になる。少しくすむだけでトロンベ紙と並べなければ、それほど気にはならない。大丈夫、と自分に言い聞かせてみたものの、時間を置いて乾いてくると更に色が変化し始めた。どんどん色がくすんでいく。

「これは紙も他の素材の紙を作って、実験した方が良いかもしれませんね」

わたしがトロンベ紙とフォリン紙に塗られたインクをを見比べて唸っていると、ルッツは軽く肩を竦めた。

「しばらくはフォリン紙だけを使うから、フォリン紙に合わせて色を作ればいいんじゃねぇ？」

ルッツの言う通り、マイン工房で作る紙はトロンベ紙とフォリン紙だけだ。絵本を作ることになるフォリン紙を中心に色を作っていくことを考えた方が良さそうである。

「この赤なんて元々はすっごく綺麗なのに、塗って乾いたらちょっとどす黒い赤茶になりますもの。血痕《けっこん》を描くには向いてますね」

「そんな使い道の限定されたインクなんていらねぇよ！」

ルッツのツッコミにわたしは唇を尖らせる。もしかしたら、使うことがあるかもしれないではないか。神話の内容では時々流血表現があるのだから。

「でも、これ、ホントに難しいね。芸術系の工房で絵具の製法が秘密にされている理由がわかるよ」

ハイディが腕を組んでインクの変化を睨んだ。自分で作るのは簡単ではない。

ベンノから、絵具に関しては契約魔術は結ばれておらず、どの工房がどのように作っても問題はないけれど、製法は完全に工房独自の物で秘密にされているようで、下町には売りに出されている絵具がない、と聞いたことがある。

絵を嗜《たしな》む貴族向けの絵具は注文を受けた工房が作って直接納めに行くらしい。芸術巫女の側仕えだったロジーナがそう教えてくれた。同じ工房に注文しなければ、同じ色を取り寄せることができないので、クリスティーネは複数の工房と懇意にしていたそうだ。

「お嬢様、どうして変色するのか調べてみようよ」

「大事なのは結果ですから」

基礎研究が大事なのはわかるが、カミルのために絵本を作りたいわたしはそんなことを調べている時間がもったいなく思える。手っ取り早く色インクが欲しいのだ。

「では、色を重ねてみましょうか。ギル」

「はい、マイン様」

ギルは今まで塗った色とりどりの絵具の上に、青ですぅっと線を引いた。重なった部分の色がすぅっと黒くなっていく。完全な黒ではなく、暗色系の色だが、鮮やかな色は一つとしてない。「混ぜるな。危険」とはこういうことを言うのだろうか。

「……これ、どうする？」

ぴろんと変色した紙を摘《つ》まんだギルの言葉に、わたし達は全員で変色した暗い色を見つめて絶句する。予想外すぎる結果にすぐに言葉が出ない。沈黙を破るようにヨゼフがふるふると首を振った。

「絵具は基本的に単色で使うのが良さそうだな」

「でも、色を重ねられないなら絵なんて描けないはずだよ。絵画工房の絵具にはまだまだ秘密があるんだろうね」

ハイディの言う通り、別の絵具が重なれば黒く変色してしまうのならば、神殿の貴族区域に飾られているような絵が描けるわけがない。ここの絵具にはわたしが知らない秘密が隠れているのは間違いないようだった。

「今日は終わりにしましょう。いくら色を作ってみても、時間と共にあれだけ色が変わって、塗り重ねることもできないようでは使えませんもの」

どうにか絵画工房に忍び込んで絵具の秘密を探ってこられないだろうか。わたしは、行き詰ったインク作りに、ガックリと肩を落とした。


すぐに使えない以上、色インク作りは事実上失敗だ。項垂れて帰ったわたしは、トゥーリと一緒に夕飯を作りながら本日の結果を報告していた。

「そんな感じで、色インク作りは行き詰っちゃったんだよ」

「色を重ねたら黒になるのは困るね」

「うん、ホントに困るよ。どう頑張っても印刷できないもん」

むぅっと唇を尖らせながら、わたしはスープをくるりと混ぜていく。わたし達が作るのを見ながら、カミルに授乳している母さんが不思議そうに首を傾げた。

「色を塗る時に定着剤は使ってないの？」

「……定着剤って何？」

麗乃時代には写真用や絵画用の定着剤があったけれど、ここで使われる定着剤が一体どのようなものか、わたしにはわからない。首を傾げるわたしをちらりと見た後、母さんは胸元のカミルへと視線を戻して口を開く。

「定着剤は色を定着させるために使う液よ。布を染める時にも、それ以上色が変わらないように使うんだけど……」

「母さん、詳しく教えて。定着剤ってどうやって作るの？」

わたしがきらりと目を光らせて母さんを見つめると、母さんはものすごく困った顔になった。

「教えちゃっても良いのかしら？」

「契約魔術に引っ掛かるかどうかは、わたしが調べるから」

「……まぁ、作っても良いかどうかをマインが自分で調べられるなら、良いかしら？」

母さんはちょっと心配そうにそう言いながら教えてくれた。

グナーデという木の樹液にハイラインという花の茎《くき》を入れて、とろりとするまで煮詰めたものが、定着剤の原液になるらしい。実際に使う時は熱湯で二十倍ほどに溶いて使うのだそうだ。

「布と紙では違うかもしれないから、気を付けてちょうだい」

「ありがとう、母さん。やってみる」

定着剤という存在を知ったわたしは、早速ルッツに頼んで、材料を集めてもらえるように頼んだ。

ルッツも定着剤の存在を知らなかったようで、感心したように目を見張る。

「そんなものがあるのか。染色工房に勤めてるエーファおばさんがいなかったら、全く気付かなかったな」

「うん。材料が揃ったら早速作ってみようと思うの。母さんにはちゃんと作り方を聞いたし……」

差し込んだ光明にわたしが鼻歌を歌っていると、ルッツとギルが揃ってわたしを止めた。

「マインは作り方だけ教えてくれればいい」

「そう。オレ達が作ります。マイン様はダメだからな」

マイン工房で作るならば、わたしは作業してはならないのだ。一人だけ蚊帳《かや》の外に置かれることに唇を尖らせてみたが、誰もわたしの味方をしてくれなかった。


商人ギルドで契約魔術を調べ、ベンノに素材を探してもらい、定着剤を作る準備が整った。その日は朝からルッツもギルも新しい挑戦にうきうきしている。わたしは作り方の詳細を書いた木札を二人に渡しただけで出番は終了だ。

仲間外れがちょっと悔しかったので、わたしはフェシュピールの練習の後、ロジーナに色インクのあれこれを話して、今日は仲間外れだと悔しさを訴えてみた。

「そんなわけで、わたくしだけ仲間外れでギルとルッツは定着剤を作っているのです。ひどいと思いませんか？」

ロジーナはわたしが仲間外れになったことではなく、定着剤を知らなかったことに反応して、目を丸くした。

「あら、マイン様は定着剤をご存じなかったのですね。絵を描くのに定着剤は必須《ひっす》ですよ。なければ描けませんもの」

なんと、ここにも定着剤を知っている人がいた。絵を描くには必須のものらしい。しかし、ロジーナはできあがった定着剤しか使ったことがないので作り方は知らないそうだ。

「……もしかすると、マイン様は定着剤の使い方もご存じないのではございませんか？」

「知りません。教えてください」

母さんは布を染める時の使い方しか知らない。絵本を作るならば、絵を描く時のやり方が必要だ。

わたしが即座に頼むと、ロジーナはくすっと笑った。

「定着剤を予め紙に塗って乾かしておくのです。それから絵を描き始めれば、絵具を重ねても変色いたしません。……マイン様は驚く様なことをご存じですのに、当たり前に知られていることをご存じありませんのね」

「今まで絵具やインクを使って絵を描いたことがありませんもの」

ロジーナは「そうですね」と呟いた後、ポンと手を打ってニッコリと笑った。

「定着剤と色インクができればヴィルマに絵を教えてもらえばよろしいのではございません？　絵

画も教養の一つですもの」

「考えておきます」

これ以上自由時間が減るのは嫌だと思いながら、わたしは曖昧《あいまい》に返事をする。二年後には貴族の養女となることが決定しているので、やっておいた方がいいんじゃない、と心のどこかが呟いた。

母さんから定着剤の製法を聞き出し、ロジーナから使い方を聞いたことでインクを塗ってもくすんだり、重ね塗りしても黒く変色したりせずに絵が描けるようになった。

色インクの完成である。

ロウ原紙に挑戦

色インクは一応それらしいものができあがった。定着剤をつけた紙の上なら重ね塗りができても、パレットでインクとインクを混ぜたら黒くなるようなインクなので、取り扱いにはかなり注意が必要だけれど、何はともあれ一歩前進である。

「あぁあ～、あっという間にできちゃったね」

色インクができたことにホッとしたわたしと違って、ハイディは自分の楽しみを取り上げられた子供のようにガッカリした顔でそう呟いた。実験をしている間はとても楽しかったけれど、原因究明をする前に終わってしまったのが心残りで仕方がないらしい。ヨゼフが呆れた顔でコツンとハイディの頭を小突く。

「色インクができたんだから、お嬢様が出資してくれる研究はもう終わりだ」

「大事な結果は得られましたし、研究を続けたいなら多少のお金は出しますよ？」

わたしがそう言うと、ハイディは喜色満面《きしょくまんめん》で、ヨゼフは信じられないと言うようにわたしを振り返った。

「色を鮮やかにしたり、色数を増やしたりする上でも、色インクの基礎研究は大事だと思っています。あまり時間がないので今回は色インクの完成を優先させましたけれど、研究はできるなら続けた方がいいんです」

そして、この変色する原因を自分では解明する気がないので、誰かが代わりにやってくれるなら、望むところである。

「お嬢様、最高！」

「お嬢様、ハイディを甘やかしすぎです！」

「わたくしにとって、ハイディもヨゼフもグーテンベルクの仲間ですから」

印刷するにはインク関係者も必要だ。わたしは新たなグーテンベルク仲間を見つけてニヘッと笑う。ルッツは「増えちまった」と頭を抱えて、ハイディとヨゼフが目を瞬いて首を傾げた。

「……グーテ……え？　何だって？」

「グーテンベルク。本の歴史を一変させるという、神にも等しい業績《ぎょうせき》を残した偉人です。今のところ、金属活字のヨハン、植物紙のベンノさん、それから、本を売るルッツがこの街のグーテンベルクです。あとは、印刷機を作ってくれる人としてインゴさん、インクを作ってくれる人としてハイディとヨゼフをグーテンベルク仲間に考えています。わたくしが読むための本を作るために必要なグーテンベルクに出資するのは当然です」

わたしは胸を張って説明したが、ヨゼフはやはり不可解な顔のままだ。けれど、ハイディは飛び上がって喜んでくれた。

「グーテンベルクだって、ヨゼフ。お仕事だって。出資してくれるんだって。研究していいんだって。いやっふぅ！」

ひとまず色インクができたのだ。あとはハイディが好きに研究しても問題ない。むしろ、原因がわかれば、役に立つこともあるだろうし、どんどんインクの研究をしてほしいものだ。

「ただし、最優先はインク作りです。注文したインクを期日までに納品できないようなことがあれば、容赦《ようしゃ》なく出資は打ち切ります」

「ひぇっ⁉」

こういう研究馬鹿は研究を始めると周りが見えなくなることが多い。最優先にしなければならないことを叩き込んで、しなかった場合のペナルティを決めておかなければどこまでも暴走するのだ。

「さすが同類。やりそうなことがよくわかっているな」

ルッツが笑いながらそう言うと、ヨゼフも口元を押さえて小さく吹き出した。ヨゼフが責任を持って、ハイディの研究を監視してくれるそうだ。

「色インクは目途《めど》が立ったでしょ？　次は、ロウ原紙が欲しいんだよね」

わたしが次に準備したいのは、ガリ版印刷に欠かせないロウ原紙だ。鉄筆で書いた通りに印刷できるのだから、絵本ならば文字を切り抜いて版紙を作ったり、金属活字を組んだりするより楽に文字の部分が印刷できると思う。絵も繊細《せんさい》な線が印刷できるようになるので、ヴィルマの絵柄なら、もっと素敵になるかもしれない。

「今の版紙じゃダメなのか？」

「ダメなわけじゃないよ。今のままでも絵本は作れるから。ただ、ロウ原紙を作ることができれば、表現方法が増えるの。版紙をカッターで丁寧に切り抜いていくより、鉄筆でガリ切りする方がずっと簡単だし、細い線も使えるようになるの」

ロウ原紙を作るためには、まず、向こうが透《す》けて見えるような薄い紙が必要になる。

しかし、まだ紙作りを始めてルッツでさえ二年半、孤児院の皆に至っては一年もたっていない。両面に印刷できるように厚めに漉《す》く絵本用の紙ならばともかく、薄く、でも、均一な紙を作るのは少し大変なようだ。マイン工房で挑戦してもらっているけれど、まだ成功よりも失敗の方が多い。簀《す》から外す時や乾燥させるために板張りにする時に破れてしまうらしい。

「トロンベなら、結構簡単に作れるんだけどな」

ルッツが腕を組んで難しい顔になった。フォリンより繊維が細くて長いトロンベの方が薄く均一に漉けるらしい。けれど、トロンベを版紙として使うには高価すぎるし、希少すぎる。

「フォリンで何とか作れないと、値段的にきついんだよね」

「……だな」

紙の改良はルッツとギルを中心に頑張ってもらうしかない。工房では絵本用の紙を作る傍らで、手先の器用な者が集まって、薄い紙を漉くようになった。


どうしたら成功率が上がるか、皆で検証しながら作るようになって数日後、昼食から戻ってきたルッツがわたしの部屋へとやってきた。

「マイン、旦那様から伝言。蝋工房と連絡がついたらしい。明日の午後なら良いって」

「本当？　よかった。これでギルの書字板も作れるね」

その夜、父さんに頼んでギルのためにルッツと同じサイズの書字板の枠を作ってもらった。中に蝋を流し込んでもらえば完成だ。わたしの書字板の蝋もかなり減ってきて、柔軟性もなくなってきているので、一緒に入れ直ししてもらいたい。わたしは自分の書字板の中の蝋をガシガシと削り取って、空っぽにした。

「おはようございます、ベンノさん」

「よし、行くか」

ひょいっとベンノはわたしを担《かつ》ぎ上げて歩き始める。わたしが手渡した書字板の枠組みを大事そうに胸に抱えたギルとルッツが小走りで付いてくるのがベンノの肩越しに見えた。

無造作にベンノがわたしを抱き上げたことに、ダームエルが一瞬戸惑ったような顔をしたけれど、大股でスタスタと歩くベンノのスピードにわたしでは付いていけないことがすぐにわかったようだ。ダームエルも大股で歩き始めた。

「ベンノさん、蝋の臭い消しの方法って、いくらで売れると思いますか？」

工房に行く前にベンノとは打ち合わせをしておかなければならない。また暴走したとか、勝手なことをするな、と言われたら困る。

「インクの製法をインク協会に売ったように、一つの工房じゃなく、協会に売った方が良いと思うぞ。一つの工房で扱えるような値段じゃない」

「そうなんですか」

どうやら結構な大金になるようだ。何に関しても研究開発と改良が必要そうなグーテンベルクの資金になりそうだ。わたしが交渉を頑張ろうと考えていると、ベンノが低い声で釘を刺してきた。

「臭い消しの交渉は俺がする。お前は交渉事で表に出るな。ヴォルフみたいなヤツが他にもいないとは限らないんだぞ」

「……はい」

塩析に関する交渉はベンノに任せることにする。利益の取り分や交渉の仕方については、後で話し合うことになった。

「交渉を後回しにするなら、今日は蝋工房で一体何をするんだ？」

「今日はギルとわたしの書字板に蝋を入れてもらいます。あとは、色々な種類の蝋を購入したいと思っています」

「購入だけでいいのか？」

ベンノの言葉にわたしは頷いた。とりあえず蝋の改良をしなくてもロウ原紙ができるかどうか、試してみたい。できればラッキー。できなかったら蝋を改良していくしかない。

「何も加えなくてもロウ原紙ができればいいんですけれど、できなかった場合は、工房に蝋の改良を手伝ってもらいたいんです。松ヤニのような樹脂《じゅし》を入れて、ちょっと粘りのある蝋を作ってほしいんですよ」

ロウ原紙に使うための蝋は松ヤニのような樹脂やパラフィンを混ぜたものだ。ここには石油から作ったパラフィンなどあるはずもないし、わたしの知識が通用するかどうかもわからない。

色インクの変色から考えても妙な変化を起こす可能性があるので、できれば改良する時は蝋のプロに手伝ってほしい。

「ふぅん。ひとまず、今日は購入だけ。手を加えるのはできなかった時でいいんだな？」

「はい」

ベンノはわたしを連れて、蝋工房へと入っていく。工房の中はむわりとした熱気と、獣脂の何とも言えない、鼻を押さえたくなるような臭いに満ちていた。

ベンノが連絡していたため、すぐに親方が出てきてくれる。

「お、ベンノさん。いらっしゃい。今日は一体どんな用件で？」

「これに、一番安い蝋を流し込んでほしい」

わたしとギルが書字板を出すと、「あぁ、前にもあったな」と言いながら、親方がすぐに蝋を流し込んでくれた。固まるまで触るな、と言われたギルがそわそわした様子で流し込まれている透明の蝋を見つめて、ニヨニヨと口元を歪める。時々、息を吹きかけて、少しでも早く冷まそうとしているのがちょっと可愛い。

「ギル、そんなことをしていたら、表面が波のように固まるかもしれないよ？」

わたしが笑いながらそう言うと、ギルはビクッと肩を震わせて、わたしを見た。

「固まりかけた時に指でツンツンってやって、表面をボコボコにしたマインが言うんだから、間違いないないな」

「ルッツのお喋り！」

余計なことを暴露《ばくろ》されてしまったわたしがルッツを睨むと、ギルはちょっと笑いながら書字板から距離を取った。わたしの二の舞はしたくないようだ。

「なぁ、ベンノさん。他にも何かあるんだろう？　わざわざ連絡を寄こしたくらいなんだから」

書字板に蝋を流し込んだ親方が道具を片付けて、ベンノのところへと戻ってくる。ベンノは軽く頷いた。

「あぁ、ここで取り扱っている蝋を全種類、小箱一つずつ欲しい」

「ぜ、全種類？　いつもの蝋燭じゃなく？」

「あぁ、間違えないでくれ。蝋燭が欲しいんじゃなくて蝋だ」

ベンノの注文に親方は目を丸くした。注文に来る時は蝋燭のサイズ、原料、量を伝えて買っていくギルベルタ商会の旦那様が、蝋燭になる前の蝋を全種類買っていくなど、完全に予想外だったようだ。

「一体何に使うんで？」

「それはまだ言えんな」

フッとベンノが笑うと、親方は考え込むように顎に手を当てた。精力的に次々と新しいことを始めているベンノがまた何か新しい物を作ろうとしているのだと考えるのは自然なことだ。

「わかった。明日までに店へ届けよう」

「今すぐに準備できる物があれば、一つか二つ、先にもらえないか？」

「あぁ、すぐに準備する」

親方がバタバタと奥の作業場へと入っていき、作業している人達に声をかける。二種類の蝋を手に、わたし達は工房を後にした。

「ほら、これで作業できるだろ？」

「ありがとうございます、ベンノさん」


ギルベルタ商会に戻った後、わたしはベンノとカードを合わせて蝋の代金を払った。そして、塩析の仕方を紙に書き、代理交渉の料金を決める。これで、蝋協会との交渉はベンノがこなしてくれるはずだ。

「じゃあ、工房へ帰ったら、早速やってみようね」

ギルに蝋の箱を渡しながらそう言うと、ルッツが不安そうにわたしの肩をつかんで引き留めた。

「マイン、ちょっと待て。何をするんだ？　どうするんだ？　全く説明が足りてないぞ。ここできちんと話してから神殿に戻れ」

工房では基本的にわたしが動けないのだから、先に説明は必要だ。孤児院長室で説明するつもりだったが、ギルベルタ商会で話をしてしまった方が、情報の漏えいは防げるだろう。わたしはコクリと頷いた。

「薄く作った紙があるでしょ？　あれに蝋《ろう》を薄く引くの。蝋を細かく削って、紙の上に散らして、『アイロン』をかけるだけ。簡単でしょ？」

「マイン、それはどんな物で、どこにあるんだ？」

わたしが一番簡単な蝋引き紙の作り方を説明すると、ルッツはひくっと頬を引きつらせた。どうやらアイロンが通じなかったようだ。わたしは記憶を探りながらアイロンの説明をする。

「え、えーと、底が平らな金属で、すごく熱くして、布の皺を伸ばす物なんだけど、知らない？　富豪の家や服の工房にはあると思うんだけど」

儀式用の衣装を作ってもらった時のことを考えると、間違いなくコリンナは持っていると思う。それを伝えるとベンノが横から口を出した。

「あぁ、コリンナの工房にはアイロンがあるな。そんな物を使うのか？」

ベンノによると、綺麗な服を着る富豪の家や服飾工房には、底の平らな鍋のようなものに木炭を入れて、皺を伸ばす火のしのようなアイロンがあるらしい。中古服しか着ないわたし達の家には必要がなくて存在しないため、ルッツにはわからないようだ。

「ベンノさん、アイロンってギルベルタ商会で取り扱ってますか？」

「いや、あれは鍛冶工房で注文する物だ。誰もが使うような物ではないし、数が必要な物でもないからな。……それにしても、アイロンは下手くそなヤツが使うと、周囲が汚れるから、かなり取り扱いが難しいが、お前達に使えるのか？」

鍋のような形のアイロンでは、灰が飛び散ったりして、周囲が汚れることが多いらしい。簡単に使える電気アイロンが欲しいけれど、そんなものがわたしに作れるわけがない。

「とりあえず、形だけでもちょっと改良して、ヨハンに頼んでみます」

どうやらすぐには取りかかれないようだ。うむぅ、と唸っていると、ルッツも同じように唸って、腕を組んだ。

「やる気と知識だけはあるけど、道具がないって状態にはすっげぇ覚えがある。マイン、よく考えてみろ。他に足りない物があるんじゃないのか？」

紙作りの時にも道具がなくて苦労したことをルッツに指摘されたわたしは、頬に手を当てて簡単に作れる蝋引き紙の作り方を思い出す。

「えーと、蝋を細かく細かく削って、紙の上に散らすでしょ。これは茶こしみたいなので削れるから大丈夫。雑貨屋で買える。それから、細かくなった蝋を紙の上に散らして……」

そこで、わたしはすぅっと真っ青になって、口をパクパクさせた。ルッツの指摘した通り、道具が足りなかった。頭を抱えてその場にしゃがみ込む。

「のおぉっ！　『クッキングシート』がないっ！」

「はぁ⁉　何？」

簡単蝋引き紙の作り方で作ろうと思ったら、クッキングシートが足りなかった。さすがにクッキングシートは自力で作れない。少なくとも、わたしは作り方を知らない。

「……どう考えても無理だよ」

「落ち込むより先に解決策を考えろって。代わりになりそうな物はあるのか？」

ルッツの言葉にわたしは眉を寄せて考え込む。クッキングシートができるより前に使われていたのは、アルミ箔《はく》やパラフィン紙だ。アルミ箔ではくしゃくしゃになって、蝋が均一に引けないだろうし、パラフィン紙は、パラフィン蝋でコーティングされた物だと大まかに考えれば、これから作りたい蝋引き紙と同じような物である。

「えーと、アイロンを使う上で、周囲の布に溶かした蝋が染み込まないようにするための物だと思うから、普通の紙で挟んじゃっても大丈夫かな？　大丈夫だったらいいんだけど、ルッツはどう思う？」

確か蝋がぶ厚くなりすぎたら、コピー紙で挟んで、蝋を少し吸着させることもできたはずなので、普通の紙で挟んでもできると思う。思いたい。

「オレは全く知らないから、そんなこと聞かれても困る。他に必要な道具はないのか？」

「蝋引き紙を作るだけなら、それで大丈夫なんだよ。ただ、できた蝋引き紙がロウ原紙として使えるかどうか、試すためにはガリ版用の鉄筆とやすりが欲しいけど」

蝋引き紙だけならば、蝋を溶かして乾かすだけだから、アイロンに蝋がついたり、ちょっと扱いが下手くそで周囲が汚れる可能性はあるけれど、失敗することはないと思う。問題はできた蝋引き紙がロウ原紙として使えるかどうかだ。

「ガリ版用の鉄筆とやすりって……ヨハンか？」

「うん。どっちもヨハンの管轄《かんかつ》だね」

わたしがすっくと立ち上がって、ルッツに大きく頷くと、ベンノがニヤッと口元を歪めた。

「マインに付き合うグーテンベルクは大変だな」

「ヨハンだけじゃなくて、ベンノさんもグーテンベルクですよ？」

何を他人事のように言っているのか、とわたしが指摘すると、ベンノはすぅっと表情を引き締めた。わたしの頭をガシッと片手でつかんで、低い声で、唸るように言う。

「お前にグーテンベルク認定されたヤツは、全員、大量の仕事に埋もれて、大変な思いをしているんだ。次から次へと仕事を積み上げるお前から、何か一言あっても良いだろう？」

「え？　え？　え？」

ベンノに求められている一言が咄嗟《とっさ》に思い浮かばず、わたしはベンノとルッツを見た。二人とも似たような厳しい目で、わたしの一言を待っている。ヒントはもらえそうにない。

「本の普及を目指して、これからも一緒に頑張りましょう」

「違うっ！　ちょっとは労《ねぎら》え！」

怒鳴ったベンノから頭を拳でグリグリされ、わたしは涙目で叫んだ。

「ありがとうございます！　ありがとうございます！　今のわたしがあるのは、ルッツとベンノさんのおかげですぅっ！　これからもご面倒をおかけいたしますが、よろしくお願いいたします！」

ベンノからグーテンベルクに仕事をどんどんと積み上げていっていると指摘されたけれど、カミルと一緒にいられる時間に期限が決められているわたしには、絵本作りに関して自重《じちょう》するつもりなど全くない。むしろ、もっと急ぎたいと思っている。

ギルの鉄筆を引き取りに行った時、金属活字以外の仕事を欲していたヨハンに、わたしが知っている形に設計したアイロンとガリ版用の鉄筆とガリ版用のやすりの設計書を手渡した。どの道具も印刷に使うと知ったヨハンは、グーテンベルクの呼称からは絶対に逃れられないことを悟り、涙を流して喜んでいた。

デリアの進歩

ヨハンにロウ原紙を作るための道具を注文したけれど、道具ができるまでにはまだまだ時間がかかる。そして、道具が完成するより先に、次の絵本のためのヴィルマの絵が完成した。テーマは春で、水の女神フリュートレーネとその眷属《けんぞく》である十二の女神のお話である。

「ねぇ、ルッツ。道具ができるまでに時間もかかるし、先に次の絵本を作っちゃおうか?」

ヴィルマが作ってくれた版紙は、色インクができる前から絵の制作に取りかかっていたため、以前と同じ切り絵で白黒を念頭において作られた物だ。そのため、今回は白黒で印刷してしまいたい。

版紙を使って白黒で印刷するなら、道具を待つ必要なく印刷できる。春になって紙を作り始めたところなので、紙の数が少ないけれど、これはベンノが作った植物紙工房から買ってきても良い。

「せっかくなら印刷機、使いたいんだけど……」

「神官長にダメだって言われているんだろ？　諦《あきら》めてカッターで版紙を作っていけよ」

ルッツから即座に却下が入ったので、わたしは諦めて厚紙を切り抜くことにした。せっかく金属活字も簡単な印刷機もできたのに残念だ。

「使うなって言われた印刷機をこっそりと使おうとするより、先にやることがあるだろ？　なるべく早いうちに色インクができたことをフランと神官長に話して、次の絵本のためにはインクを活かした絵を描いてほしいって、ヴィルマには知らせた方が良いぞ。印刷の仕方も考えて、どんな絵にするかを考えないとダメなんだから」

「そうだね。ディルクの面倒を見てもらっているから、ヴィルマとあまりゆっくり話をする時間がなかったんだよ。今日は午後から孤児院に行って話をしてみる」

わたしとルッツはそんな話をしながら、ぽてぽてと歩いていく。通りを歩く中で子供を背負った母親を見て、わたしはハッとした。トートバッグに手を入れて、木の筒と小石が入った袋を取り出した。父さんに削って磨いて加工してもらった木をくり抜いた筒と、丁寧に洗った小石だ。

「ルッツ、この木の筒にこうやって石を入れてから蓋をして、膠でくっつけてくれる？」

「……いいけど、何だ？」

ルッツは、わたしが手渡した木を見て首を傾げた。小石を入れて、膠で留めれば簡単なガラガラができるのだ。同じものが二つある。

「赤ちゃん向けのおもちゃなの。カミルとディルク用。こうしてくっつけた後、振れば音が鳴るの」

「あぁ、形はちょっと違うけど、似たようなものはあるな」

「本当はこれに色を付けて可愛くしたいんだけれど、赤ちゃんが口に入れるものにインクを付けるのもねぇ……」

鮮やかな色でなければ、このくらいの月齢の子は見えないということで、ガラガラに赤のインクを塗りたいのだが、赤子が口に入れるものにインクを塗るのには抵抗がある。口に入れられる食材になるものから作られたインクならば、口に入れても問題なさそうだが、そうすると今度はインクを中心にバイキンが発生するのではないかと思ってしまう。

「どうせ長く使うものじゃないだろ？　口に入れても大丈夫な素材でできたインクを使えばいいんじゃねぇ？　この間、インク工房で実験してできた色インクも使い道がないんだし」

「じゃあ、ルッツ、お願いしていい？」

「あぁ、午後には届けてやる」

ルッツと工房前で別れて自分の部屋へ向かうと、ロジーナがフェシュピールを抱えて待ち構えていた。

「おはようございます、マイン様」

わたしはやる気に満ちたロジーナに苦笑しつつ、ディルクと遊んでいるデリアに着替えを頼む。

「デリア、着替えたいのだけれど、いいかしら？」

「わかりました。ディルク、ご用を済ませてくるので少し待っていてね」

デリアは名残惜しそうにディルクから離れると、急いでわたしを着替えさせていく。手早く青の巫女服を着せて帯を締めると、すぐさまディルクの元へと戻ってしまった。

「ディルク、お待たせ」

わたしが今まで見たことがないような輝く笑顔でデリアがディルクに話しかける。デリアがディルクにデレデレだ。

……何、その可愛い笑顔。わたし、見たことないんですけど。

元の顔立ちが美人なデリアの笑顔に思わず息を呑んだ。ちょっとディルクにジェラシーを覚えるほどに柔らかで愛情に満ちた笑顔である。

「マイン様、ディルクはもう少しで寝返りができそうですの。さすがあたしの弟。優秀ですわ」

デリアがディルクの隣に座って、体を捻ろうと頑張っているディルクの頭を撫でる。完全にディルクしか見えていない。ディルクが孤児院にやってきてから十日もたっていないのに、ずいぶんと可愛がっているようだ。

「マイン様、ディルクのことはデリアに任せて、フェシュピールの練習を始めましょう」

ロジーナに声をかけられ、わたしは小さい方のフェシュピールを手に練習を始める。何度か課題曲を弾いていると扉が開いた。孤児院の朝食と片付けが終わり、子供達を工房へと送り出したヴィルマがディルクを引き取りにやってきたのだ。

「おはようございます、マイン様。ディルクを引き取りに参りました」

「おはよう、ヴィルマ。では、今日もよろしくお願いしますね。わたくし、今日は絵本のことでお話があるので、午後に孤児院へ足を運びます」

わたしが今日の予定を告げると、ヴィルマは「かしこまりました」と頷いた。その後、デリアとディルクに関する引継ぎをする。夜の様子やどのくらいの時間にどれくらいの量のヤギの乳を飲んだかを聞き、次のお乳の時間を予測して準備しなければならない。

「子育ての経験がある灰色巫女がいないのですもの。乳児を預けられた時の対応を考えていかなければ、これから先、孤児院を運営していけませんね」

我が子を育てるついでに面倒を見てくれた灰色巫女はもういない。そして、子供ができた経緯を考えると、これから先はできるだけ増えない方が良い存在だ。神官長とも話し合って乳児を預かった時の対応を考えておかなければならない。わたしの側仕えだけにこれから先ずっと負担をかけるわけにもいかないだろう。

「ディルクがいなくなると、寂しくなりますわ」

デリアはそう言いながら、名残《なごり》惜しそうに何度も何度もディルクを撫でて、ヴィルマに預ける。ディルクが孤児院へと行ってしまうと、デリアはしょぼんと元気をなくすけれど、ロジーナはどこかホッとした表情になる。対照的な反応だ。

三の鐘が鳴るまではフェシュピールの練習をし、その後は昼食までフランと一緒に神官長のお手伝い。昼食を終えると、フランとロジーナはそれぞれの自室で休憩を取ることになる。午後に休憩の時間を取るようになってから、ロジーナとフランの調子は少し戻ってきたようだ。それでも、疲労の色が見える。

「二人ともゆっくり休んでちょうだい」

「では、御前《ごぜん》を失礼いたします」


フランとロジーナが午後の休憩に入ると、部屋に残っている側仕えはデリアだけになった。デリアは部屋の掃除も終え、計算の練習をしている。わたしは執務机に向かって版紙を作成しながら、ルッツの訪れを待っていた。それほど待つこともなく、ギルベルタ商会で昼食を終えたルッツが完成したおもちゃを持ってやってくる。

「ほら、マイン。できたぞ」

「わぁい、ありがとう」

ルッツが手に持っていたガラガラを振りながら完成品を見せてくれる。少し暗い赤に塗られたおもちゃを二人は喜んでくれるだろうか。カミルはまだ喜ぶような月齢ではないので、まず、ディルクで反応を見たいと思う。

「旦那様にも紙を注文してきたから、印刷しようと思えばいつでも印刷できるぞ」

「ルッツ、仕事早いよ」

「オレなんかまだまだだって。マルクさんには無駄が多いって言われているんだからな」

マルクに鍛えられている成果が着実に出てきているようだ。マルクにもベンノにもレオンにも勝てないと本人は言っているけれど、ルッツはその年でどこまで望むつもりなのだろうか。

「マイン、忘れずにヴィルマから版紙をもらってきてくれよ。印刷できるように工房の準備を始めるからな」

「うん、任せて」

わたしはルッツを見送った後、ガラガラを一つ自分のトートバッグに片付ける。そして、もう一つを手に握ると一階の小ホールにいるダームエルに声をかけた。

「ダームエル様、これから孤児院へ向かうのですけれど……」

「あぁ、わかった」

わたしが扉のところで待ってくれているダームエルのところへと足早に近付くと、ダームエルがわたしの周囲を見回して厳しい顔になった。

「こら、巫女見習い。側仕えはどうした？　一人の伴も連れずに外出するとは何事だ？」

「……え？」

ダームエルがいるのだから問題ないだろうと考えていたけれど、どうやら護衛と側仕えは別物で、お伴として数えてはならないらしい。淑女たるもの側仕えも連れずに部屋を出てはならないそうだ。

わたしは仕方なくデリアに声をかけた。

「デリア、わたくしはこれから孤児院でヴィルマと話があります。伴をしてください」

「マイン様、あたし……」

強張った顔で振り向いたデリアが言いたいことを呑み込んで悔しそうに唇を噛んだ。嫌だと言いたくても立場上そんなことが言えるわけがない。普段ならデリアの意見を尊重してあげられるけれど、騎士であるダームエルを待たせた状態でそれができるはずもない。

「デリア、孤児院の前までで結構です。そこまで我慢してくれるかしら？　帰りの件はヴィルマにお願いするから」

「……かしこまりました」

憂鬱《ゆううつ》そうにデリアが先頭を歩き、回廊《かいろう》を進んでいく。デリアの肩が強張っていて足取りが重いのが、後ろに付いているわたしにもわかる。背中しか見えないわたしにはデリアの顔を見ることはできないけれど、必死の形相になっているだろう。

孤児院の前まで来ると、ピタリとデリアの足が止まった。

「では、あたしは戻りますね」

「こら、側仕え。戻る前に扉を開けていけ。まさか主である巫女見習いに開けさせるつもりか？」

踵《きびす》を返そうとしたデリアにダームエルが厳しい声を出した。孤児院の扉を騎士であるダームエルに開けさせるわけにも、わたしが開けるわけにもいかない。側仕えは主の手を煩《わずら》わせないためにいるのだ。

孤児院の扉を開けろ、と言われたデリアは色をなくしたような真っ青な顔になり、それでも、厳しい表情を変えないダームエルを見て、仕方なさそうに扉へ向かった。デリアがきつく目を閉じて歯を食いしばり、震える手で孤児院の扉を押し開けていく。

ギギッと重い音を立てて扉が開いた。目の前に広がるのは孤児院の食堂で、大きなテーブルがずらりと並んでいる。そして、奥の方には大きなクッションがあり、その周りには灰色巫女達がいた。

扉が開く音に気付いたのか、彼女達は一斉にこちらを向いた。わたしの訪れに気付いた皆がクッションの上のディルクに背を向けて跪《ひざまず》いて、両腕を胸の前で交差させる。

「マイン様、あたし、戻ります」

孤児院の光景を目に入れないように俯《うつむ》いた状態でデリアが呟く。

「えぇ、無理させて悪かったわ。ありがとう、デリア」

「いいえ」

一度だけディルクがいる方を振り向いて、デリアは踵を返そうとした。次の瞬間、デリアが目を見開いてもう一度振り返ったかと思うと、食堂の奥のクッションへ向かって駆け出した。

「ディルク！」

寝返りに成功しかけたディルクの体が半分以上クッションからはみ出しているのが見えた。この勢いで寝返りに成功すれば、ゴロリとクッションから落ちてしまう。う、う、と声を出しながら、体を捻《ひね》っていたディルクのところへ滑《すべ》り込むようにしてデリアが腕を差し出すのと、ディルクが初めての寝返りに成功するのはほぼ同時だった。

「もー！　ディルクがクッションから転がり落ちて怪我《けが》でもしたらどうしますの⁉　きちんと見ていてくださいませ！」

ディルクをクッションの中央に戻してデリアが眉を吊り上げた。そんな文句を言われても、青色巫女見習いが来たのに跪かずにいられるわけがない。ディルク可愛さに周りが見えなくなっているデリアに、わたしは首を振った。

「……孤児院にも入れたようですし、デリアがディルクを見ていればどうかしら？」

「あっ⁉」

わたしの言葉にデリアは自分が立っている場所を見て大きく目を見開く。慌てて立ち上がったデリアにわたしは持っていたガラガラを手渡した。

「音が鳴るおもちゃです。ディルクにあげようと思っていたのですけれど、デリアからあげてちょうだい。わたくしからもらうよりデリアに遊んでもらった方がディルクも嬉しいでしょうから」

躊躇ったようにデリアが手の中にある赤いガラガラを見つめる。

「そろそろ赤い色を目で追いかけることができるようになっているはずよ。……わたくしからあげた方が良い？」

初めてのおもちゃはお姉ちゃんからあげるのが良いと思ったのですけれど、と言いながら、わたしがデリアの手にあるガラガラを取ろうとしたら、デリアがガラガラを握ってさっと手を上げた。高く上げられるとわたしには手が届かない。

「では、デリアからディルクに渡してちょうだい。ヴィルマ、話があるのだけれど良いかしら？他の皆もディルクの世話に戻ってちょうだい」

ディルクのクッションに目が届くテーブルに向かい、わたしがヴィルマと話を始めると跪いていた灰色巫女も動き始める。

「ディルク、マイン様から賜《たまわ》ったおもちゃですわ。見えるかしら？」

デリアが優しく声をかけて、ガラガラをディルクの目の前で振って音を出しながら動かした。ディルクは大きく開けた目でじっとその動きを追っていく。ディルクが音と色を目で追っているのがわかる。カミルにあげられるかどうか確認のために、おもちゃをディルクに与えて反応を見ようと思ったのだが、結構目が引き付けられているようだ。ディルクの反応を見る限り、カミルも喜んでくれるに違いない。

「まぁ、見えているようですわ」

「音に反応するのかしら？」

赤子と接した経験がない灰色巫女は興味深そうにディルクとデリアを見つめる。周囲の声に自分のいる場所がどこなのか気付いたらしいデリアは、顔を赤くしてわたしを睨みながら立ち上がった。

「マイン様、あたし、お部屋に戻りますわ！　皆様、ディルクをお任せいたします」

一人の灰色巫女にガラガラを押し付けるようにしてデリアは孤児院を飛び出していく。一度入れたのだから、ヴィルマのように少しずつ慣れていけば、そのうち孤児院にも入れるようになるのではないだろうか。

飛び出していくデリアの背中をヴィルマが気に掛けるように見遣《みや》る。

「マイン様、デリアは大丈夫でしょうか？　孤児院が苦手だと伺いましたけれど」

「……どうでしょうね？　ディルク可愛さに少しずつ慣れてくれれば、とわたくしは思っています。デリアは自分の過去の記憶から孤児院を苦手だと感じていますけれど、デリアがいた地階はもうないのですから」

過酷な状況の地階でずっと過ごし、洗礼式の日に神殿長の部屋に移ったデリアには地階以外の孤児院の記憶はほとんどないはずだ。せいぜい通り過ぎたくらいだろう。あの頃の孤児院とは違うことを実感し、慣れれば食堂くらいならば出入りできるようになるのではないかと思う。

なるべく早く出入りできるようになってくれなければデリアはディルクに会えなくなる。ディルクがある程度夜に眠れるようになれば、孤児院の洗礼前の子供達がいる部屋へ移されるのだから。

「可愛い弟と離れることにならなければ良いのですけれど」

「毎日、ディルクを引き取りに行く時、デリアはなかなか手放そうとしませんし、とても残念そうな顔をするでしょう？　連れていくわたくしが悪いことをしているようですもの。あれだけ可愛がっているのに会えなくなるなんて、どちらにとっても悲しいことですから、少しでも早くデリアが孤児院に慣れてくれればよろしいですね」

ふわりと微笑んだヴィルマの顔には、ロジーナやフランのような疲労の影がない。

「ここは人手があるからなのかしら？　ヴィルマはそれほど顔色が悪くありませんね」

「わたくしがディルクの相手をするのはお昼だけですし、一人で面倒を見るわけではございませんから。ロジーナもフランも、夜に面倒を見る時は一人でしょう？　大変だと思います」

ヴィルマがディルクの面倒を見るのはお昼の間だけとはいえ、やはり、ディルクにヴィルマを取られたような気がするのか、幼い子供達の中には赤ちゃん返りのような状態になった子もいるらしい。寝かしつける時にべったり引っ付いて離れないのだそうだ。

「ヴィルマは孤児院のお母さんみたいですもの。手のかかる子がたくさんで大変ですね」

「わたくしは洗礼式までの間、地階で母に可愛がられた思い出がございます。だからこそ、母を失った子供達にも愛情を注いであげたいと思うのです。母親のように皆が思ってくれれば嬉しいです」

子供達が可愛くて仕方ないというヴィルマの笑顔に、わたしはヴィルマを孤児院の管理者にできて良かった、と心の底から思った。

その後は、ヴィルマと絵本についての話をした。これから、新しく絵本の印刷を始めるので、版紙を渡してほしいこと、色インクが完成したこと、これから先は、色インクを使った絵を考えてほしいこと。しかし、印刷方法が今までと同じような孔版《こうはん》印刷なので、色ごとに版紙を作る必要があること。ロウ原紙を作る予定なので、そのうち、もっと繊細な絵を描けるようになること。

「マイン様は本当に本が好きなのですね。このように次々と新しい方法を考えられるなんて……。わたくしも精一杯絵を描かせていただきます」

「ありがとう、ヴィルマ」

わたしが一通りの話を終えて、ヴィルマから版紙を預かった頃には、ディルクがお腹を空かせる時間になったようだ。ディルクがぐずり始めたけれど、ヴィルマがいなくても灰色巫女達は手早くヤギの乳を地階から持ってきて準備を始めていた。もう慣れてきているようだ。ヴィルマがいなくても面倒を見られるならば、わたしは急いで部屋に戻った方が良いだろう。わたしがいると皆がわたしの動きを気にしながら動かなければならない。

「皆も大変でしょうけれど、ディルクの世話をお願いしますね。ヴィルマ、悪いけれど部屋まで伴をしてください」

灰色巫女達に声をかけて、わたしは孤児院を後にした。

それぞれの言い分

部屋へと戻っていると、デリアが「もー！」と叫んでいる声が聞こえてきた。ディルクが来てから基本的に機嫌が良くて、あまり聞かなかったデリアのヒステリックな声に、わたしはヴィルマと顔を見合わせる。

「デリアの声に聞こえますね」

「何があったのかしら？」

「急いで戻るぞ、巫女見習い」

警戒を表に見せるダームエルに急かされて、できるだけの早足で部屋へと戻ると、そこにはフランとデリアが言い合いをしている姿があった。

「神官長は信用なりませんわ！」

「信用に足る方です」

二人がいがみ合っているというか、一方的にデリアが噛みついている感じだけれど、珍しい組み合わせにわたしは目を瞬いた。

「フラン、デリア、何の騒ぎですか？」

わたしが声をかけるまで本当に二人は気付いていなかったようだ。バッと振り返ったフランが慌てて謝罪し、迎えてくれる。

「お帰りなさいませ、マイン様。お見苦しい姿を見せてしまい、申し訳ございません」

すぐに取り繕ったフランと違い、デリアはわたしの方へと駆け出してきて、キッときつくわたしを睨みながら「マイン様、一体どういうつもりですの⁉」と怒鳴った。いきなり怒鳴られても何が何だかさっぱりわからない。

「えーと、何のお話かしら?」

「デリア！　マイン様に対してその態度は何ですか?」

フランの叱責を聞き流し、デリアはガシッとわたしの肩をつかんだ。

「ディルクを養子にやるというのは、どういうことかと聞いておりますの！」

「先程から何度も言っているように、その話は流れたとアルノーが言っていたではないですか。マイン様から手を離しなさい、デリア」

フランはあくまで冷静な姿勢を崩さずにデリアの手を外すけれど、やっぱり意味がわからない。完全に置いていかれている。

……あの、誰か、説明、プリーズ。

状況がわからなくておろおろしているのはわたしだけではなかった。ここまで送ってくれたヴィルマもフランとデリアの様子に目を瞬いている。

……えーと、こういう時はどうすればいいんだっけ?　そうそう、両方の言い分を詳《つまび》らかにするんだよね。

以前から神官長に言われていることを思い出して、ちょっとだけ冷静さを取り戻した。わたしは周囲を見回し、まずヴィルマに声をかける。

「ヴィルマ、ここまでありがとう。もう戻ってください。この二人の言い分を全て聞き終わるまでここにいたら、孤児院の方に支障が出ますから」

ヴィルマは「わかりました」と答えつつ、フランとデリアの二人を気にするように何度も振り返りながら孤児院長室を出ていった。

「マイン様！」

「二階で詳しく話を聴きますから、デリアはお茶を淹《い》れてきてちょうだい」

お湯を沸かしてゆっくりと丁寧にお茶を淹れる過程でデリアが少しでも心を落ち着けてくれればいいなぁ、と淡い期待を込めて、フランと階段を上がる。

すると、二階にはどこかぼんやりとした雰囲気の気怠《けだる》そうなロジーナがフェシュピールの前にいて、わたしと目が合うとゆるりと椅子から立ち上がった。

「おかえりなさいませ、マイン様」

「ロジーナは事情を知っていて？」

「いいえ、デリアの声に起こされましたけれど、詳しいことは存じません」

休息を取るために昼寝をしていてもらったのに、デリアの怒鳴り声で目を覚ましたらしい。口数が少なくなっているロジーナは、ほとんど表情に出ていないものの、とても機嫌が悪いと思われる。

「ロジーナはもう少し部屋で休んでいてちょうだい」

「そうさせていただきます」

ふらりとした足取りでロジーナが部屋へと下がっていく。わたしはフランに椅子を引いてもらって座ると、先にフランから事情を聞くことにした。

「悪いけれど、全く話が理解できません。フラン、詳しく聞かせてちょうだい」

「孤児院から戻ってくるデリアと神官長からの伝言を持ってきたアルノーが途中で会ったようで、二人が一緒にこの部屋へ戻ってきました。その時、私はちょうど休憩中だったのですが、デリアに呼ばれて、急いで身支度してアルノーと会ったのです」

どうやらフランはロジーナと同じように昼寝していたところを叩き起こされて、アルノーの対応をしただけではなく、デリアが吹っかけてくる口論に付き合っていたらしい。わたしが部屋にいれば、フランを起こすことなく、デリアとわたしで何とか対応できたはずだ。

「不在にしていて悪かったわ」

「いいえ、マイン様がいらっしゃっても、アルノーが来た場合は呼んでいただかなくては困ります」

フランは軽く首を振った。神官長からの伝言はわたしだけで対応するのではなく、フランも一緒に話を聞いておかなければならないらしい。

「それに、アルノーの用件は本当に伝言だけでしたから、別に面倒はなかったのです。デリアが激《げっ》昂《こう》したのが予想外だったのです」

フランが厨房の方へと視線を向けて軽く息を吐いた。フランにしては珍しく面倒くさそうな顔に見える。デリアに突っかかられるのがどれほど大変だったのか、よくわかった。

「それで、アルノーからどのような伝言をいただいたのかしら?」

「神官長がディルクの養子縁組を探してくださったそうですが、やはり難しいようです」

フランの説明によると、どうやら神官長は最初のお願い通り、ディルクの養子先を探してくれていたそうだ。そして、結果としては残念な結果となったけれど、気を落とすことなく孤児院で養育するように、との連絡をアルノーが持ってきたらしい。

男子で養子縁組は難しいだろうと言われた時点で、わたしはほとんど諦めていたし、自分が貴族の養女となってから、ディルクと契約しようと思っていた。そのため、養子先を探す話をしたことさえ、半分ほど忘れていたくらいだ。

……神官長が律儀《りちぎ》すぎる。

フランの説明を聞いたわたしは感心したのだが、お茶の準備を終えたデリアは怒りを再燃させたようにわたしの前へカップをやや乱暴に突き出してフランを睨んだ。

「どうして神官長の口からディルクを養子にやるというお話が出てくるのです!?」

フランからの話を聞いた分では、ディルクが身食いだという情報はアルノーもフランも持っていないように思えた。現に、デリアの怒りは自分の知らないところで、ディルクの養子話が進行していたという一点に集中している。

わたしはそっと目を伏せた。ディルクが身食いであるという情報は伏せろと神官長から言われている。魔力を持っているため、貴族の養子先を探していたという事情を伏せて、何とデリアに説明すればよいだろうか。

「マイン様とご家族といい、あたしとディルクといい、神官長には家族を引き離す趣味でもおありなのではございません⁉」

「そのような趣味があるわけがない、と何度も言ったではありませんか！　神官長には神官長のお考えがあるのです」

どうやらデリアの頭の中では神官長が次々と家族を引き離す悪い人になっているようだ。そして、このような言われ方をすれば、神官長を尊敬しているフランがうんざりして、少しばかり語気が荒くなるのも仕方ない。

「デリア」

わたしは深呼吸するようにゆっくりと息を吐いて、デリアを見た。

「ここには子供を育てられる灰色巫女がいません。ですから、もし、ディルクを養子にほしがる方がいれば、養子に出した方がディルクは幸せになれるのではないかと思って、わたくしが神官長にお願いしたのです」

「なっ⁉　マイン様があたし達を引き離そうとお考えですの⁉」

デリアの怒りの矛先がわたしに回ってきた。わたしは首を横に振って否定する。

「違うわ。デリアも最初はディルクの面倒を見たがらなかったでしょう？　誰も面倒を見たがらないならば、と思ったのです」

自分の発言を一応覚えていたのか、ハッとしたように目を見開いたデリアがほんの少し口籠《くちごも》る。

「そ、それは、ほんの最初のことではないですか」

「えぇ、わたくしが神官長に相談したのも、ほんの最初のことですもの」

デリアがぐっと言葉に詰まって、怒りの勢いが止まった。

「子を育てられる灰色巫女がいなくて、どのように面倒を見ればよいのかわからない。乳母を雇おうにも孤児院へ来てくれる者はいません。夜に面倒を見てくれるフランやロジーナの負担も大きいですし、養子としてくれる者がいれば良いと思ったのです」

今は一応昼寝の時間を取ったり、デリアが面倒を見る時間を増やしたりすることで、ディルクの面倒が見られているけれど、何もかもが手探り状態だった最初の数日間は本当に皆への負担が大きかった。それを見て、知っているデリアは不満そうにわたしを睨むけれど、口をむぐむぐさせるだけで、言葉にはしない。

「わたくしがお願いしたので、神官長は律儀に養子先を探してくださっただけです。おそらく見つからないだろう、と最初に言われておりましたので、わたくしは期待しておりませんでした。けれど、神官長は尽力してくださったのです」

「……そうだったのですか」

デリアが納得したように肩の力を抜いた。

「わたくしはこれほどデリアがディルクの面倒を見てくれるとは思いませんでしたから、今となっては、養子縁組のお話が流れて良かったと思います。このまま孤児院で育てるように、とアルノーは伝言を持ってきてくれたのでしょう?」

「はい、気を落とすことなく養育に励むように、と神官長がおっしゃったそうです」

フランの口添えにデリアは何度か瞬きをした後、わずかに残る不安を打ち消したいというような顔で、わたしを覗き込んできた。

「……では、マイン様があたしとディルクを引き離すことはないのですか？」

「えぇ、デリアがディルクを大事にしてくれていることはよくわかっているし、家族と離れたくない気持ちは、わたくし自身がよく知っていますから」

「……よかった」

ホッと安堵したようにデリアが自分の胸元を押さえて、息を吐いた。

「あたし、ディルクと絶対に離れたくないんです。初めての、家族だから」


デリアが納得してくれて十日ほどの日が過ぎた。

ヨハンに頼んでいた中で一番わかりやすかったのか、創作意欲を刺激したのか、アイロンができあがってきた。そこで二冊目の絵本の印刷を始める前に、版紙を蠟引きして強化してみた。ガリ切りするのでなければ蠟が多少厚くても問題ないはずだ。

「これでいっぱい印刷できるはず！」

蠟引きして耐久性が増した版紙を前にわたしが胸を張ると、ルッツは腕を組んで首を傾げた。

「……なぁ、マイン。神官長からは細々《ほそぼそ》と作れって、言われたんじゃなかったか？　いっぱい印刷していいのかよ？」

「蠟引きしておけば、再利用できるようになるから。細々と、長く使えるようになるよ」

「目ぇ逸《そ》らすな！」

ルッツには怒られたけれど、わたしは絵の版紙に関しては譲る気はない。字の方はいずれ活版印刷を使うことができるけれど、絵は描き直しになるのだ。

「ヴィルマの労力を減らすためだよ。何度か使えるならその方がいいでしょ？」

絵を描いて、繊細に切り込むヴィルマの絵を知っているルッツは苦虫《にがむし》を噛み潰したような顔で、眉間を押さえた。

「……絵だけだからな」

絵の版紙だけ全て蠟引きして、わたしは版紙をギルに預けた。マイン工房での印刷はもうギルと灰色神官達に任せられるようになっているのだ。

ギルに工房を任せられるようになってきて、ルッツの手が少しだけ空いた。そのため、わたしはルッツとダームエルと一緒に工房やギルベルタ商会へと出入りする日と神殿に行く日を交互にしている。ドアや窓枠が入り始めたイタリアンレストランの完成も近く、ベンノと一緒に見に行ったり、インク工房へ行って、ハイディの研究結果を教えてもらって表にまとめたり、忙しい。

「マイン、急に黙り込んだけど、何を考えているんだ？」

「カミルのこと」

「またか」

忙しいわたしの頭を占めているのは、カミルのためのおもちゃ作成である。孤児院からの報告によると、木をくり抜いて作ったガラガラはディルクが気に入っているけれど、自分で持とうとしては自分の顔に落としてよく泣いているらしい。カミルの可愛い顔に木のおもちゃが落ちたら痛くて可哀想なので、痛くないおもちゃを作ってあげたいと思う。

「ルッツ、わたし、『鈴』が欲しいな」

「突然、何だ？」

「そうしたら、手に握れるぬいぐるみタイプのガラガラが作れるんだよ」

鐘やベルと言われるタイプの音を出す金属製の物はあるけれど、日本でよく見ていた丸い鈴をここで見たことがない。綺麗な音を出すことは難しいかもしれないけれど、構造は難しくないので、ヨハンに頼めばできるだろう。

「よし、鍛冶工房に行こう」

インク工房から鍛冶工房は遠くない。わたしはうきうきと鍛冶工房へと向かう。

「こんにちは」

「いらっしゃいませ。おーい、グーテンベルク！　マイン様が来たぞ！」

顔を見たこともない職人が普通の顔で奥に向かって「グーテンベルク」と呼びかける。もうからかいの種にもならないほど完全に浸透してしまったようだ。奥から出てきたヨハンが「グーテンベルクって呼ぶな」と力なく言っても、「はいはい」と軽く流されている。

「マイン様、今日はどんな御用で？　まだ鉄筆はできていないんだけど」

ガリ切りに使う鉄筆は数種類頼んであるので、完成にはもう少し時間がかかるらしい。

「あのね、ヨハンから他の見習いに仕事を回しても良いから、こういう『鈴』を作ってほしいと思っているのです」

わたしが鈴の設計図をその場で描き始めると、ヨハンは興味深そうに覗き込んできた。やはり、作るのはベルタイプの物ばかりで、丸い鈴は無いようだ。

「マイン様、この切り込みは飾りかな?」

「音を響かせるために必要なのです。この形でなくても構いませんけれど、必ず切り込みは入れてください。中玉が落ちない大きさでお願いします」

多分、切り込みの大きさや金属の厚み、中玉の大きさや素材で、鈴の音が全く違うのだと思うけれど、そこまで詳しくは知らない。形がそれらしくなっていれば、音は鳴るはずだ。そして、できた小さい鈴を中玉にしてもう少し大きい鈴を作ってもらう。二重の鈴にしなければ、ぬいぐるみに入れた時に音が響かない。

「……確かに、これならそれほど難しくはないな。これも印刷に?」

「いいえ、これは赤ちゃんのおもちゃに使おうと思っているのです」

わたしだって、たまには印刷以外の物も注文するよ、と唇を尖らせると、ヨハンはとても嬉しそうに笑った。

「本や印刷に関わりのない注文なんて、初めてじゃないか」

本にしか興味がない子だと思っていた、とヨハンがどこか安堵したように言った。今はカミルのことで頭がいっぱいだが、基本的にわたしは本にしか興味がない。せっかくヨハンが嬉しそうなのだから、このまましばらく勘違いさせておこう。わたしがそう思っていると、ルッツがさくっとヨハンを落ち込ませた。

「マインは本にしか興味がないぞ。グーテンベルクの称号から逃れられると思ったら大間違いだ」

「わかってるけど、儚《はかな》い希望を持ってもいいじゃないか」

わかりやすく落ち込んで嘆いているヨハンにルッツは「ヨハンも早くマインに慣れないとな」と更に追い打ちをかける。

「そうそう。ルッツはわたしの扱いに長《た》けた、立派なグーテンベルクだもんね？」

わたしの言葉を聞いたルッツが何故かヨハンと一緒にがっくりと落ち込んだ。

……ルッツのことを褒めたつもりなのに、解せぬ。


「今日はこのまま帰宅しますね」

鍛冶工房から出てダームエルに声をかけていると、カンカンカンと非常事態を知らせる鐘が鳴り始めた。直後に、東門の上に魔術具を使った救援信号のような赤い光が立ち上がる。

鐘の音と光に一番に反応したのは、騎士であるダームエルだった。険しい表情で東門の赤い光を一睨みすると、即座にわたしを担《かつ》ぎ上げた。

「急ぐぞ」

ダームエルはそれだけ言って、家までの道を直走《ひた》る。ここ最近、わたしに付き合って下町をうろうろさせられているせいか、入り組んだ路地を迷いなく進んでいく。わけがわからないと言うようにルッツが目を白黒させながら、それでもダームエルに付いて走ろうとする。

「もう道はわかる。ルッツは帰宅するなり、店に戻るなり、好きにしろ」

付いてくるルッツにそう言い捨てて、ダームエルは走っていく。普段ならば井戸の広場で解散するのだが、今日はわたしを担いだままダームエルは階段を駆け上がっていき、ドンドンと玄関の扉を叩いた。

「はい、どなた？……マイン!?」

出てきた母さんを半ば押し退けるようにしてダームエルは家の中に入り、わたしを下ろした。そして、驚きに目を瞬く母さんとわたしを厳しい表情で交互に見つめる。

「東門で騎士団の助けを要する事態が起こったようだ」

「東門!?」

「細い光だったから荒事ではなく、騎士の判断を必要とする事態だと思われる。だが、念のため、巫女見習いの安全が確認できるまで、私はしばらくここで待機する」

突然の騎士の来訪に母さんはぎょっと目を剥《む》いていたが、事態を呑み込めたのか、すぐに頷いた。

「マインをよろしくお願いいたします」

ダームエルはすぐに対処できるように玄関扉の前に立った。カミルが泣き出したので、母さんは寝室へと向かっていく。わたしは少し息を切らしているダームエルのために水を汲《く》んだ。

「あぁ、巫女見習い。すまないな」

一気に水を飲み干すと、ダームエルはゆっくりと呼吸し、息を整える。これ以上ダームエルの周りをうろうろしても邪魔になるだけなので、わたしは物置へ向かった。鈴入りのぬいぐるみのガラを作成するために、どんな布があるのか知りたかったのだ。

「白が多いし、ウサギにしようっと」

触り心地のよさそうな布を見つけた後、台所のテーブルで型紙作りをしていると、以前に見たことがある魔術具の白い鳥が壁をすり抜けて飛び込んできた。突然部屋の中に現れた鳥にわたしがビックリしていると、ダームエルは鳥に向かって腕を差し出す。その腕にバサリと降り立った鳥が口を開いた。

「ダームエル、巫女見習いを神殿か自宅に送り届けた後、騎士団に合流するように」

低い男性の声で同じ言葉が三回繰り返され、直後に鳥はぐにゃりと形を崩して、黄色の魔石に戻る。ダームエルは神官長がしていたように、どこからか光るタクトを取り出して石をコンコンと叩きながら何か唱えた。すると、魔石はまた白い鳥へ形を変える。

「現在、巫女見習いの自宅で待機中。すぐに戻ります」

そう言ってダームエルがタクトを振ると、鳥は壁に吸い込まれるように消えていった。

「巫女見習い、私は情報を得るために騎士団に合流してくる。私が迎えに来るまで絶対に家から出てはならぬ。良いな？」

「はい」

井戸の広場にも出ないように、と念を押してダームエルは家を出ていった。一体どのような緊急事態だったのか、情報が全くないのでわからないけれど、騎士団からダームエルが合流を要求されるということは、わたしに関係がある事態なのではないかと思う。

「マイン、騎士様は帰られたの？」

カミルの授乳を終えた母さんが不安そうな顔で寝室から出てきた。騎士であるダームエルがいる間は安心していられたのだろう。今、この家にいるのは、わたしと母さんとカミルだけだ。何かあった時に対処できる人がいない。

「騎士団の人に呼ばれて帰ったよ。ダームエル様をここに残す必要がないと、騎士団の人が判断したわけだから、大変な事態は回避されたか、終わったんだと思う」

わたしの言葉に母さんが少し安心したように笑った。

「終わったから帰られたのね。よかったわ」


ダームエルからの情報を待つより早く、その夜、父さんが情報を持って帰ってきた。春から父さんは東門で勤務しているので、まさに今日の騒動の中心にいたのだ。

「父さん、今日は一体何があったの？」

「マインには話しておいた方がいいだろうな」

夕食後、父さんは舐《な》めるようにゆっくりとお酒を飲みながら、話をしてくれる。

「余所の貴族が街へ入れろと騒ぎを起こしたんだ」

今日、起こった緊急事態は余所の貴族が無理やり街に入ろうとしたものだったらしい。神官長が以前に言っていたように、春から貴族の出入りについて色々と規則が変わった。その中に領主の許可なき他領の貴族を街に入れてはならないというものがある。今までは貴族同士の紹介で入れていたものが入れなくなったのだ。この領地の貴族ならば冬の集まりの中で領主の言葉を直接聞いているが、別の領地の貴族は規則が変わったことなど知らない。そのため、平民である門番に止められて、怒りが爆発したそうだ。

「そんな事態が起こることは、当然予測済みだったようで、門で貴族絡みのトラブルが起こった場合は騎士団が出動することになっているんだ」

「へぇ、領主様も色々と考えてくれているんだね」

本日、騎士団から預けられた救援信号用の魔術具を動かして騎士団を呼んだのは父さんだったらしい。赤い石の埋め込まれたハンマーで預けられていた赤い石を叩いたら、救援信号が上がる仕組みになっている魔術具だそうだ。春の祈念式の時にフラン達が乗っている馬車に置かれていた魔術具と同じものだろうと思う。

平民相手にはどんな振る舞いでもできるが、その街の貴族が相手になると、余所者では分が悪い。領主の許可がないと街に入れないと騎士団から説明された余所者貴族は、ブツブツと文句を言いながら帰っていったようだ。

「貴族の起こす問題は、貴族に解決してもらうのが一番だ。正直非常に助かった」

「それにしても、ここの貴族の招待状を持っていたんでしょ？　領主の許可がなければ入れないってわかっているのに、何で招待状を出したんだろうね？」

「さぁな」

春になる前に預かった招待状を持っていたということだろうか。正解などわかるはずがないけれど首を傾げて考えていると、父さんは真面目な顔でわたしに呼びかけた。

「マイン、身の回りにはくれぐれも気を付けるんだ。前に神官長が言っていただろう？　余所の貴族がお前を狙っているかもしれない、と」

父さんからの注意にわたしは神妙な顔でゆっくりと頷く。

「危険な貴族が入れないように、入ろうとした場合はすぐにでも騎士団を呼んで、父さんは門を守る。マインも護衛からは離れないように気を付けるんだ」

門と街と娘を守る、と言った父さんの言葉が嬉しくて、わたしはこんな事態なのに思わず笑顔になってしまった。

いなくなった二人

次の日もその次の日も、ダームエルは迎えに来なかった。井戸の広場に出ることさえ禁止されてはあまりにも暇で、わたしは家に引き籠ったまま、カミルのためのぬいぐるみのガラガラをトゥーリと一緒に作ったり、絵本の第三弾の内容を考えたりしていた。トゥーリが作ったガラガラはコリンナの娘のレナーテにプレゼントするらしい。

「コリンナ様のところに赤ちゃんを見に行く時に持っていくの。今度行くんでしょ？」

「あれだけギルベルタ商会にお世話になっていて、さすがに、何もなしというわけにはいかないし、ベンノさんからカミルのお祝いをもらったからね」

不穏な空気が落ち着いたら、コリンナのところへ遊びに行こうと思っている。トゥーリも一緒に行く気満々だ。女の子の赤ちゃんも可愛いだろう。オットーの親馬鹿具合もわたしはちょっと楽しみにしている。

「……でも、これ、マインが作った方が可愛いね」

できあがった手元のガラガラを見下ろして、トゥーリがちょっと唇を尖らせる。トゥーリが作ったのは白クマっぽい動物で、わたしが作ったのはウサギっぽい動物だ。白い布の中に詰まっているのはボロ布なので、綿を詰めるのと違ってちょっとでこぼこしている。

「縫い目はトゥーリが圧勝だけどね」

トゥーリが言うように、わたしが作ったガラガラは少々ちぐはぐな縫い目だけれど、なかなか可愛くできたと思う。わたしが自分のできばえに満足していると、横から覗き込んできたトゥーリが軽く肩を竦めた。

「マインはもうちょっと裁縫《さいほう》の練習しないと、お嫁さんになれないよ？」

「大丈夫！　わたし、本に一生を捧げる覚悟ができてるから」

この辺りで望まれている嫁の条件は、健康で気働きができる裁縫上手だ。どれに関しても全く当てはまらないわたしが嫁にいくなんてどう考えても無理だ。もう諦めた。麗乃時代と同じく、本を恋人に生きていければ満足である。むしろ、誰かの嫁になって家族の服を作るのにひーひー言うよりは、今のまま本を作って読んでいたい。

これであとは鈴さえあればガラガラが完成するのに、と思っていると、三日目の夕方には、ルッツが店に届いた鈴を持ってきてくれた。

「ヨハンが届けてくれたんだ。これをどうするんだ？」

そう言いながらルッツは数個の鈴を手のひらで転がした。チリンチリンと可愛らしい音を立てて、鈴が転がる。さすがヨハンだ。よくできている。

「鈴はね、こうして中に入れて縫っちゃうの。振ったら音がするでしょ？」

小さい子供が誤飲《ごいん》しないように、鈴は必ず中に入れる。目や口も糸で縫ってあるだけだ。鈴を入れるところだけを開けてあったので、ルッツが見ている前で、すぐにガラガラは完成した。

振ってみると、布の向こうからチリンチリンと可愛らしい音が響いてくる。大成功だ。

「カミル、できたよ。鈴の音、聞こえる？」

カミルの耳元で、ウサギを振って鈴の音を鳴らしてみれば、カミルが何度か瞬きした。まだ首が座っていないカミルは振り向くこともできないけれど、目がほんの少し音源を探してさまよう。

「可愛い！　可愛いよ、カミル」

わたしが作った物に反応してくれたことに、ヘラッと顔が笑み崩れていった直後、カミルに泣かれた。弟に懐かれるお姉ちゃんへの道はまだまだ遠そうだ。

そして、家に引き籠るようになって五日後の朝、フランとダームエルが家まで迎えに来てくれた。

「おはようございます、マイン様」

「おはようございます、ダームエル様、フラン」

「おはよう、巫女見習い」

わたしが挨拶をするとダームエルは軽く頷いた。そして、昼勤のため、まだ家にいた父さんに声をかける。

「では、巫女見習いを預かる」

「よろしくお願いいたします」

父さんが胸を二回叩く兵士としての敬礼でダームエルに答えると、ダームエルも同じように返礼する。そして、ダームエルは真面目な顔で口を開いた。

「ギュンター、フェルディナンド様から伝言がある。領主は現在中央へと行っているため、しばらくは新しく通行の許可が下りることはない。偽物の許可証が出回るかもしれぬから気を付けるように、とのことだ。確かに伝えたぞ」

「はっ！」

表情を引き締めた父さんがぐっと顎を引く。門を守る仕事中の父さんの顔はカッコいい。

「じゃあ、いってきます」

「気を付けて」

井戸の広場にいたルッツと合流して、神殿へ向かう。神殿に近付くにつれて、フランの表情が厳しくなっていくのがわかった。

「フラン、どうかした？　眉間に皺が寄ってるけれど……」

「後ほど、お話しいたします」

往来で話せる内容ではない、とフランは口を閉ざし、奥歯を噛みしめた。

「神殿に着けば、嫌でもわかる」

そう言ったダームエルを見上げても、貴族らしく何も感じさせない穏やかな笑みを浮かべているだけで、感情らしい感情を見つけることができなかった。

「じゃあ、オレ、今日は森へ行くから」

「うん、よろしくね」

いつものように工房前でルッツと別れて、わたしは自室に向かった。お嬢様らしくフランがドアを開けてくれるのを待って、中に入る。いつもと違う部屋の雰囲気にわたしは目を瞬いた。

「……ずいぶん静かですね」

部屋の中が異様に静かに感じられた。普段ならばディルクの声やデリアがディルクを構う声、複数の人間がいる物音や雰囲気が感じられるのに、今日はそれがない。厨房《ちゅうぼう》で働く料理人の声や物音が小ホールまではっきりと聞こえるほど、部屋が静かだ。

ディルクが寝ているのだろうか、と思いながら、あまり足音を立てないように気を付けて、わたしは二階へと上がる。そこにはロジーナがテーブルを拭《ふ》いている姿があった。指を痛めないように部屋の雑事は基本的にデリアに任せて、音楽と書類仕事のみをしているロジーナが働いている姿にわたしは戸惑いを隠せない。

「ロジーナ、おはようございます。デリアはどうしたの？　体調でも悪いのかしら？」

わたしがぐるりと部屋を見回しながら尋ねると、ロジーナは一度目を伏せた後、布巾を置いてクローゼットへ向かった。

「デリアはもうここにはいません。ディルクと共に神殿長のもとへ参りました」

「え？」

あまりにも突然のことで、すぐに理解できなかった。わたしが混乱しながらロジーナを見上げると、青の衣を手にしたロジーナは言葉を探すように視線をさまよわせた後、悲しそうに微笑んだ。

「マイン様、お話をする前にお召替《めしか》えをいたしましょう。そうでなければ、フランが上に来られませんから」

ロジーナが持ってきた青色巫女見習いの衣装に着替えると、わたしは席に着くように言われた。ロジーナがテーブルの上のベルを鳴らすと、フランが準備していたお茶を持って上がってくる。コトリとわたしの前へカップが置かれた。一口飲んだけれど、おいしいはずのフランのお茶に味が感じられない。わたしがカップを置いて二人の顔を見回すと、ロジーナが口を開いた。

「昨日のことです。わたくしとフランがお昼の休憩に入り、起きた時にはもうディルクのためのクッションやおむつなどが部屋から消えていました。デリアの姿もなかったので、わたくしは胸騒ぎを感じて孤児院にデリアとディルクを探しに行きましたが、孤児院にディルクの姿もなかったのです。ヴィルマに話を聞いたところ、家族だから連れていく、と言って、デリアがディルクを連れていった、と言われました」

孤児院が苦手なデリアがディルクのために孤児院まで迎えに来て頑張っている姿を応援したくて、ヴィルマは言われるままにディルクを渡したらしい。まさかわたしの側仕えがわたしの部屋以外にディルクを連れていく可能性など、全く考えなかったそうだ。

「ロジーナから話を聞いて、私は神官長に目通りを願いました。神殿内で青色巫女見習いの側仕えが忽然《こつぜん》と姿を消したのですから、報告し、探索しなければならないと思ったのです」

フランがゆっくりと息を吐いた。主が不在の時に、青色神官とのトラブルに巻き込まれているならば大変だ。そう思って神官長のところへと向かう途中で、フランは神殿長と一緒にいるデリアを発見したそうだ。デリアの腕にはディルクがいたらしい。その場で問い詰めようとすれば、神殿長に阻《はば》まれたため、神官長に話を通した上で、事情を聞いたようだ。

「神殿長のところって、どうやって行くのですか？　元々神殿長の側仕えだったデリアはともかく、ディルクは孤児だから孤児院から出してはならないでしょう？」

わたしが神官長に相談に行く時にも連れ出すなと言われたし、洗礼式が終わるまでは見苦しいから子供を孤児院に閉じ込めておけと言うような神殿長が、孤児であるディルクを貴族区域に入れているのもおかしい話だ。

わたしの言葉にフランはそっと目を伏せた。

「……ディルクはもう孤児ではないのです」

「え？」

「ディルクは神殿長の権限により、貴族との養子縁組がなされています」

孤児院長であるわたしのサインがなくても、神官長のサインがなくても、神殿長のサインがあれば孤児の養子縁組は可能だ。ただし、それは縁組先が平民であれば、の話である。

「貴族の養子縁組には領主様の許可が必要なのでしょう？　今朝、ダームエル様がおっしゃったじゃない。領主様は不在で新しく許可は出ない、と……」

「神官長の話によると、この領地外の……余所の貴族との縁組にはこの街の領主様の許可は必要ないのだそうです」

法の網の目をくぐるのが得意な者はどこにでもいるということだろう。余所の形式で作成されていても、養父、養子、神殿長の血判がある書類は有効だ。ディルクはすでに余所の貴族の養子となってしまった。

「……喜ばしいとは思えない事態ですよね？」

「はい、神官長も頭を抱えておりました」

フランも神官長のように眉間に皺を寄せながら腕を組んだ。そして、ゆっくりと顔を上げて、真っ直ぐにわたしを見る。

「マイン様、デリアを切り捨ててください。マイン様が情の深い方だということは存じております。しかし、主に何の断りもなく、勝手をし、主に不利益をもたらすデリアをこのまま側仕えとするわけにはまいりません。神殿長のところへ行くならば解任しなければならないのです」

わたしが解任宣言するまではデリアはここの側仕えである。本来ならば、神殿長のところへ移動する前に一言あるべきだ、とロジーナも憤慨《ふんがい》している。

側仕えになった当初はともかく、最近では上手く付き合っていけていると自分では思っていただけに、デリアの突然の寝返りに胸が痛い。どうして、という思いが胸に渦巻く。ゆらりと揺れるお茶の表面を見つめながら、わたしは口を開いた。

「……デリアを解任します。話をしたいから呼んできてちょうだい」

わたしが解任することをもっと渋ると思っていたのか、フランは張りつめていた表情を少しだけ緩めた。「かしこまりました」と胸の前で手を交差させた後、フランは部屋を出ていく。

話が一段落したので、わたしは目の前にあるカップを手に取った。さっきは味を感じなかったお茶が、今度はひどく苦《にが》かった。


フランが戻ってきた時にはデリアが一緒だった。苦虫を噛み潰したような顔になっているフランと、とても機嫌が良さそうな笑顔のデリアは対照的だ。ふわりと紅の髪を揺らし、足取りも軽くデリアは歩いてくる。

「おはようございます、マイン様。あたしにお話とは何ですの？」

デリアの顔には全く悪気がない。いつもと変わらぬ表情、いつもと変わらぬ口調に眩暈《めまい》がした。デリアとディルクが神殿長のところに行ったなんて、何かの間違いだったのではないか、と思えてしまう。デリアの態度に思わず呆然《ぼうぜん》としてしまったけれど、テーブルの横に立つフランとロジーナの強張《こわば》った表情にハッとして、わたしは軽く頭を振った。

「神殿長のところへ戻ったと聞いたのだけれど……」

「そうですわ」

デリアは顔を輝かせて、とても嬉しそうにわたしに報告をしてくれる。

「神官長が養子先を探してくださったけれど、見つからなかったという話をしたら、神官長には見つけられなかったディルクの養子先を、神殿長はあっという間に見つけてくださったのです！　しかも、貴族との縁組ですの」

すごいでしょう、と言うデリアの顔は実に得意気だ。

「こちらの貴族との縁組には領主様の許可が必要で、すぐには養子にできないから、余所の領地の貴族を探してくださったのです。神殿長ともなると人脈が違いますから」

「余所の貴族と養子縁組したのでしたら、デリアとディルクは一緒に過ごせないのではなくて？」

すぐに余所に引き取られるのではないのだろうか。それとも、世話係としてデリアも一緒に引き取られるのだろうか。神殿長が探してきたのは領主の許可が必要ない養子縁組だ。どうにも不穏《ふおん》な気配を感じて難しい顔になってしまうわたしに、デリアはフフッと笑った。

「ディルクが成人するまでは、神殿長が預かって育てることになっていますの。もうディルクは孤児ではありません。神殿長の側仕えに与えられるお部屋の一室を賜って、あたしとディルクは一緒に住めるようになったのです」

……それって何かおかしくない？

ディルクが成人するまで神殿で育つのならば、貴族の養子となっても貴族院へ行けるわけでもなければ、家族として接してもらえるわけでもないのではないだろうか。その貴族は一体何のためにディルクと養子縁組をしたのだろう。魔力狙いならば神殿長の元で育てる意味がわからない。話を聞けば聞くほど不安になるわたしの前で、デリアは頬を薔薇色《ばらいろ》に染めて嬉しそうに笑った。

「これでディルクが成長しても引き離されることはないでしょう？　マイン様のところでは、側仕えのあたしとディルクはすぐに別々に住むことになりますもの」

まだ孤児院に行けないデリアにとって、孤児院長室と孤児院で生活の場が分かれるのは完全な別れに等しいらしい。確かにデリアが孤児院に行けるようになっても一緒に住めるわけではないし、ディルクが洗礼式を終えて男子棟へ移ると、更に会うのは難しくなるだろう。ディルクと一緒に過ごすことだけを考えて、直進してしまったデリアに何が言えるだろうか。

「二人とも辛い思いはしていないのね？」

「えぇ、もちろんですわ」

今のところ神殿長はデリアに対して良いところしか見せていないようだ。神殿長が好々爺《こうこうや》の顔だけをデリアに見せているのならば、わたしが何を言っても受け入れられることはないだろう。大きく頷いたデリアを見据《みす》えて、わたしは一度ゆっくりと深呼吸する。

「では、デリアをわたくしの側仕えから解任いたします。これから先は神殿長の側仕えとして、対応します。よろしいですね？」

「かしこまりました。……マイン様、お話がこれだけでしたら、あたし、ディルクのところへ戻りたいのですけれど。近いうちにディルクの養父様もいらっしゃるのです」

こちらは鉛《なまり》でも呑み込んだような気分で解任宣言をしたのだが、解任されたデリアは特に何も感じていないようだ。早くディルクのところへ帰りたいという気持ちだけでそわそわとしている。

「呼びつけてごめんなさいね。でも、何の断りもなく二人がいなくなったことで、フランもロジーナも随分《ずいぶん》と探してくれたのです。孤児院でディルクを預かってくれていたヴィルマも、工房から帰ってきたらガランとした部屋を見たギルも、今朝、話を聞かされたわたくしも本当にビックリしたし、デリアとディルクに何があったのか、と心配したのです。せめて、言付《ことづ》けの一つくらいは残しておいてほしかったと思っています」

恨み言とまでは言わないが、最後にわたしが不満を零すと、デリアは自分の行いを思い返し、誤魔化《ごまか》すような笑みを浮かべた。

「……ディルクを連れ出すことをマイン様に知られると反対されるだろう、と神殿長がおっしゃったのでこっそりと事を運びました。それについては謝ります。申し訳ございませんでした」

反対されるようなことをしている自覚はあったようだ。デリアはついっと視線を逸らして、神殿長にこう言われたと言い訳する。

「では、ディルクの世話、大変でしょうけれど頑張って」

「はい。失礼いたします」

朗らかな笑顔を見せて、デリアはディルクのもとへ帰っていた。本人が幸せならば良いけれど、あまり良い将来が見えない。

「……デリアもディルクも大丈夫かしら?」

「デリア本人が選んだことですし、孤児でなくなってしまったディルクにわたくし達がしてあげられることはもうございません」

「……そうね」

きっぱりと言い切ったロジーナの言葉にわたしはゆっくりと頷いた。

それでも、何か助けになれたら、と考えていると、フランがわたしの隣に跪いた。わたしの手を取り、真剣な眼差しで見上げてくる。

「マイン様、これからはデリアに呼ばれたとしても、決してマイン様から神殿長のもとへ出向かないようにご注意ください」

目を瞬くわたしにフランは不安そうな顔で言い募る。

「先程、デリアを呼びに行った時も、神殿長はマイン様を出向かせようと必死でした。側仕えのために主が足を運ぶことはありませんと何度も申し上げてデリアを連れ出しましたが、神殿長の変わりようが怖いのです」

わたしを視界に入れたくない。神殿長の部屋には決して入れない、と言っていた神殿長が「連れてこい」と言った。デリアの解任宣言のためにわたしを部屋に呼びつけようとした。その変化が気持ち悪い、とフランは言う。確かにそれはおかしい。

「それから、先日、東門であった騒動ですが、余所の貴族に紹介状を出したのは、どうやら神殿長だったようです」

紹介状にある名前から、騎士団が神殿長に事情を聞きにやってきたらしい。神殿長は親交を深めるため、と当り障《さわ》りのないことを言っていたようだが、時期的にディルクの養子縁組のために余所の貴族を街に入れようとしたのではないか、と神官長は推測しているようだ。

「領主の許可がなければ入れないのに、神殿長が紹介状を出したのは何故なのかしら？」

「ご存じなかったそうです」

意味がわからなくて首を傾げると、フランは決まり悪そうな顔で少し声を潜めた。

「冬の間、神殿長は奉納式のために神殿に籠っておりました。そして、正式な貴族ではないため、冬の社交には招かれることが少ないです。ですから、規則が改変されたのをご存じなかったのです」

厳密には貴族ではない神殿長は冬籠りの間に行われる貴族の社交には招かれず、領主がその場で発表した新しい規則を知らなかったらしい。そのため、以前と同じように余所の貴族を招待したということだった。

「ディルクを余所の貴族と縁組させて、手元に置こうとしている神殿長が何を考えているのか、わかりません。マイン様はくれぐれも慎重に行動してくださるよう、お願いいたします」

心配のためか、小さく震えているフランの手を握り返し、わたしはコクリと頷いた。

誘拐未遂

「マイン様、デリアの代わりに、新しい側仕えを入れませんか？」

「すぐに必要かしら？」

冬と違って、わたしが神殿に住んでいるわけではないので、すぐさまデリアの代わりを入れなければならないほど仕事は多くないはずだ。

「入れた方が良いと思われます」

ディルクがいなくなったので、夜眠れるようになったフランとギルが力仕事を担当すれば何とかなるけれど、ロジーナが指を痛めるような雑事をしたがらないので、いずれ代わりの人員が必要になる、とフランが言った。

「本音といたしましては、この期《ご》に及んでまだデリアの心配をしているマイン様には情に流される甘いところがございますから、デリアに向けている情を他の者に向けていただいた方がこちらとしても安心できます」

自分の甘さを突き付けられて、うぐっと言葉に詰まった。少しガランとした空間で何となくデリアの姿を探してしまうところを見られていたらしい。フランの言う通り、いつまでも出ていったデリアの心配をするよりは、フランやロジーナの心配を取り除いた方が今後のためにも良いだろう。

わたしはそっと息を吐いて、一度目を伏せた。

「……新しく灰色巫女を入れるとすれば、モニカとニコラかしら？」

モニカとニコラは冬の間ずっとエラの料理を手伝ってくれていた二人だ。ヴィルマから推薦《すいせん》された二人はくるくるとよく働くことをすでに知っているし、部屋の雑事だけではなく、料理の助手を任せることもできる。

実は、もうじきイタリアンレストランが完成するので、料理人はエラを残して店へと行ってしまうのだ。エラはここにいる方がレシピは増えそうだということで、ここに残る選択をし、ベンノとの交渉は済ませた。そして、ベンノが次に送り込んでくる新しい料理人の指導をすることになっている。モニカとニコラならばエラも気心が知れているので、仕事がしやすいと思う。

「モニカとニコラですか？　マイン様、二人も召し抱えて大丈夫ですか？」

この部屋の経済状況を知っているフランがわたしを気遣うようにこっそりと尋ねてくる。確かに季節によっては少しばかりお財布事情が厳しいけれど、冬の手仕事も追加注文が来ているし、このまま絵本が順当に売れれば大丈夫だと思う。

「冬の間、二人とも頑張ってくれていたでしょう？　どちらかを選んでしまったら、また冬にお手伝いを頼みにくくなりますから、召し抱えるなら二人一度にお願いしたいです」

「灰色巫女の感情など、マイン様が気にしなくても良いと思うのですけれど……」

ロジーナは苦笑するけれど、孤児院で過ごすのと側仕えになるのでは、明らかに待遇《たいぐう》が変わる。それがわかっていて、どちらかを選ぶのがわたしには難しい。

「デリアに側仕えを任せるよりは安心できます。二人に声をかけに行きますか？」

「えぇ。二人とも側仕えの経験はないはずですし、教育期間を考えると早いうちに声をかけた方が良いかもしれないわね。教育係のフランはどう思って？」

イタリアンレストランが開店して、厨房の人員が少なくなる前に二人には部屋の雑務を覚えてもらいたい。けれど、指を痛めたくないロジーナでは雑務のお手本が見せられないため、雑務の教育係はフランかギルになる。フランに余裕がなければ教育は難しい。

「書類仕事をロジーナに回せるようになってきたので、多少余裕はございます」

「では、ヴィルマに連絡して、明日にでも孤児院へ行きましょうか」

明日の予定が決まったところで、コンコンと部屋のドアがノックされた。

わたしの側仕えは勝手に入ってくるし、神官長や側仕え達の神殿関係者はベルを使う。ノックをするのは平民であるルッツやトゥーリだけだ。

「ルッツかしら？　でも、帰るには少し早いと思うのだけれど」

五の鐘が鳴ってから、まだそれほど時間はたっていない。出迎えるためにフランが一階へ降りていき、わたしは階段の方に出て一階を見下ろす。

警戒した面持ちでダームエルがドアを開けた。そこには予想通りルッツがいた。しかし、ルッツだけではなく、トゥーリも一緒だった。

「お入りください、お二人とも」

フランが二人を招き入れ、ドアを閉めようとした時に、少し遠くから「待ってくれ！」と叫ぶギルの声が聞こえてきた。ドアを開けたままフランが待っていると、ギルが息を切らせて走り込んでくる。

「トゥーリ、どうしたの？」

「マイン、迎えに来たよ。一緒に帰ろう」

トゥーリはわたしが階段を駆け下りていくのを見ながら、ニコリと笑った。

「危ないんでしょ？　マインはわたしが守ってあげる」

トンと自分の胸を叩きながらトゥーリがそう言うと、対抗したようにギルも横から出てきて仁王立ちで胸を逸らす。

「オレもマイン様を守ります！　側仕えだから！」

「二人のやる気は嬉しいけれど、送迎《そうげい》の人数が増えるのはどうなのでしょう？」

大人数の護衛をすることになるダームエルを見上げると、ダームエルは呆れたように肩を竦めた。

「……護衛対象が増える方が危険なのだが」

「ですよね？　わたくしの心配をしてくれたのだから、今日だけはよろしくお願いします、ダームエル様。トゥーリにはもう来ないように言っておきますから」

来てしまったものは仕方がない。いつもに比べると少し早いけれど、さっさと皆で帰ることにする。わたしはロジーナに手伝ってもらって着替えると、手早く帰り支度をした。

「フラン、孤児院への連絡をお願いね。今日は急いで帰ります」

「かしこまりました。お早いお帰りをお待ちしております」

神殿を出ると、前にルッツとギル、二人に続いてわたしとトゥーリが歩き、わたしの後ろをダームエルが歩く形でぞろぞろと大通りを歩いていく。

「気持ちは嬉しいけど、トゥーリはもう迎えに来たらダメだからね」

歩きながらわたしはトゥーリに注意した。

「どうして？」

「危険なことが起こった時、わたし一人だけならダームエル様が守れる状況なのに、トゥーリもいたら二人は守れないこともあるから」

いくらダームエルが騎士とはいえ、できることは限られている。そして、わたしの護衛であるダームエルは当然のことだが、緊急時にはわたしの安全が最優先になり、トゥーリを助けてくれるとは限らない。逃げる時に置き去りにされたり、下手したら囮《おとり》に使われたりするかもしれないのだ。

「本当に何か起こった場合、トゥーリの方が危険なんだよ」

「……わかった」

むすぅっと頬を膨らませて、トゥーリが不満そうにわたしを見た。「わたしだってマインを守るのに」なんて、そんな可愛い顔をしてもダメなものはダメだ。自分だけならばともかく、トゥーリが危険な目に遭うかもしれないのは許容できない。

中央広場を通り過ぎ、職人通りに向かってそのまま南下し、家へ向かって曲がる。大通りから人通りが少ない路地に入って少し歩いたところで、オットーの姿を見つけた。まるでパトロールでもしているようで、手には槍《やり》のような武器を持って、きょろきょろしながら歩いている。

「オットーさん、お久しぶりですね」

「マインちゃん！」

わたしを見つけたオットーが顔を輝かせる。

「無事だったんだね。よかった。これで班長にぶっ飛ばされずに済むよ」

第一声に「無事」という単語が入っているところがどうにも不穏だ。もしかして、父さんにぶっ飛ばされるようなことをしでかしたのだろうか。

「……オットーさん、もしかして何かやらかしたんですか？」

「俺じゃないんだけど、東門の番人と士長がね」

そう言ってオットーは肩を竦めた。オットー自身は中で書類仕事をしていたため、門番として門に立っていたわけではないけれど、東門の士長と門番が父さんにぶっ飛ばされるような失敗をしでかして、その尻拭いに駆り出されているらしい。

「今日の昼過ぎ、班長が各門の士長に重要な話があるって、東門以外の士長に連絡を取って、中央に行っている間の出来事なんだけどさ」

「え？」

オットーの言葉にわたしは目を見開いた。もしかしたら、父さんの重要な話というのは、「領主不在のため、新しい許可証は出ない」というものではないのだろうか。ものすごく嫌な予感がする。

オットーによると、父さんは昼番だというのに、引継ぎよりも随分と早い時間に仕事場である東門へと行ったらしい。そして、すぐに東門の士長と話をして各門の士長を召集《しょうしゅう》してもらい、中央に士長を集めてもらった。そこでダームエルからの伝言である領主の不在と許可証が偽造《ぎぞう》される可能性があることを伝えて、東門に戻ったそうだ。

「班長が戻った時にはもう貴族の馬車を通した後だったんだ。東門の士長からは何の連絡もなかったから、門番は誰も許可証が偽造だなんて思わなかったんだ。班長がその失態《しったい》話を聞いたのは、門番の引継ぎの時でさ。どうして重要事項を門番全員に伝達していないんだって、士長に激怒してね。マインちゃんの無事を確認するために、神殿へ走っていったんだけど、会わなかったかい？」

父さんと会ったか、会っていないかよりも、通された貴族の馬車という言葉に、わたしは思わずダームエルを仰ぎ見る。ダームエルも信じられないと言わんばかりに目を見開いた。

「馬車を通しただと!?　まさか、先日の……？」

「そう。君、物知りだね。その貴族だよ。今、東門の兵士を門番以外全員動員して探しているんだけど、まだ馬車が見つかってないいんだ。もう貴族街に行ったのかな？」

貴族街に入る北門には騎士がいるから、すぐに見つかると思ったんだけど、とオットーは首を傾げる。余所の貴族が街に入ってくることを領主が禁じているというのに、兵士間では危機感や緊急度が全く共有されていないようだ。

「騎士団には連絡したのであろうな!?」

ダームエルが眦《まなじり》を釣り上げて怒鳴ったが、オットーはすぐに答えられないようで、うーん、と顎に手を当てて考え込んだ。

「……どうだろう？　士長がしたのかな？　班長はすぐさま飛び出していったから、もしかしたらまだかもしれないいな」

「すぐに知らせるんだ、馬鹿者！」

危機感の薄いオットーを叱り飛ばしながら、ダームエルはすぐさま光るタクトを取り出した。タクトに驚いて「え？　お貴族様……？」と呆然とした顔で呟くオットーの前で、ダームエルが救援

信号である赤い光を打ち上げる。

これで騎士団が来てくれるはずだ、と少しばかり安堵しながら、ヒュンと空高く上がっていく赤い光を見上げた瞬間、視界の端に映っていたトゥーリの姿が突然消えた。

「え？　トゥ……」

振り返る間もなく、バサリと何かで覆われてわたしの視界が真っ暗になった。ぐわっと浮遊《ふゆう》感がしたかと思うと、ガクンガクンと揺れ始める。

「うひゃっ⁉」

自分の背中や足を押さえる手の感触から、誰かに担がれて運ばれているのがわかる。慌ててもがいてみたものの、手にごわごわした布のような感触が当たるだけでほとんど身動きができない。ちらちらした光が布の織り目から差し込んでくる様子から考えても、麻袋のようなものを被されて担ぎ上げられているのではないだろうか。

「た、助け……」

「マイン！　トゥーリ！」

「二人を返せ！」

暗闇の向こうからルッツやダームエルの叫び声が聞こえ、複数の足音が追いかけてくるのが聞こえた。どうやらトゥーリも一緒にさらわれたらしい。トゥーリの悲鳴が聞こえる気がする。大通りの喧騒《けんそう》がどんどん遠くなっていくことから考えても、路地を走っているようだ。

「班長！　その袋にマインちゃんが！」

「ウチの娘に何をするっ！」

オットーの叫ぶ声が聞こえ、父さんの怒号が響いたかと思うと、わたしの体がぐるんと回った。父さんの攻撃を防ぐために投げ出されたようだ。視界が真っ暗の中、自分がどうなっているのか認識もできないまま、どさっと石畳に投げ出されて体のあちこちを打ちつける。

「いたっ！」

「マイン!?」

「マイン様！」

ルッツとギルの焦ったような声と同時に、ぐいっと力任せに袋を引っ張られ、体が起された。暗闇の中で目を白黒させているうちに、バサーッと勢いよく麻袋が除けられ、いきなり視界が良好になった。暗いところから急に明るいところへ出たことで目がチカチカする。

何度か目を瞬いて光に慣らしながら、わたしは座り込んだままで辺りを見回した。わたしを覗き込むルッツとギル、そして、わたしを守るために周囲を警戒しているダームエルの後ろ姿が右側に、武器を構えたまま歯ぎしりしている父さんとその向こうにオットーの姿がある。

「トゥーリは!?」

「あそこ……」

口惜しさと怒りに燃えるギルの紫の目が向かった先には、人質に取られているトゥーリの姿があった。トゥーリにナイフを突きつけながら逃げようとしている男と、ひぅっ、と息を呑んでナイフに視線を固定したまま、恐怖に強張ったトゥーリが見える。

「い、いや……」

血の気が引いていて、涙を浮かべて小さく震えているトゥーリにピタリと焦点が合った。すぐさま全身の血が滾《たぎ》って、魔力が巡っていく。一瞬でわたしの堪忍袋《かんにんぶくろ》の緒が切れた。

「マイン⁉」

「マイン様⁉」

わたしはゆっくりと立ち上がる。体が沸騰《ふっとう》するほど熱いのに、頭の芯が冷え切っているようなこの感覚には覚えがあった。

この一年ほど神殿で奉納をし、儀式を行ってきたわたしは、自分で考えるよりもずっと魔力の扱いに慣れてきたようだ。神殿長に向けた時は視界に入る者全てに向けられていた威圧も、今では目標を定めることができるようになっているのがわかる。

「ねぇ、ウチのトゥーリに何するつもり？」

キッと強くトゥーリに刃物を押し付ける男を睨みつければ、男の顔色がどんどん変わっていく。怒りと興奮で赤かった顔が恐怖に染まったように青くなり、呼吸でも止められたかのように紫じみたどす黒い色に変わっていく。わたしの威圧から逃れようと男がわずかに身を捩《よじ》ろうとするが、ほとんど動けないのか、目を見開いたまま顔を強張らせていた。

「トゥーリから汚い手を今すぐ退けて。じゃないと、死ぬよ。貴方が」

周囲の時の流れがゆっくりになったような感覚の中、わたしは口の端から泡を吹いて震え始めた男に向ける魔力の圧力を少しずつ強めていく。

「う……あ」

男の口がわずかに動いた瞬間、ヒュンと音を立てて、刃物が飛んでいき、トゥーリを捕えている男の二の腕にぐっさりと刺さった。

「え？」

わたしが驚きに目を瞬いて理性を取り戻すのと、短剣を握った父さんが男に飛びかかるのはほぼ同時だった。威圧を受けて動けなかった男は避けることもできず、刃を受ける。

「うぁっ！」

男の悲鳴と血飛沫《ちしぶき》が上がったかと思うと、父さんに突き飛ばされるようにして、トゥーリが揉《も》み合う二人の間から転がり出てきた。

「トゥーリ！」

「大丈夫か⁉」

ギルとルッツが即座にトゥーリに駆け寄り、頬に飛び散った男の返り血を袖口で拭う。

「……こ、怖かった」

わたしもへたり込んでいるトゥーリの方へと駆け出そうと一歩踏み出した瞬間、視界の端で何かが光った。バッと振り返ると、父さんと揉み合っているのとは別の、おそらくわたしをさらおうとしていた男が持つ指輪が光っているのが見える。魔石の指輪が魔力を得て光っているのだと瞬時に理解して、わたしは男に止めを刺していた父さんに叫んだ。

「父さん、避けて！」

父さんが振り返るのと、ダームエルが「ギュンター、下がれ！」と叫びながら、父さんを突き飛ばすのはほぼ同時だった。

「ぐっ⁉」

父さんを突き飛ばしたダームエルの左手に盾《たて》のようなものが浮かび上がっていて、真っ直ぐに飛んできた魔力の光を弾き飛ばした。まさか弾かれると思っていなかったのだろう。攻撃した男は動揺したようにダームエルを見ながら後退しようとする。

「ギュンター、相手は魔力持ちだ。ここは私が相手をする！　お前達は神殿へ戻り、フェルディナンド様に知らせよ！」

「了解しました！　オットー、マインを抱えろ！」

答えながら父さんは腰を抜かして動けないトゥーリをガッと抱きかかえて、大通りに向かって猛然と走り始める。ハッとしたようにルッツとギルが父さんに続いた。わたしはオットーに横抱きにされて、大通りをまた神殿へ戻っていく。

「マインちゃん、血が出てる……」

走りながらオットーが痛そうに顔を歪めた。オットーの視線の先には、わたしの膝から流れ出して脛《すね》へ伝っていく血がある。

「さっき、落とされた時ですね」

興奮で全く痛みを感じていなかったけれど、傷口を見た途端、ずくんずくんと痛みが襲ってきた。自分の血を見て、先程の男から上がった血飛沫が思い浮かぶ。

「……オットーさん、今って、助けが必要な、まずい状況ですよね？」

トゥーリを担ぎ上げた父さんを先頭に、ルッツとギルが大通りの人波を縫うようにして疾走《しっそう》する状況を見ながら、わたしが問いかけると、オットーが悲鳴のような声を上げた。

「それ以外の何に見えるんだ⁉」

「助けを求めても怒られないか、確認したかっただけです」

わたしは自分の膝の傷に自分の親指を押し当てて、血を付けると、ずっと身に着けていたネックレスを引き出して、オニキスのような黒い石にぐっと血を押し当てる。

石はほんの一瞬金色に光った。けれど、そのあとは黒い石の中に金色の炎が揺らめくだけで、特に何も起こる気配がない。ジルヴェスターに向って何か連絡が飛ぶとか、わたしの居場所を知らせる発信機的な魔術具とか、そういう物なのだろうか。血判を押してみたけれど、全くわからない。

「何だ、それ？」

「お守りです。まずい状況になったら、助けてくれるそうです」

何に使う魔術具なのかわからないまま、わたしはネックレスをもう一度服の中に滑り込ませる。

その頃にはギルベルタ商会の前に着いていた。

「トゥーリとルッツは、オットーと共にオットー宅で待機だ」

父さんは店の前でトゥーリを降ろしながら、すぐさま指示を出す。ルッツがぜいぜいと荒い息を吐きながら、父さんを見上げた。

「ギュンターおじさん、オレも……」

「邪魔だ」

一緒に行きたいとルッツが訴えるより先に父さんは却下する。

「だって、ギルは行くじゃないか」

「ギルは神殿の者だが、ルッツは違う」

戦えない奴は必要ない、と父さんはルッツの懇願《こんがん》をにべもなく切り捨てると、わたしを降ろすオットーに強い視線を向ける。

「オットー、トゥーリを頼む。俺はマインを連れて神殿に行くからな」

「班長、マインちゃん。くれぐれも気を付けて」

オットーが拳を握って肘を曲げる。父さんは同じように拳を握って、肘を曲げると自分の拳を軽くオットーの拳に当てた。

「大丈夫だ。騎士団が動き始めた」

厳しい表情は改めないまま、父さんが拳を突き上げて上空を示す。魔石でできた騎獣が空を駆けているのが見えた。おそらくダームエルのところに向かっているのだろう。すぐに合流できそうだ。

「行くぞ、マイン」

父さんはわたしを抱き上げると、神殿を目指して駆け出した。

他領の貴族

父さんに抱かれて移動し、神殿に着いたら何故かフランが門のところで待っていた。神殿に戻ることを連絡する余裕などなかったのに、どうして門にいるのだろうか。

「フラン？　こちらの門にいるなんて何かあったのですか？」

「窓から騎士団の救援を求める赤い光が見えました。もしかしたらマイン様がお戻りになるのではないかと思ったのです」

本当に戻ってくるとは、とフランは言いながらわたし達を見回した。一緒に帰ったはずのルッツとトゥーリの姿が見えず、ダームエルの代わりに父さんがいる状況を見れば、大変なことがあったことはわかるだろう。

「フラン、わたくし達は神官長にお話が……」

「神官長はいらっしゃいません」

「……え？」

「詳しいお話は部屋でしましょう。ギル、申し訳ありませんが、ここでダームエル様を待っていてください。神官長室ではなく、マイン様の部屋へ来てくださるように伝言をお願いします」

部屋に着くと、娘を抱えて街中をダッシュした父さんに水を入れてもらい、一階の小ホールで話を始める。フランが静かに口を開いた。

「マイン様がお帰りになられてからのお話をいたしましょうか」

わたし達が帰ってから、それほど時間を置かずに父さんが部屋に来たそうだ。「先日の貴族が街に入ったらしい。神官長に報告してくれ」と言うと、父さんはすぐさまわたしの無事を確認するため、街へ取って返した。

「私は神官長に報告するため、急いで神官長の部屋へと向かいました。ところが、神官長は不在だとアルノーに告げられたのです」

フランは仕方なく部屋に戻ろうとした。その途中で、デリアから呼び止められたそうだ。

「デリアが？　何の用だったのかしら？」

「ディルクの養父になった貴族が到着したらしく、これまで面倒を見ていたマイン様にお話を聞きたいということでした。すでにマイン様は帰られたとお話をして追い返しました。神官長がご不在の時に神殿長の部屋へマイン様をやらずに済んでよかったと安堵したのですが……」

何故戻ってきたのか、と聞きたそうな恨めし気な目でフランがわたしを見るけれど、そんな目で見られても困る。

「こちらも実は色々あったのです」

わたしが帰りにあったことを簡単に報告すると、フランは腕を組んで考え込んだ。

「マイン様の報告と合わせて考えますと、神官長にも騎士団からの要請があったのかもしれません。ダームエル様が戻られる頃には神官長も戻られるでしょう」

領主が中央に移動するならば護衛をする騎士も同行するので、騎士団は人数が不足しているに違いない、とフランはそっと息を吐く。

「マイン様、ダームエル様が合流されるまでの間に、巫女服に着替えてお待ちください」

わたしは不安そうな顔のロジーナに手伝ってもらって、青の衣を身にまとう。

それほど待つこともなく、ダームエルがギルと一緒に戻ってきた。下町の騒動には騎士団の応援が来たようで、護衛任務に戻るように言われたらしい。ギルとダームエルにも水を渡し、フランがざっと神殿側の事情を説明する。

「……おかしいな」

ダームエルが訝《いぶか》しそうに呟いた。

「現場にいらっしゃった騎士団の中にフェルディナンド様のお姿は見なかったぞ。私は騎士団から報告を頼まれたのだ。こちらにいらっしゃるのではないのか？」

ダームエルの言葉に首を傾げつつ、わたし達はもう一度神官長の部屋へ向かうことにした。神官長が不在だと言ったアルノーに、どこへ行ったのか、と問いつめなければならない。それほど大変な事態が起こっているのだ、とダームエルが強い口調で言う。

「巫女見習い、これを持っておけ」

何かを思い出したように、ダームエルは腰に下げている小さな袋から一つ指輪を取り出して、わたしの手に握らせた。少し濁った色合いの小さな石がついた指輪である。

「先程の男が持っていた証拠品だ。貴族の紋章があるだろう？」

「そんな大事なもの、預かれません！」

「小さくて品質も良くないが、これには魔石が付いている。何かあった時のために持っておいた方が良い。フェルディナンド様と違って、私には巫女見習いに貸せる魔石がないのだ」

貧乏貴族だというダームエルには他人に貸せるほど魔石の余裕がないらしい。犯人の物でも何もないよりはマシだろうと言われ、わたしは預かった指輪をはめてみた。けれど、魔術具ではないのか、神官長に借りた指輪と違ってサイズが調節されない。

「……壊れたのかもしれぬな。証拠品としては紋章があれば十分だが、使えなければ意味がない。魔力は籠められるか？」

ダームエルに言われて、わたしは指輪に魔力を流してみる。

「えーと、魔力は一応籠るようです」

神官長から借りた魔石と違って、本当に少し籠るだけだ。

「魔石の質が良くないから、突然魔力を大量に籠めると壊れる可能性がある。気を付けろ」

壊れかけの指輪を落とさないように手を握り込んだ形で先頭にフラン、真ん中にわたし、左右を父さんとダームエルが固める形で、神官長の部屋に向かうことになった。

「ギルはお留守番をよろしくね」

戦闘能力がなく、子供のギルは部屋で留守番だ。暴力はいけない、と言われて育ったギルにとって、血飛沫が飛んで死人が出た本日の戦闘はかなり衝撃が大きかったようだ。顔色が悪く、かなり動揺しているのがわかる。できることならば側に付いていてあげたいけれど、今はそんなことができる余裕がない。強張った顔のギルに見送られて、わたし達は部屋を出た。

「マイン様、気を付けてください。本当に」

貴族区域に入ってすぐのところで、神殿長御一行が先の方の角を曲がってきたのが見えた。少し腹が出て狸のような神殿長の隣には、ガマガエル系の醜《みにく》くてでっぷりとした男の姿がある。衣装は違えど、雰囲気はまさに悪代官と越後屋だ。その周囲には灰色巫女や見かけない従者達がぞろぞろと付いていて、十名ほどの団体になっている。

フランがすいっと一番近くの角を曲がって、一行と鉢合わせないように避けた。こちらは奥の貴族門へと向かう道順だ。大回りにはなるけれど、なるべく神殿長と顔を合わせないまま、神官長の庇護下に入る方が良い。父さんがわたしを抱き上げ、ダームエルが辺りを警戒し、フランは足早に神官長の部屋へと向かう。

「ダームエル様、神殿長と一緒にいらした方は、どちら様ですか？」

「ビンデバルト伯爵。……許可証を偽造して街に入ってきた他領の上級貴族だ。おそらく君を狙っている」

ダームエルが声を落として低く囁《ささや》くと、わたしを抱き上げている父さんの腕に力が入った。

「騎士団か、せめて、フェルディナンド様がいらっしゃれば捕えることができるかもしれないが、今の私では身分的にも魔力でも相手にならぬ。相手が騎士でなくて戦い方を知らぬ者でも、魔力差が大きすぎるのだ」

貴族門に最も近い扉が見えた。手前で曲がって神官長の部屋へ向かおうとした瞬間、神殿長御一行が廊下を塞いでいるのが目に入った。避けたつもりだったが、先回りされていたらしい。

「ビンデバルト伯爵、あれが青色巫女見習いのマインです」

何とも言えない嫌な笑みを浮かべた神殿長が、父さんに抱かれたままのわたしを指差した。ガマガエルがニヘェッと口が裂けたように笑って、わたしを上から下まで検分するように見る。

「ほぉ、これが……」

ぞわっと全身に鳥肌が立つような気持ち悪い視線に晒《さら》されて、わたしは思わず父さんにぎゅっとしがみついた。「こっち、見ないで」と叫ぶのを耐えた自分を褒めてあげたい気分だ。

「ふぅむ。帰ったと聞いていたが、急いで庇護者のところへ戻ってきたのか。ならば、あれらは失敗したのだな」

無能め、としゃがれた声でビンデバルト伯爵が呟いたかと思うと、わたしに向かって手を差し伸べてきた。

「マイン、お前と契約してやろう」

「……謹《つつし》んでお断り申し上げます。すでにお約束がございますので」

「ふん、庇護下にあるとはいえ、何の契約もしておらぬのだろう？　ならば、先に契約してしまえば問題はない」

ふぇっふぇっと奇妙な笑い声を上げながら、ガマガエルがでっぷりとしたお腹を揺らして、一歩前に出た。

「ビンデバルト伯爵はマイン様とも養子縁組をなさるのですか？」

ディルクを抱き上げたデリアが神殿長の後ろから出てきて、場違いに華やいだ声を上げた。「貴族に見初《みそ》められるなんて、素敵ですわね」とか「ディルクとお揃いですわ」と嬉しそうだ。そんなデリアを馬鹿にするようにガマガエルが鼻を鳴らした。

「養子縁組？　私が薄汚い平民と？　まさか」

「ですが、伯爵はディルクと……」

「養子縁組はしておらぬ。その赤子と結んだのは従属契約だ」

ふぇっふぇっと笑いながら取り出された契約書は羊皮紙の正式な書類に見えるが、派手に装飾された契約の項目のところが二重になっていた。ねっとりとした笑みを浮かべながら、伯爵がその部分をめくると、項目は養子縁組ではなく、身食いの従属契約という文字が出てくる。

「え？　では、ディルクは……」

「命を守る魔術具をもらう代わりに、契約相手に一生飼い殺しにされるのです」

わたしの言葉にデリアが腕の中のディルクをぎゅっと抱きしめたまま、ふるふると頭を振ってすがるように神殿長を見上げた。

「嘘！　そ、そんな……そんなこと、ないですよね？　神殿長はディルクとあたしが一緒にいられるようにしてくださるって」

「案ずるな、デリア。その赤子は神殿のためにここで育てることになっている。お前が共にいられることに変わりはない」

好々爺の顔で神殿長はデリアに優しく言った。「これは取引だ。儂がその赤子を得る代わりに、マインが神殿から出るだけだ」と。デリアはざっと青ざめて、わたしとディルクを見比べる。

「マイン様がディルクの代わりに神殿を出る……?」

呆然としたように呟くデリアの姿を隠すようにでっぷりとした腹がわたしの視界に入ってくる。

「これがお前のための契約書だ。さぁ、契約しろ。春先といい、今日といい、お前のおかげでずいぶんと多くの手駒を失ったぞ。損失はお前自身に埋めてもらおうか」

伯爵が一歩前に出れば、わたし達はじりっと一歩後ろに下がる。わたしを助けてくれそうな神官長の部屋は神殿長御一行の後ろ側だ。

「神官長……」

わたしの呟きを拾った神殿長が、ニィッと唇を歪めて嘲笑する。

「残念ながら、お前の庇護者たる神官長は不在。いくら助けを求めても無駄だ。さっさと儂の前から消えるがいい」

神殿長は数歩前に立っているガマガエルに声をかけた。

「ビンデバルト伯爵、領主も神官長もおらぬ今のうちだ。ここで何が起ころうとも儂は関知せぬ故に、マインを勝手に連れていく分には構わぬ。早く捕えて街を出よ」

神殿長の言葉に一瞬でその場に緊張が走った。

父さんがわたしを降ろして一歩前に出ると、武器に手をかける。自分よりも高位の貴族を相手にしなければならないダームエルが奥歯を噛みしめながら武器を手にする。フランも腰につけているバッグの中から、短剣を取り出した。

「……子供以外は殺しても構わぬ。捕まえろ」

ガマガエルの声と共に、御一行の中にいた三人の男が前へ出てきた。先程父さんが倒した男と同じような雰囲気を持っていて、契約した身食いはいずれこうなるという見本のような存在だった。

「巫女見習い、下がれ！」

飛びかかってきた二人をダームエルが相手にし、残り一人を父さんとフランの二人で相手にする。

正規の訓練を受けている騎士のダームエルに比べると、伯爵の私兵は戦闘力も魔力も弱く、魔力を溜めるまでに時間がかかるようだ。上手く戦うことができていない。けれど、二人を相手にするのは大変なようで、ダームエルは何とか戦っているけれど、非常に苦しそうに見える。

一人を相手にしている父さんとフランは一見押しているけれど、魔力が抑えきれないため、苦戦していた。武器だけを使った戦闘ならば父さんの方に分があるけれど、魔力で攻撃されると、平民の父さんにはどうしようもない。

男の指輪がカッと光り、魔力が父さんとフランに向って打ち出された瞬間、ダームエルが即座に光るタクトを取り出して振った。キンと硬質な音がして魔力が弾かれる。

「貴族だと……!?」

ダームエルが光るタクトを取り出した瞬間、ガマガエルと神殿長が表情を変えた。唾《つば》を吐くような勢いでデリアに迫る。

「デリア、あれは誰だ!?」

「マイン様の護衛をしていらっしゃる騎士です」

ひぅっ、と小さく息を呑んだデリアが反射的に答えると、神殿長が目を見開いて、ダームエルを指差した。

「あのみすぼらしいのが騎士だと⁉」

神官長が情報を伏せていたのだろうか。神殿長は護衛がわたしに付いていることを知っていても、ダームエルが貴族であり、騎士であるとは知らなかったらしい。下町に行けるように簡素な服を着ているダームエルは一見しただけでは貴族に見えないのだ。

「騎士団に知られたからには一刻を争う。彼にも失踪《しっそう》してもらわなければならん」

それまでニヤニヤしながら成り行きを見ていた伯爵が、顔色を変えてずんぐりとした指にはまった指輪に魔力を注ぎ込み、ブンと手を振った。薄い青に輝く魔力の塊が指輪から飛び出し、ダームエルに向って飛んでいく。

「危ない！」

わたしも見様見真似で手を振って、魔力を打ち出した。青に光る伯爵の魔力とわたしの白っぽい魔力がぶつかって、伯爵の魔力が逸れる。バン！　と大きな音を立てて魔力が壁に当たったけれど、まるで魔力を吸収したように壁には傷一つ付いていない。

「平民の身食いが小癪《こしゃく》な……」

苛立たしげに伯爵は唸り声を上げて、更に指輪に力を籠めていく。わたしも対抗できるように伯爵の指輪をじっと見つめながら、指輪が壊れないように気を付けて魔力を注いだ。この指輪から出せる魔力では、ぶつけて魔力の方向を変えるくらいしかできない。それでも、すでに二人の相手をしているダームエルに伯爵の相手まではできないだろう。

……肉弾戦で来られるより、よっぽどマシ。

殴りかかられたり、飛びかかられたりしたら、わたしなんて一瞬で負けてしまうけれど、魔力をぶつけて逸らすだけなら、もうちょっと時間が稼げる。

「その程度の魔力で一体どれだけ持ちこたえられるかな?」

ふぇっふぇっと笑いながら、伯爵はライオンが小動物をいたぶるように、わたしに向かって魔力を次々と飛ばし始めた。

「ひゃっ!」

品質の良くない指輪が壊れないように、わたしは飛んでくる魔力をなるべく小さな魔力で弾いていく。ダームエルも父さんもフランも自分の前の敵と闘うだけで手一杯だ。皆の方に魔力の攻撃が当たれば、一気に均衡が崩れてしまう。失敗できないと思えば、呼吸はどんどん荒くなっていくし、背中は緊張の汗でべったりとしてきた。

「ぬぅ……」

いくつの魔力を弾いただろうか、一度魔力の塊を飛ばすのを止めた伯爵が不愉快そうにわたしを睨んだ。多分、予想外に持ちこたえることができているのだろう。

……まだ頑張れる。

ぶかぶかの指輪を落とさないように、わたしが拳を握り直して伯爵を見据えると、伯爵はわたしの指輪に目を留めた。

「む？……なんだ。もう従属の指輪を付けているではないか。ハハ、なんという茶番だ。このようなことをする必要もない。面倒が消えたな」

伯爵はわたしの指輪を見て、突然笑い出した。わたしがはめている指輪は従属の契約をした身食いに渡す指輪で、その指輪をはめていると主に対して攻撃できなくなるらしい。そして、主である伯爵が契約の破棄をしなければ外すこともできないそうだ。命令に違反すれば、無理やり主の魔力を流し込んで、苦痛を与えることができる悪趣味な指輪らしい。

「痛い思いをしたくなければ、私に従え！」

得意そうにふぇっふぇと笑う伯爵の前で、わたしはすぽっと指輪を外してみせた。おそらく契約もしていない上に壊れかけの指輪なので本来の用途として使えないのではないかと思う。

「すぐに外れる指輪ですよ、これ」

「何⁉」

目を見開くガマガエルの向こうで、少し禿《は》げた頭まで真っ赤にした神殿長が「生意気なことを！」と叫んで、デリアの手からディルクを奪い取った。

「あっ！」

デリアが突然の出来事に咄嗟に反応できずに大きく目を見開く中、神殿長は魔石でディルクから無理やり魔力を奪い取っていく。神殿長につかまれているディルクが青い顔になっていき、ひくひくと痙攣《けいれん》するように動いた。

「ディルク！」

デリアが悲鳴を上げて、ディルクを取り戻そうと手を伸ばした。けれど、舌打ちした神殿長にデリアの手は振り払われた。

「……やはり赤子の魔力は少ないな」

ディルクから奪った魔力をそう評しながら、神殿長はわたしに向って魔力を打ち出してくる。わたしは指輪を慌ててはめて、魔力を弾き飛ばすと、ぎりっと奥歯を噛みしめて神殿長を睨んだ。

「ディルクになんてことを！」

怒りに全身が染まっていく。わたしの威圧が出るより早く、神殿長は力なくガクリと項垂れているディルクを自分の前に突き出した。

「フン、お前に赤子が攻撃できるのか？　やってデリアを絶望の淵《ふち》に落とし込むか？」

「止めて！　止めてください、マイン様！　お願いです！」

ディルクを肉の壁にされて、デリアに悲鳴のような声で懇願されて、魔力での威圧攻撃なんてできるわけがない。

ぐっと息を呑んで躊躇った刹那。

わたしは横合いから近付いていた神殿長の灰色巫女に捕まった。

「きゃ……!?」

「マイン!?」

「よし！　よくやったぞ、イェニー！　そのままマインを捕まえていろ」

神殿長がそう言いながら、ぐったりとしたディルクをデリアに向って投げるように渡す。デリアが泣きながらディルクを抱きしめるのが視界の端に見えた。

「離して！」

「離しません。わたくしが神殿長に召し上げられて花捧げを強要される中、ロジーナとヴィルマだけがマイン様に召し上げられてクリスティーネ様のいらっしゃった時と同じように過ごしているなんて……とても許せませんから」

まるで歌うように囁かれた優しい響きの声に含まれたイェニーの憎しみを感じて背筋が凍りついた。わたしがいなくなって、あの二人が孤児院へ戻る。それを望んでいるイェニーには何を訴えても離してくれるとは思えない。

「これで契約できそうだな」

ふぇっふぇっと笑ってビンデバルト伯爵が近付いてくる。いくらもがいてもイェニーの力は緩まない。細身でたおやかなイェニーだけれど、成人女性の力で抑え込まれては、ただでさえ非力な子供のわたしの力では全く敵わないのだ。

伯爵が光るタクトを出し、それをナイフに変化させる。ナイフをつかんで笑う伯爵の目はシキコーザの目とよく似ていた。平民であるわたしを見下し、服従して当然だと考えている貴族の目だ。

シキコーザにナイフを向けられたときと同じ恐怖に震えているうちに光る刃先が近付いてきて、わたしの指先をスパッと切った。

「痛っ！」

血判を押す時にルッツが浅く切ってくれるのと違って、わたしの傷など考慮していない動きで予想外に深く傷が入った。見る見るうちに傷口に血が盛り上がってくる。

「手を開け」

ニヤニヤと嫌な笑みを浮かべながら、伯爵が契約書を取り出して迫ってくる。ガマガエルのような顔が間近に近付いてきて、気持ち悪い。せめてもの反抗に伯爵をキッと睨みながら、わたしができるだけ力を入れて手を握り込めば、ぽたりと血が滴《したた》った。

「手を開けと言ってるのだ」

無理やり開こうとする力に必死で抗うが、元々力がないわたしではすぐに開かれてしまうだろう。

「やだ、やだ、やだ！　痛いっ！」

「マインを離せ！」

そんな怒声と共に、父さんはガッとイェニーの背中から渾身《こんしん》の蹴りを食わらせた。ものすごい衝撃と共に、わたしはイェニーと一緒に目の前に迫っていたガマガエルの方へとぶっ飛ばされる。ぼよんとした腹にぶつかって、イェニーとビンデバルト伯爵に挟まれる形で倒れて、一瞬息が詰まった。その直後、わたしは駆け寄ってきた父さんに即座に引っ張り出されて、抱き上げられる。

「マイン、乱暴なことをして悪かった。間に合ったか？」

そう言いながらも、父さんの目はわたしを見ていなかった。伯爵の横でゲホゲホとむせるイェニーの肩をつかんで、すぐさま腹を蹴り上げる。ぐふっという濁りのある声と共にイェニーの口から吐《と》瀉物《しゃぶつ》が飛び出した。

「な、なんという酷《むご》いことを……」

神殿では見ることがない直接的な暴力に、神殿長とその側仕えが震え上がるのを、父さんは冷たく見遣った。

「幼子を捕えてナイフを突きつけ、同意しない契約を迫るのは酷くないとでも言うつもりか」

「こ、この平民が！」

わたし達と一緒に床に倒された伯爵が、屈辱で顔を真っ赤にしながら上半身を起こし、怒りの感情のままに指輪を振るう。今までで一番大きな魔力が打ち出された。青い光の塊が真っ直ぐにこちらへ向かって飛んでくる。距離が近すぎて、指輪に魔力を籠めるのが間に合わない。

……もうダメ！

自分に向かって飛んでくる魔力の塊に思わずぎゅっと目を閉じたわたしと違って、父さんは咄嗟にわたしを腕の中に抱き込んで横に飛んで転がった。

「うぐっ！」

「父さん⁉」

完全には魔力攻撃を避けられなかったようで、父さんの左肩から肘が火傷したように赤く腫れ上がっている。父さんが痛みに呻《うめ》く姿に、わたしの中でカチンとスイッチが入った。

わたしは父さんの腕から転がるように出ると、悠然《ゆうぜん》と立ち上がって指輪に魔力を溜めている伯爵を見据えて、最初から全力で魔力を叩きつける。

「許さない！」

全身から溢れる魔力に、自分がつけていた指輪の魔石がパンと風船がはじけるような音を立てて粉々に割れた。それと同時に、不意打ちで威圧の直撃を受けた伯爵が信じられないというように目を見開いて、その場にガクリと膝をつく。

伯爵はブルブルと震えながら手を動かそうとするが、重りでもつけられているようになかなか手が動かないように見えた。これ以上、何もさせるつもりはない。

「ビンデバルト伯爵⁉」

焦《あせ》ったような神殿長の声に、わたしはそのまま顔の向きを変えて神殿長を睨んだ。ディルクという肉の壁を失った神殿長などもう怖くない。

そう思った直後、神殿長は懐から黒い魔石を取り出した。

「何度も同じ手を食らうと思うな！」

神殿長の手に握られた黒い魔石がわたしの魔力をどんどんと吸収していく。得意そうに笑う神殿長に、わたしはそれでも魔力を叩きつけていく。だが、魔力は吸い込まれていくばかりだ。

「くっ、油断した。まさかここまでの魔力の持ち主だったとは」

視界の端で一度膝をついた伯爵がのっそりと立ち上がる。こちらを侮《あなど》っていた表情を完全に消した無表情で、伯爵は光るタクトを取り出した。

黒いお守り

「巫女見習いっ！」

顔色を変えたダームエルが光るタクトを構えて、わたしと伯爵の間に立ちはだかった。赤い光を放ったダームエルの背中に自分の右側を守られる状況で、わたしは勝ち誇って得意気に顔を歪める神殿長に魔力を注ぎ続ける。

「無駄だ」

神殿長がそう言って低い笑いを漏らした時、黒い魔石に薄い黄色が見え始め、ピキッと小さな音がした。つるりとした球体の魔石に一筋、また一筋とひびが入る。

「……何だ？」

驚愕《きょうがく》する神殿長に構わず、わたしはじっと魔石を睨みつけ、更に魔力を注ぎ続けた。見る見るうちに、魔石は黒から淡い黄色のような色に変色していく。

「……どういうことだ⁉」

黒の色がなくなり、薄い黄色で満たされた魔石は金色のようにも見えた。細かいひびだらけになった魔石はカッと一度眩《まばゆ》く光った後、砂のようにさらさらと崩れ始める。

淡い金色に変色した魔石が砂となって自分の手から零れていくのを、神殿長はこれ以上ないほどに目を見開いて、唇を震わせながら凝視する。その間もわたしは魔力を神殿長に向かって流し続けた。

「マイン、お前は何という……ごはっ！」

血走った眼でわたしを見た神殿長が、威圧を正面から受け、胸元を押さえて吐血《とけつ》する。このまま魔力を畳みかけていこうとした瞬間、「うぐっ！」とダームエルの苦痛に満ちた呻き声が響いた。

バッと振り返ると、ダームエルがその場に膝をついていた。手に力がなくなったのか、光るタクトが手から離れ、空気に解けるように掻《か》き消えていく。次の瞬間、ゆっくりとダームエルの体が傾いていき、その場に崩れ落ちた。

「ダームエル様⁉」

慌てて駆け寄ると、苦しそうな呼吸音が聞こえたけれど、ダームエルに意識はなかった。「ダームエル様、ダームエル様……」と声をかけてみても、返ってくるのは呻き声だけだ。

「フン、この程度の魔力で騎士とはお粗末《そまつ》な……」

ガマガエルがニヤァッとダームエルを嘲《あざけ》りながら、鼻を鳴らす。このままではダームエルが危険だ。わたしが助けを求めて辺りを見回すと、三人いた敵側の男達はフラフラしている最後の一人を残すところになっていた。

父さんが男の後頭部をつかんで、バスケットボールでダンクシュートするように、床に叩きつける。白目を剥いて意識を失った男をその場に放置して、父さんは力の入らない左腕を庇《かば》うようにしながら、わたしの方へと向かってきた。

「マイン！」

「父さん……」

フランも男達との戦いの中で負傷したらしく、貴族門へ続く扉にもたれて荒い息を吐いていた。わたしの威圧に当てられた神殿長はその場でうずくまってゴホゴホと吐血していて、側仕えらしい灰色巫女達は神殿長の周囲でおろおろしている。デリアはぐったりとしたディルクを抱きしめたまま、動かない。

大した怪我もなくその場に立っているのは、わたしと伯爵だけ。そんな混乱に満たされた状況で、突然、神官長の部屋の扉が開いた。不在だと言われていたはずの神官長が出てきて、廊下の惨状《さんじょう》を目にして、ぎょっと目を見開く。

「一体何事だ⁉」

確かに部屋から出た途端、一見死体にしか見えない怪我人がゴロゴロしていれば誰だって驚くだろう。しかし、部屋の外でここまで大騒ぎをしていたのに、部屋から出てきた神官長が何故気付いていないのか。そちらの方が不思議だ。

「神官長、アルノーは不在だと言ったはずだ。何故ここにいる⁉」

神殿長のひっくり返ったような声に、神官長は涼しい顔を向ける。

「何故と言われても……。アルノーには不在だと言うように、と言っておきました。実際部屋に来られても会えなかったのですから、嘘は吐いていません」

あの部屋の中にいたのに会えなくて不在ということは、間違いなく説教部屋に籠っていたのだろう。神官長の魔力で出入りするあの部屋は完全に隔離《かくり》されている空間のようで、外の喧騒《けんそう》は全く聞こえてこなくなるのだ。

　神官長はゆっくりと視線を巡らせ、辺りの様子を見回す。目が合った瞬間、軽く睨まれたわたしはそそっと父さんの後ろに隠れた。魔力を暴走させたのがバレたかもしれない。椅子に縛り付けられて、痛くて怖い話をされる恐怖に息を呑んでいると、神官長はこめかみを押さえて、神殿長へと向き直った。

「神殿長、私のことよりこの事態の説明をしていただきたい。見覚えがない者が神殿内に入っているようですが、彼は一体何者ですか？」

　しかし、神殿長は神官長からの質問に答えようとはしない。口を噤《つぐ》んで睨み返すだけだ。視線を向けられた伯爵の手にはすでに光るタクトはない。ビンデバルト伯爵は貴族らしい傲慢な表情で腹を揺らして、神官長を見た。

「神官相手に名乗る必要があるか？　私は正当な許可をもらってこの場にいる」

「その許可証を見せていただきたい」

「何故、神官長風情に見せねばならない？」

　騎士団におけるやりとりで、神官長はかなり地位が高い貴族だとわたしは認識していたが、他領から来ている伯爵にとっては神殿にいる者という認識しか持っていないようで、ずいぶんと高圧的な態度である。そんな伯爵の態度に感化されたのか、ゲホゲホと顔を歪めて吐血していた神殿長も口元を拭って、高圧的な態度を取り戻し、立ち上がった。

「神官長よ、ここにいるのはアーレンスバッハの貴族だ。まさか領主不在時に事を起こすつもりか？」

「事を起こしたのは、神殿長ではありませんか。領主会議で領主が不在の今、他領の貴族に許可が下りるはずがないのですから」

冷静に言い返された神殿長は一瞬言葉に詰まり、周囲を見回す。わたしと目が合った瞬間、ニィッと唇の端が上がった。

「ま、前々から許可証はもらっていたのだ。よって、事を起こしたのは儂ではない。神殿の平和を乱し、貴族を攻撃したのはマインだ。責任があるとすればマインしかいない。貴族への反逆罪として即刻捕えよ」

責任転嫁をする神殿長が憎々《にくにく》しげにわたしを指差した直後、ゴホッと血を吐き出した。自分の手と床に飛び散った血を神官長に見せながら、唾の飛ぶような勢いでわたしを詰《なじ》る。

「こ、これを見よ。一度ならず二度までも、あれは儂に魔力で攻撃したのだ。悪意なくできるわけがない。全ての責任はマインに取らせるべきではないか」

神殿長に賛同してビンデバルト伯爵も訴える。

「あぁ、私も攻撃されたぞ。青の衣を与えられただけの平民が、貴族である私に魔力をぶつけたのだ。罰せられるべきは、その子供であろう」

伯爵がわたしを指差して、ぐふぇふぇと気持ちの悪い笑い声を上げた。シキコーザの時にもあった貴族の論理だ。平民は決して貴族に逆らうべからず。

「さぁ、神官長よ。マインを捕えろ。魔力を発動できぬようにしてしまえ」

神殿長の声に神官長が軽く息を吐いて、わたしと父さんの方を向いた。こちらにゆっくりと歩いてくる神官長を見て、父さんがわたしの手を取ってぎゅっと握る。わたしも父さんの手を握り返し、神官長がやってくるのをじっと見つめていた。

「マイン、また魔力を暴走させたな」

「非常事態だったんです」

「そのようだな。この有様を見ればわかる」

神官長は小さく呟きながら、わたしを同情の籠った悲しげな目で見降ろした。それは、神官長がわたしを庇うことができないことを示している。

「……神官長、わたくしは罪に問われますか？」

「あぁ、神殿長と他領の貴族が相手だからな。君だけではなく、君の家族も、側仕えも罪に問われることになるだろう」

神官長の言葉にわたしは「ごめんね、父さん」と言いながら父さんを見上げた。父さんはクッと小さく笑いを漏らした。

「マインが神殿に入る時に死ぬ覚悟はしていた。今回も同じだ」

気にするな、と言われても気にせずにいられるわけがない。

「もういっそ、中途半端な魔力じゃなくて、神官長が出てくる前に神殿長と『ガマガエル』を殺して埋めて証拠隠滅《しょうこいんめつ》できるだけの力があればよかったのにね」

冗談めかしてわたしが肩を竦めると、神官長もわずかに頬を歪めた。「残念ながら、君は迂闊《うかつ》な上に詰めが甘いから、証拠隠滅は無理だ」と。

私が知っている貴族の中で一番頼りになるはずの神官長にも助けられないと言われてしまった。他の誰にも助けてもらうことはできないだろう。

「ハア。……ジルヴェスター様のお守り、全然効果がありませんでしたね。助けてくださるって、おっしゃったのに」

わたしはするりと首元の鎖を引っ張り出した。黒い石の中央で変わらず金色の炎が揺らめいているけれど、何の変化もない。神殿長とビンデバルト伯爵の言うままに、わたし達は貴族に逆らった平民として処刑されるのだ。

ジルヴェスター様の嘘つき、と思いながらネックレスを見ていると、神官長が体を屈《かが》めてネックレスを見つめる。まじまじとネックレスを見た後、神官長は信じられないものを見るような表情で、「マイン、これはどうした？」と尋ねてきた。

「下町の森で行った狩りが楽しかったようで、ジルヴェスター様がお礼にくださったんです。お守りだって」

「なるほど。これは強力なお守りになるな」

一瞬にして悲痛で同情の籠った視線が消えてなくなった神官長がそう断言した。神殿長とビンデバルト伯爵の言葉をひっくり返せることを神官長が断言できるほど、強力なお守りだったらしい。

……疑ったり嘘つきなんて思ったりしてごめんね、ジルヴェスター様。

心の中でジルヴェスターに謝っていると、神官長はわたしと父さんをゆっくりと交互に見た。

「だが、強力なお守りになるのは君達が覚悟を決めればの話だ」

わたしは神官長を見上げた。家族や側仕え達、わたしに繋がる人達を救う道があるのならば、わたしはどんな覚悟でもできると思う。

「何の覚悟ですか？」

「……養女となる覚悟だ」

「カルステッド様の養女ですか？　それなら……」

もう覚悟してますよ、と言いかけたわたしの言葉を、神官長は首を横に振って遮った。

「カルステッドではなく、ジルヴェスターの養女だ」

頼りがいのあるカルステッドではなく、何をするかわからない中身が小学生男子のようなジルヴェスターの養女。あまりにも予想外で、わたしは目を見開いてポカンと神官長を見つめる。何かの冗談だろうか、と思ったけれど、神官長の薄い金色の瞳は真剣そのものだ。

……ジルヴェスター様の養女？

初対面でいきなりわたしの頬を突きながら「ぷひっと鳴け」と言うようなわけがわからない人だけれど、何度も接しているのだから悪人でないことはわかっている。それに、ジルヴェスターはわたしを助けたいと思ったから、このお守りをくれたのだ。家族も側仕えも含めて守ってくれるならば、養女になっても構わない。

「……それで、皆を助けてくれるなら、進んでなります」

「マイン！」

父さんは目を見開いて、声を上げたけれど、わたしはゆっくりと首を振った。

「ごめんね、父さん。でも、わたしも皆を守りたいの。許して」

「君に覚悟ができたならそれでいい」

そう言いながら、神官長はわたしに指輪を手渡した。黄色の石がはまった指輪がわたしの手のひらに落ちてくる。さっき壊れてしまった証拠品の指輪の魔石とは大きさも透明度も全く違う。品質の良さが一目でわかった。

「マイン、風に祈って守れ。君の大事なものを、私の魔力から」

「神官長の魔力、から？」

思わぬ言葉を訝しみながら神官長を見上げると、神官長は今までに見たことがないほどに凶悪な顔でニヤリと笑った。

「あぁ、扉を開けると魔力が漏れて面倒なことになるから、扉の外に魔力が漏れないように、扉を覆う形で風の盾を作れ。せっかく手に入れた大義名分だ。この機会に邪魔者を排除する」

どうやらガマガエルと神殿長に頭から押さえ込まれた状況は、神官長にとって非常に不愉快なことだったらしい。一体どんな大義名分を得たのか知らないが、愉しそうに唇の端を上げて、神官長はわたしに背を向ける。そして、神殿長や伯爵の方へ歩き出した。

「神官長、マインの魔力を封じたか？」

神殿長がわたしの様子を窺《うかが》いながら尋ねる。神官長は涼しい顔で「魔術具を与えました」と答えた。わたしに与えられた魔術具は、魔力を封じる物ではなく、逆に魔力を扱うための物だ。

しかし、神殿長は神官長の言葉を自分にとって良いように解釈したようで、威圧を警戒していた体の緊張を解き、高慢《こうまん》な笑みを浮かべた。

「そうか。ならば、このような危険人物はアーレンスバッハの貴族に処分を任せ、領地外へ放り出した方が良かろう」

いつもの調子を取り戻した神殿長を馬鹿にするように、神官長はフンと鼻で笑いながら光るタクトをするりと取り出した。そして、神殿長を見据えてタクトを構える。明らかな敵対の姿勢だ。

「な、なんだ？」

神官長が何か唱えながらタクトを振ると、タクトから出てきた光の帯が神殿長に巻き付いて、ぐるぐる巻きにしていく。達磨《だるま》のようになった神殿長が、ギリッと歯を噛みしめた。

「神官長、これは一体何の真似だ？」

「今、其方に死なれては後で困る。それだけだ」

「……死？」

物騒な言葉に声を裏返す神殿長を放置して、神官長はビンデバルト伯爵に向き直った。伯爵は目に見えて狼狽しながら、神官長が持っている光るタクトを指差す。

「何故、神官がそんな物を持っているのだ⁉」

「それはもちろん、私が貴族院を卒業した貴族だからに決まっているではないか」

どうやら光るタクトは貴族院を卒業した証のような物らしい。つまり、神殿で育つはずの神官ならば、光るタクトを持っているはずがないのである。他領の貴族が知っているわけがないけれど、神官長は神殿育ちの神官ではない。神殿を出れば騎士団長が跪く高位の貴族だ。

「では、お相手を願おうか、ビンデバルト伯爵」

「何故、私の名を……」

「領主の許可なく街に入ろうとして東門で止められて失敗し、騎士団の世話になった他領の貴族の名を私が知らぬはずがなかろう」

神官長は全部知っていて、伯爵に名前や事情を聞いていたらしい。相変わらずイイ性格をしていると思う。味方であればとても心強い。

「この領地を出れば、自分だけは安全だと思っているのかもしれんが、大義名分を得た今、私が其方を簡単に逃がすと思うな」

「大義名分、だと？」

タクトに向って神官長の魔力が流れ込んでいくのがわかった。神官長が光るタクトを持ち出したことに目を見開いていた伯爵も流れ込んでいく魔力を感じて、狼狽《ろうばい》しながら自分のタクトを構える。

わたしはタクトに流れ込んでいく神官長の魔力の大きさを感じて、うひぃっと息を呑んだ。先程のガマガエル伯爵の魔力など比較にならない。

「父さん、すぐにダームエル様をフランのいる扉のところまで運んで！」

わたしは父さんにそう頼んで、バタバタとフランの元へ駆け寄る。わたしが近寄ると、フランは顔を歪めながら立ち上がろうとした。

「フラン、動いちゃダメ！　座って！」

遠目にはよくわからなかったが、フランには小さい傷やあざがあちらこちらにできている。

「フラン、ごめんなさい。大丈夫？」

「このような事態は慣れておりませんので、お役に立てず申し訳ございません」

戦闘訓練など受けていない、暴力はダメだと教え込まれている灰色神官が、こんな事態に慣れているわけがない。巻き込んだわたしの方が悪い。

「謙遜《けんそん》するな。俺の動きの邪魔をせずに、時折切りかかれたじゃないか。目が良いんだろう。鍛《きた》えれば、強くなれるぞ」

ダームエルを担ぎ上げた父さんが扉の方へとやってきて、フランを労《ねぎら》った。足元に寝かされたダームエルとフランと父さんを背に守るように、わたしは一歩前に出て、指輪に魔力を流し込みながら祈りの言葉を唱える。

「守りを司る風の女神シュツェーリアよ　側に仕える眷属たる十二の女神よ」

扉と自分達を包むように風の盾を作り上げる。そう考えながら、わたしは祈りの言葉を紡いだ。

「我の祈りを聞き届け　聖なる力を与え給え　害意持つものを近付けぬ　風の盾を　我が手に」

キンと硬質《こうしつ》な音がして風の盾ができた。わたしがこうして魔力を使っているところを見たことがなかった父さんは呆然としたように「マイン……」と呟く。父さんの呟きを背中で聞きながら、わたしは風の盾に魔力を注ぐ。

……絶対に守る！

光るタクトへと注ぎ込まれていく神官長と伯爵の魔力が、まだお互いに放ったわけでもないのに、あちらこちらで触れ合ってバチバチと火花を散らし始めた。盾に向って飛んできた火花が風に触れ

て、パンと弾ける。

「大丈夫。守るから」

膨れ上がる二人の魔力がまるで全方位に向かう威圧のようになって、何の守りもない神殿長達は飛び散る火花にその場から動けないように、硬直して震えている。そんな中、デリアだけはディルクを守るようにきつく抱きしめて、安全な場所を探して視線をきょろきょろと動かし始めた。そして、わたしが作り出した風の盾を見つけて、よろよろと立ち上がる。

「お願い、マイン様、助けて。ディルクを助けてください！」

どれだけ悲痛な声で助けを求められても、わたしは神官長達からの魔力の圧力に対抗するために、魔石に魔力を注ぎ込んで風の盾を維持《いじ》するのが精一杯だ。父さん、フラン、意識のないダームエルを守る方が優先で、デリアとディルクを助けに行ける余裕なんて全くない。

「助けてほしかったら自分で盾に入ってちょうだい。わたくしは動けません」

飛び散る魔力の火花にディルクが触れないよう、大事に自分の腕の中に抱え込んで、デリアが魔力の威圧を必死に撥《は》ね退けながら、重そうな動きでこちらに向かって動き始めた。

「マイン様、デリアを助けるのですか？」

フランの咎《とが》めるような声にわたしは小さく首を横に振った。

「助ける余裕なんてありません。盾に入れるならば入れば良いというだけのことです」

「ですが……」

不満そうなフランにわたしは軽く目を伏せた。咎めたくなるフランの気持ちもわかるし、デリアのことは切り捨てろと言われたことも覚えている。けれど、ここで神官長達の魔力に晒されて二人まとめて死んでしまっても当然だとまでは思えない。特にディルクは勝手に契約されて、勝手に魔力を吸い取られて、死にかけているのだ。わたしの説明にフランは不満を呑み込んだような苦い顔で「デリアに絆《ほだ》されないでくださいい」とだけ呟いた。

デリアがじりじりと動いて盾の中に入り、力尽きたようにその場に座り込む。それでも、ディルクを離そうとしない。紅の髪をふわりと揺らし、デリアが座ったまま、わたしを見上げた。

「マイン様、ありがとう存じます」

「デリア、わたくしは二人に死んでほしいわけではないから、盾に入るのは構いません。でも、今までの行動を許したわけではありません。それは忘れないでちょうだい」

「……はい」

デリアが風の盾に入れたのを見て、言動が許されなくても、命だけは助けてもらえると思ったようだ。神殿長の側仕え達がデリアと同じように中に入ってこようとした。

「マイン様、わたくし達も入れていただいてよろしいですか?」

「入れるのでしたら、どうぞ」

「恐れ入ります」

ただし、風の盾に入れたのは三人のうち、一人の灰色巫女だけだった。あとの二人は盾に弾かれ、風に吹き飛ばされていく。

「……きゃっ⁉」

「いやぁっ⁉」

風の盾の中、灰色巫女とデリアが飛ばされていく巫女を見て、目を瞬いた。

「……どうして？」

「害意《がいい》ある者は入れないのです」

彼女達が入れなかったのは、わたしのせいではない。盾に守られている者に害意を持つ者は入れないことになっている。神殿長に魔力を当てたわたしか、同僚であるイェニーを足蹴にした父さんか、先に盾に入ることができたデリアやディルクなど、この中にいる誰かに対して害意を持っていたのだろう。ここにいる誰かに害意を持っている者でも救いたいと思えるほど、わたしは聖人君子でもないし、余裕もない。

「入れなかったのでしたら、仕方がありませんね」

わたしがそう呟いた時、神官長の魔力が大きく膨れ上がり、何かを唱えるように口元が動いた。

一触即発という状態で、背後の扉がギギッと音を立てて開く。

「待たせたな、マイン」

ニッと笑ったジルヴェスターとカルステッドが入ってくると同時に、神官長と伯爵の魔力がタクトから飛び出した。

「な、何事だ⁉」

巨大な魔力のぶつかり合いを目の前に、わたしは怒鳴った。

「二人とも、すぐに盾の中に入って、扉を閉めてください！」

騒動の責任

ジルヴェスターとカルステッドは素晴らしい反応速度で盾の中に飛び込んで、即座に扉を閉めた。わたしはできるだけたくさんの魔力を注いで風の盾を強化する。中にいる皆を絶対に守らなければならない。

神官長と伯爵の光るタクトから飛び出した魔力が渦巻くようにしてぶつかり合った。魔力の大きさと勢いには明らかな違いがあり、神官長の魔力に押された伯爵がぶっ飛んでいく。勢いよくドンと大きな音を立てて壁に激突し、どさりと床に投げ出された。神官長の魔力攻撃によって、父さんと同じような火傷を負った伯爵が床をゴロゴロとのたうつ。ぐえぇっ！　と痛みに呻く声が本当にガマガエルっぽい。

「あ、あ……」

神殿長は光の帯でぐるぐる巻きにされていたせいで死ぬことなく生きていた。強大な魔力のぶつかり合いを間近で見るのはかなり恐怖だったようだ。目を見開いたまま、完全に顔が固まっている。けれど、魔力の爆発に巻き込まれて、自衛さえできなかった灰色巫女と倒れていた男達は影も形もなかった。

「マイン、証拠隠滅とはこうするのだ。どうせならば、これも隠滅するか。本来、この街にいるはずもない者だからな」

神官長は冷たい目で、火傷を負ってグケグケ言っているガマガエルを見下ろしながら、油断することなく光るタクトを突きつけた。ぐひぃぃっ！　と叫びながら伯爵は必死で後ずさるが、神官長はできた距離をほんの数歩で詰めていく。神官長の容赦のなさは味方の時は本当に心強いけれど、絶対に敵に回してはならないものだ。

……神官長、マジ怖い。

「フェルディナンド、もういいだろう。マインもこの盾を消せ。もう必要ない」

そう言いながら青色神官の服ではなく、貴族らしい衣装を着ているジルヴェスターがバサリと明るい黄土色のマントを翻して風の盾から前へと進み出た。わたしはジルヴェスターの指示通り、指輪に魔力を流すのを止めて風の盾を消し、神官長は光るタクトを消す。

「フェルディナンド、下がれ」

ジルヴェスターはくいっと軽く顎を上げて、神官長へ下がるように指示を出す。すると、神官長は数歩後ろに下がり、胸の前で手を交差させてジルヴェスターに向かって跪いた。

「……え？」

わたしは神官長が跪いたのを見て、ポカンと口を開けた。青色神官は建前上身分差がないことになっている。だから、神殿内では跪く必要はないと教えられてきた。神官長の取った態度は明らかに青色神官であるジルヴェスターに対するものではない。

……ジルヴェスター様って、相当に身分が高い青色神官とは思ってたけど、もしかして偽物神官？　祈念式の道中で見た親しげな雰囲気から、神官長とジルヴェスターが長い付き合いであることはわかっていたけれど、このような明確な身分差を感じさせる言動をこれまで神官長もジルヴェスターも取ってはいなかった。

祈念式で見せた関係が私的なやり取りだとすれば、今は公的な場であるような振る舞いだ。つまり、ジルヴェスターは青色神官ではない上に、騎士団において一番身分が高いと言い放っていた神官長が跪く身分を持っているということになる。

……もしかして、わたし、とんでもない人の養女になるんじゃない？

つつーっとこめかみを冷汗が伝っていく。神殿長を押さえられる身分の持ち主で、神官長を跪かせる人だ。そうでなければ、わたしを含めた周りの人を助けることなどできないのかもしれないけれど、予想外の展開に心臓がバクバクと大きな音を立て始めた。

「おぉ、ジルヴェスター。良いところに来てくれた。この戒《いまし》めを解くように、その無礼者に命じてくれ」

神殿長はジルヴェスターと知り合いなのか、ぐるぐる巻きで転がったまま、神官長とジルヴェスターを交互に見上げる。けれど、ジルヴェスターはちらりと跪く神官長を見ただけで、戒めを解くように命じはしなかった。

「騎士団からの要請により急ぎ戻れば、これは一体何の騒ぎか？」

「……だ、誰だ？」

ビンデバルト伯爵が目をきょどきょどと忙《せわ》しなく動かしながら、ジルヴェスターと神殿長を見ている。状況の変化に全くついていけていない。

ジルヴェスターの一歩前に出たカルステッドが仁王立ちし、ぎろりと伯爵を睨んだ。

「こちらは、アウブ・エーレンフェストである」

「な、ななな……」

ガクガクと体を震わせて、伯爵がジルヴェスターを指差して「まさか、そんな、嘘だ」と繰り返した。蛇《へび》に睨まれた蛙のように伯爵が突然震え始めたのがどうしてなのか、全く理解できない。首を傾げるわたしの斜め後ろで、父さんがザッと音を立てて跪いた。すすっと父さんに近付いて、わたしがこっそりと小さな声で「父さん、誰かわかったの？」と尋ねてみると、青ざめた父さんは小声で口早に答えをくれた。

「この街の名前を持つ方なんて、一人だけだ。領主様に決まっている」

……ハァ⁉　中身小学生男子のジルヴェスター様が領主様？

わたしは叫びかけたけれど、必死に口を押さえて、驚きを呑み込んだ。

……初対面の女の子に「ぷひっと鳴け」って言ったり、簪《かんざし》を取り上げてみたり、祈念式で農民を相手にアクロバットを披露したり、護衛も連れずに下町の森に狩りへ行っちゃうような変わった人が領主って？　え？　この領地、大丈夫なの？

「相手が誰かわかった上での、その態度は何だ⁉　無礼千万！　それがアウブ・エーレンフェストに対する態度か⁉　控えよ！」

「ははーっ」

内心、この上なく失礼で失敬なことを考えていたわたしは、伯爵に向かって投げられたカルステッドの叱責《しっせき》に飛び上がって驚き、即座にその場に平伏《へいふく》した。

「……マイン。其方は一体何をやっているのだ？」

カルステッドの驚きと呆れが混じった声にわたしがそろそろと顔を上げると、皆が跪いて胸の前で手を交差させている中、わたし一人が土下座していた。周囲の奇異なものを見る視線が痛い。

「ひ、控えよって言われたから……つい」

かなり大事な場面でやってしまったようだ。わたしが慌てて姿勢を正して跪くと、ジルヴェスターがゆっくりと辺りを見回した。その表情はわたしが見たことがないような真剣で厳しい表情だ。最初からこの顔だけ見ていれば領主だと言われても納得できただろう。

ジルヴェスターは神殿長に視線を止めて、目を細める。

「さて、事情を聞かせてもらおうか、叔父上」

なんと、この二人は親戚だったらしい。つまり、ジルヴェスターの養女になれば、神殿長がもれなく親戚として付いてくるということだ。

……こんな親戚、いらないよ！

「おぉ、聞いてくれるか、ジルヴェスター」

そして、神殿長の口から語られたのは、実に自分にとって都合の良い盛りすぎた話の数々だった。

ビンデバルト伯爵をこの街に呼ぶことになった理由も、この騒動が起こってジルヴェスターが呼び出されることになった原因も、何もかもおとなしく捕まらないわたしのせいらしい。神官長に光の帯で巻かれて自分が苦しい思いをしているのもわたしのせい、神殿内で何か起こった時はわたしのような平民が青色の衣をまとっているせいだと言う。

八割はわたしのせいで、あとの二割は神官長のせいだった。居留守を使って騙したのだそうだ。神殿長をはめようとしたらしい。はっきり言って神殿長は馬鹿じゃないか、と思わずにはいられない。お手伝いの間に帳簿をほとんど全部計算させられたわたしは知っている。神官長が神殿長をはめようとしているのは居留守なんかではない。断じて違う。神官長はもっともっと怖いのだ。

「ビンデバルト伯爵、其方の意見も同様か？」

神殿長の話が同じことの繰り返しになってきたことにうんざりした顔を見せ、ジルヴェスターは伯爵に視線を移す。火傷を負ったガマガエルの主張は神殿長とほぼ同じで、ほとんど平民であるわたしのせいだった。

……どう考えても、その火傷がわたしのせいって言うのは無理があるよ？

「では、フェルディナンド。証言及び証拠品の提出を」

「かしこまりました」

神官長は淡々と偽装書類で伯爵が街に入ってきた件を述べる。それに加えて、わたしが下町で襲われた事件についても報告した。問題のあった東門に勤める父さんが意見を求められ、神官長の証言を更に門番の視点から補強していく。

「他領の貴族である私が新しく決まった規則や偽造書類か否かを知るはずがございません。招かれたので、来ただけなのです。それが大きな罪となりますか？」

下町で起こった襲撃事件は無関係だと主張して、伯爵は自分が被害者だと言い募《つの》る。

「アウブ・エーレンフェスト、私はこの書類が偽造だとは知らなかったのです。許可をいただいたものだとばかり……」

ガマガエルはふぇっふぇっとへつらうように笑いながら、懐から書類を取り出した。それをカルステッドが押収してジルヴェスターに渡す。ジルヴェスターは偽造書類を見て、ほんのわずかに唇の端を上げた。「証拠品ゲット」と言いたそうな顔にわたしはハッとした。伯爵から押収してほしい書類は他にもある。

「伯爵は養子縁組だと騙して、ディルクと従属契約を結んでいますけれど、それは書類の偽造には当たらないのですか？」

「この子供は嘘を吐いています。私は最初から従属契約を結んでいた。貴族たる私が平民の孤児と養子縁組などするわけがない」

ガッと目を見開いてわたしを睨んだ伯爵は、即座にわたしを嘘つき扱いした。わたしの後ろでディルクを抱きしめたまま、跪いていたデリアがキッと強い瞳をガマガエルに向ける。

「神殿長も伯爵も養子縁組だとおっしゃいましたし、書類はある項目だけ二重になっていましたわ」

「黙れ！」

「……その契約書を見せてもらおう」

すでに二重になっていた部分が外された書類はいくら見たところで、ただの従属契約の契約書にしか見えない物だ。伯爵にとっては痛いところがないのだろう、あっさりと書類をカルステッドに向けて差し出した。

「どうなんだ、フェルディナンド？」

「私が目を通したのは、養子縁組の書類でございました」

神官長が適当な嘘を吐くな、と言いたげに伯爵を睨んだ。平民であるわたしや灰色巫女見習いであるデリアの証言ならば、身分差で簡単に潰してしまえるけれど、貴族である神官長の意見は潰せない。ジルヴェスターが神官長の意見を問う姿を見れば、信頼度はわかる。神官長をただの青色神官だと思って、すでに色々やらかしていた伯爵の顔色が変わっていく。

「見間違いではないですか？　それに、相手はどうせ身食いの孤児です。養子縁組でも従属契約でも大して変わりはしない。違いますか？」

変わらないわけがないけれど、変わらないことにしたいらしい。自分の形勢が良くないことを察したらしい伯爵は視線だけを忙しなく動かして、周囲を見る。そして、わたしと目が合った瞬間、ハッとしたようにわたしを指差しながら、いきなり話題を変えた。

「それより、あの平民に罰を与えていただきたい！」

「平民とは？」

ジルヴェスターが軽く眉を上げて、話題に食いついた。そこに勝機を見出したのか、伯爵は唾を飛ばすような勢いで訴え始める。

「あのマインという小娘は、アウブの温情により青の衣を与えられているだけの平民だと聞いています。それなのに、ずいぶんと傲慢《ごうまん》でやりたい放題ではないですか。貴族に向かって魔力を打ち、私を守ろうとする私兵をずいぶんと減らしてくれた。危険で凶暴極まりない平民です。一体何を考えているのか……」

次々と出てくるあまりの言い分に、わたしはびっくりした。

……何を言っているの、このガマガエル？　脳に欠損や障害があるんじゃない？

「捕えろとおっしゃって、私兵をけしかけてきたのは、そちらではないですか。まさか、自分の言動を覚えていないんですか？」

「平民が貴族に逆らうな！」

わたしを睨んで激高した伯爵に、ジルヴェスターがニヤリとした笑みを浮かべる。

「ビンデバルト伯爵、何を勘違いしているのか知らぬが、其方が言う平民の小娘は私の養女だ」

「なっ、何だと⁉　領主が平民と養子縁組⁉」

目を白黒させているビンデバルト伯爵に構わず、ジルヴェスターはわたしを手招きする。

「養子縁組の契約は済んでいる。マイン、こちらに来い」

わたしが立ち上がってジルヴェスターのところへと向かうと、ジルヴェスターが首元の鎖を引き、黒い石のついたネックレスをするりと引き出した。

「これがその証拠だ」

「この小娘が領主の養女、だと……？」

「そうだ。マインが平民であれば、其方の言い分が全て通ったが、マインはすでに私の養女となっている。つまり、其方の罪は他領の者の出入りを禁止された街に入っただけではない。領主の一族に対して攻撃したことになる。護衛は重傷、本人にも魔力で攻撃を仕掛けた、と言っていたな?」

ジルヴェスターは馬鹿にするようにフンと鼻を鳴らしながら、わたしに向かって「この伯爵に何をされたか述べろ」と言った。

「魔力攻撃だけではございません。下町で襲撃も受けましたし、従属契約も無理やり迫られました。ほら、この傷はこの方にナイフで付けられたのです」

わたしは手のひらを広げて、やっと血が止まってきた傷を見せる。顔色を変えたガマガエルを見ながら、わたしは自分が得ている情報を開示していった。

「それから、春の祈念式に襲ってきた男達も、この方と従属契約をしている身食いだったようです。春先といい、今回といい、わたくしに攻撃を仕掛けたせいで、多くの手駒を失ったと嘆いておりましたから」

平民の証言には何の力もなくても、領主の養女ならば通る。そして、春の祈念式にはお忍びとはいえ、ジルヴェスターが同行していた。ビンデバルト伯爵は間違いなく知らなかったのだろうが、彼は領主一行に強襲をかけたことになる。

「ほぉ? 罪状は他にもありそうだな。ビンデバルト伯爵、其方の身柄を拘束する。確定している罪状は街への不法侵入と、領主の養女とその護衛の騎士に対する攻撃だ」

そこで一度言葉を切って、ジルヴェスターは反論を許さない厳しい声で告げる。

「疑わしきは祈念式一行への襲撃だが、これに私が同行していた以上、そちらの領主からの宣戦布告と見做《みな》すことになる。領地を揺るがす可能性のある犯罪者として、其方の全ての罪状を詳らかにし、アウブ・アーレンスバッハに宣戦布告の意図を問い、その上で沙汰《さた》を言い渡す。捕えろ」

カルステッドが光るタクトを取り出してブンと振るうと、神殿長を拘束したのと同じ光の帯が飛んだ。ぶくぶくと口の端から泡を吹いて目を剥いている伯爵は、抵抗することなく捕えられた。

つかつかとカルステッドは貴族門のある扉の方へと向かうと、扉を開け放ち、魔力の光を打ち上げた。すぐに貴族門が開き、待機していたらしい騎士団が伯爵と意識のないダームエルを回収していく。

騎士団の作業を横目で見ていたジルヴェスターは床に転がされたままの神殿長へ視線を向けた。

「ジルヴェスター、どこの女が生んだかわからぬようなフェルディナンドの意見など聞き入れる必要はない。それから、マインのような愚かな平民を養女にするなど、一体どのように騙されたのだ。領主を誑《たぶら》かそうとするなど、何という恐ろしい子供だ。すぐに縁組を解消しなさい。これは叔父としての忠告だ」

光の帯でぐるぐる巻きになり、床に転がったままの体勢で神殿長は偉そうに忠告する。うんざりとしたようなカルステッドと神官長の表情を見れば、いつもの言葉だとわかる。

「フェルディナンドは母が違えど、私の弟です。優秀で実によく働いてくれています。侮辱しないでいただきたい」

「異母兄弟など信用ならぬ！　姉上は……」

「それは、其方の家の事情だ。我々は違う」

……領主の異母弟って、前領主の息子ってことだよね？　そりゃ騎士団が跪くわけだよ。

わたしは知らなかった神官長の身の上話に目を瞬いた。異母兄弟の二人が仲良くするには、神殿長やジルヴェスターの母親が邪魔な存在だったに違いない。もしかしたら、神官長が神殿に入っているのも、その辺りの事情が関係あるのだろうか。

「其方は儂の可愛い甥《おい》だ。姉上の大事な息子だ。……不幸なことにはなってほしくない。儂の忠告を聞き入れてくれ、ジルヴェスター」

哀れな老人のような雰囲気ですがるような声を出した神殿長を、ジルヴェスターは冷たい視線で見下ろした。

「私はアウブ・エーレンフェストだ。今回こそ、私は領主として肉親の情を捨て、裁定《さいてい》する」

「なっ⁉　そのようなことは姉上が許さぬぞ」

どうやら、今まで神殿長がやらかしたことは、領主であるジルヴェスターの母親が肉親の情で揉《も》み消したり、口を出したりしていたようだ。神殿長は横暴で傲慢で偉そうな人だと思っていたが、領主の母が味方ならば、身分差が何もかもを覆すようなこの街ではやりたい放題だっただろう。

「叔父上、其方はやりすぎた。もう母上にも庇うことはできぬ。母上もまた公文書偽造と犯罪幇助《ほうじょ》の罪に問われるのだから」

ジルヴェスターは神殿長を裁くために、自分の母親も共に裁くことにしたらしい。多分、母親は神殿長を庇って口を出してくるだけで、隔離できるほど罪を犯したことがなかったのだろう。今回は実の息子とはいえ、領主の命に背き、余所者を入れるために公文書偽造という明らかな罪を犯し

た。母親と叔父をまとめて一掃するつもりに違いない。

「ジルヴェスター、其方、実の母を犯罪者にするつもりか⁉　そのようなことをすれば、其方も無事では済まぬぞ！」

「其方のせいだ！」

非難して叫んだ神殿長をジルヴェスターが怒鳴りつける。

「其方がこれまで犯した罪は、多すぎて数えきれないほどだ。弟可愛さに母上が庇い続けたから、このようなことになった。思いつく限りの罪を挙げ連ね、其方は処刑し、母上は離宮に幽閉《ゆうへい》する。私の統治に其方は必要ない」

はっきりと言い切られ、神殿長は燃え尽きたように虚ろな表情でジルヴェスターを見つめる。しかし、領主の沙汰は覆ることはなかった。

「神殿長、及び、その側仕えを捕えて連れていけ」

「はっ！」

わたしが罪を犯せば、わたしの家族や側仕えに累《るい》が及ぶように、神殿長が罪を犯せば、側仕えも共に処罰《しょばつ》されるらしい。カルステッドに呼ばれた騎士達がぐるぐる巻きのままの神殿長を始め、神殿長の部屋へと向かい、側仕えを捕えてきた。扉の近くにいた灰色巫女も捕えられ、デリアにもその手が伸びる。

デリアが顔を上げて、すがるような視線を向けてきた。

わたしと目が合ったのは、ほんの一瞬。

デリアは諦めた笑みを浮かべて目を伏せると、ディルクを差し出した。

「マイン様、ディルクをお願いいたします」

苦い物を呑み込んだように、眉根をきつく寄せて視線を逸《そ》らした今のデリアの顔をわたしは知っている。孤児院の改革をした時に「助けてほしかった」と訴えてきた時の顔だ。

ずきりと胸が痛んだ。

あの時、わたしはデリアに約束したはずだ。「今度困ったら助けてあげる」と。

「ジルヴェスター様、お願いがございます」

わたしはぐっと顔を上げると、ジルヴェスターに声をかけた。

「言ってみろ」

「デリアの処刑はお許し願えませんか？」

「何故だ？」

ジルヴェスターの深緑の目が面白がるように輝いた。

「デリアはあの伯爵と神殿長に騙されただけなのです。色々と行動がまずかったのは確かですけれど、処刑されるほど悪いことはしていません。それに、神殿長の側仕えであった期間はごくわずかで、この幼さですから、悪事や花捧げにもほとんど関与していないと思われます」

「……ふむ。だが、この場にいて、実際に騒動に関与している以上、何の咎めもないわけにはいかぬ。領主の養女として、其方がどのように裁くのか、見せてもらおうか」

気に入らない裁きをすれば処刑直行だと、その目が雄弁に物語っている。面白がる中にある厳しい光にわたしはコクリと息を呑んだ。

「デリアには二度と戻りたくないと言った孤児院に戻ってもらいます」

「それだけか？」

「そ、それに、誰の側仕えにもさせず、孤児院で一生を過ごしてもらいます。側仕えに召し上げられるのは、孤児にとって唯一の出世です。それを潰されるわけですし、孤児院が苦手で孤児院に入ることさえ拒んでいたデリアには十分な罰になると思います」

ジルヴェスターは青ざめたデリアの表情を見て、軽く頷いた。

「罰になるようだから、まぁ、良いだろう」

「恐れ入ります。デリア、貴女には孤児院で過ごしてもらいます。ディルクを始め、孤児達の面倒を見るのが、これからのデリアの仕事です」

「……かしこまりました」

デリアはディルクを抱きしめて、不安に強張っていた顔を少し緩めた。

これからのわたし

騎士達が神殿長とその側仕えを捕縛《ほばく》して連れ出しているため、辺りは騒然としている。何か自分にできることがないかと思っていると、デリアの腕にいるぐったりとしたままのディルクが目に入った。

「あの、わたくし、ディルクも心配ですし、デリアを孤児院へ連れていき、ヴィルマに事情を説明してまいります」

「そんなことはどうでも良い。他に任せろ」

腕を組んで仁王立ちしているジルヴェスターが、わたしを見下ろして、即座に却下した。

「一番重要なお前の扱いについての話が全く終わっていない。フェルディナンド、部屋を貸せ」

「かしこまりました。準備してまいりますので、このままお待ちください」

神官長はくるりと踵を返して、領主であるジルヴェスターを迎え入れる準備をするために自室へ戻っていく。

デリアはディルクを抱いて、「マイン様、ありがとうございました。一人でも大丈夫。孤児院へ行きます」と小さく呟き、孤児院へと歩き始める。わたしが小さくなるデリアの背中を見送っていると、ジルヴェスターの声が背後で聞こえた。

「お前がマインの父親か？」

「はい。ギュンターと申します」

バッと振り返れば、跪いたままの父さんをジルヴェスターは何を考えているのかよくわからない、感情を見せない顔でじっと見つめていた。

「家族を呼んでこい。縁組の書類を作るだけならば、其方だけでも事足りるが、最後に別れくらいはさせてやろう」

「……恐れ入ります」

拳をきつく握った父さんがゆらりと立ち上がった。父さんもまた、身分差に何も言えない現状の中、自分の内に渦巻く感情を押さえ込んでいるようで感情を見せない顔をしている。

「ギュンター、お待ちください。門まで案内させます」

フランが顔を上げて、父さんと一緒に立ち上がった。痛みに顔を引きつらせた後、フランは灰色神官を呼んで父さんを案内するように命じる。後で家族と共に戻ってくるので、門で誰かを待機させておくように手配するのも忘れない。

「あぁ、フェルディナンドの準備ができたようだな。行くぞ、マイン」

神官長の側仕えが案内のために部屋から出てきたのを見て、ジルヴェスターがスタスタと歩き始めた。その一歩後ろには騎士団への指示を終えたカルステッドが続く。わたしがカルステッドに付いていこうとすると、フランはわずかによろけながらわたしの一歩前に出ようとした。

「フラン、辛いなら無理しなくても、部屋に戻ってもいいのですけれど……」

「いいえ、私はマイン様の筆頭側仕えです。このような重要な話し合いに主を一人で向かわせるわけにはまいりません」

フランの強い決意が秘められた目に、わたしはそれ以上言うことができず、同行を許すしかなかった。痛みを堪えるような顔でフランが歩いていく。

神官長の部屋へ移動すると、客人を迎えるための準備がされていて、わたしはテーブルに案内された。わたしは案内された席に着いたけれど、ジルヴェスターとカルステッドは神官長の執務机の方へ向かい、何やら話し始めている。

「大変でございましたね、マイン様」

やんわりとした口調で労いながら、アルノーがお茶のセットを準備したワゴンを押してやってくる。フランはいつものように手伝おうと手を伸ばした瞬間、「うっ」と痛みに呻いた。

「フランは部屋に戻った方が良いのではないですか？　ずいぶんと苦しそうですし、他にも側仕えはいるではありませんか」

こっそりと囁くような声でアルノーがフランをたしなめるのが聞こえた。側仕えの会話に入っていくようなことはしてはならないけれど、わたしもフランの怪我の具合が心配なので、アルノーの意見に全面賛成したい。

「いいえ、戻りません。私がマイン様に同行をお願いしたのです」

「フランは本当に融通が利きませんね」

……いいね、アルノー。もっと言ってやって。それでフランに休むって言わせて。

わたしは心の中でアルノーを応援する。フランがあまりにも生真面目で頑固で職務一筋だから、同行を許したけれど、わたしとしては部屋で休んでほしいのだ。

「アルノーに言われたくはありません。神官長が不在ではなく、隠し部屋に籠っているならば教えてくれてもよかったではないですか。融通が利かないのはアルノーです」

フランがむっすりとした言い方でアルノーに不満を零した。フランの言う通り、アルノーも融通が利かないところがある。神官長の側仕えに融通が利かないのは、もしかすると神官長がそうだから、だろうか。ひっそりと交わされる会話を聞きながら、わたしは小さく笑いを漏らした。

「お茶を淹れたら、もう良い。下がれ」

神官長が人払いをして、側仕え全員を部屋の外へ出した。部屋に残されたのは、神官長とジルヴェスターとカルステッドとわたしの四人だけだ。あとでわたしの家族が来ることになっているけれど、今は内輪の集まりのようだ。側仕えがいなくなると同時に、ジルヴェスターの領主の仮面が外れた。体の力を抜いて、項垂れる。

「はぁ、疲れた……。身内を裁くのは、もう嫌だ」

「これで色々なところが少しでもマシになれば良い。まだ正念場《しょうねんば》は残っている。背筋を伸ばせ」

項垂れるジルヴェスターの肩をカルステッドが軽く叩いた。ジルヴェスターは口をへの字に曲げて、わたしを軽く睨む。

「カルステッド、よく考えろ。マイン相手に仰々《ぎょうぎょう》しい態度を作っても意味がないだろう？　すでに祈念式で散々やっているのだからな」

「養父となるなら、初めくらいシャキッとしろ」

ジルヴェスターを叱りつけられるカルステッドが養父になってくれた方がよほど頼りになりそうだ。そんなことを改めて思いながら、わたしは二人のやり取りを見つめる。

「神殿長が叔父さんで、親しく見えていた神官長が異母弟ならば、カルステッド様も血縁関係がおありなのですか？」

神官長と一緒に領主の頭を叩けるくらいだ。多分、血縁関係があるのだと思う。

「あぁ、カルステッドは父方の従兄《いとこ》だ。父の兄の息子になる」

「父の兄？　跡取りはどうやって決めるんですか？」

どうやら長男が相続するわけではないらしい。ここは末子相続なのだろうか。目を瞬くわたしに、ジルヴェスターの方がきょとんとした顔になった。

「魔力量に決まっているだろう？　領地を担えるだけの魔力量を持っていることが一番重要で、基本的には実家の後ろ盾がしっかりしている正妻の子から選ばれる」

「領地を担うにも魔力が必要なんですね」

「……其方は私達とも普通に話ができるから忘れてしまうが、本当に基本的なところが全く足りないのだな」

貴族の常識については下町で生まれ育った大人だって知らないことだ。当たり前に知っていることを求められても困る。わたしがむぅっとしていると、ジルヴェスターが姿勢は崩したまま、表情だけを引き締めた。

「マイン、少し真面目な話をする」

「はい」

「私が渡した契約のネックレスに血判を押したことにより、一応養子縁組は成立しているが、今後のために色々と小細工をさせてもらう」

まず、わたしはカルステッドの娘となり、ジルヴェスターと養子縁組するらしい。まるで戸籍ロンダリングのようだ。

「一度カルステッド様の娘となることに何か意味があるのですか？」

「大ありだ。元平民が領主の養女になるのと、先祖に領主がいる上級貴族の娘が養女になるのでは全く違うではないか」

「それはそうでしょうけれど、わたくし、騎士団に顔を知られているので意味がないですよ？」

顔を見れば一発で平民の青色巫女見習いと領主の養女が結びつくはずだ。カルステッドの娘だなんて一体どこから出てきたの、という感じで受け取られるに違いない。

「騎士団だけならばカルステッドとフェルディナンドで何とかなる。カルステッドの愛娘という設定になるからな」

「え？　設定にするって、さすがにバレるでしょう？　おかしいでしょう？」

トロンベ討伐の時に顔を合わせた騎士が二十名ほどいるので、わたしの身の上をカルステッドの娘だと今更偽ったところで無駄だと思う。

「いや、人の記憶を書き換えるのは意外と容易い。お前はカルステッドが溺愛していた今は亡き第三夫人の娘だ」

ジルヴェスターが首を振って、はっきりと言い切った。

「第三夫人の娘、ですか？」

「そうだ。カルステッドの第三夫人は、身分が中級貴族出身でそれほど高くなかったが、魔力が豊富だった。それが面白くなかった上級貴族の妻達にいびられていた」

なんだか昼ドラのような話になってきたけれど、どこまで真面目に聞いていればいいのだろうか。

「第三夫人はお前を生んでしばらくすると亡くなり、生まれたお前に母と同じ思いはさせない、とカルステッドは人目に触れぬよう神殿で育てた。余所に知られることがないように、身分を隠していたら、勝手に叔父上が勘違いして、平民だと言いふらしたのだ。ずいぶんと多くの者が騙され、その嘘により処分される騎士まで出てしまった。叔父上は本当に罪深い方だ」

……神殿長、とばっちりで罪状が増えてるし！

まさかの展開にわたしは口をポカンと開けてジルヴェスターを見た後、呆れたような顔をしている神官長とカルステッドに視線を向けた。

「トロンベ討伐の時にカルステッド様には初対面の挨拶をしましたけれど、それは？」

「騎士団長が公私を分けるのは当然ではないか。存在を隠している娘と職務中に親子の触れ合いなど、騎士団長がするわけがない。初対面に見えて当然だ、と言い張れば良い」

ジルヴェスターはその設定で押し通すらしいけれど、そんな都合の良い設定が本当に通じるのだろうか。わけがわからない。ジルヴェスターがどうにも信じられず、わたしは神官長に尋ねる。

「そんなに適当な設定が貴族社会に通用するのですか？」

「マイン、君は覚えていないのかもしれぬが、クリスティーネはそのような身の上だったぞ」

神官長の冷静な言葉にハッとした。ヴィルマやロジーナの前の主であり、芸術巫女という部分だけがわたしにとっては印象が強かったけれど、クリスティーネは正妻に疎んじられ、神殿で育てられた貴族の娘だったはずだ。貴族として引き取れるように父親が生活には金をかけ、教師を派遣していたと聞いたような気がする。

「確かに実在するので、説得力はありますね。でも、カルステッド様は本当にそのような設定で、わたくしを娘としても良いのですか？」

「……構わぬ。ローゼマリーとの娘がいれば良いと思ったことはあるからな」

なんと、他の妻達にいびられて亡くなった第三夫人は実在するらしい。

……わたし、貴族になった途端、いびられるんじゃないだろうか。

「うぅ、カルステッド様が良いのでしたら、わたくしは構いません。けれど、急にこんな年の子供が出てくるって、おかしいじゃないですか。子供が生まれた時にお祝いはしないのですか？」

カミルが生まれた時は、ご近所にすぐさま顔を見せて披露する宴会があった。麗乃時代のような出生記録を残さないので、いつ生まれたのか多くの人々に知らせて記憶しておいてもらわなければならない、と聞いたけれど、貴族は違うのだろうか。

わたしの質問に答えてくれたのはカルステッドだった。顎に手を当てて、色々な状況を思い出すように目を細める。

「第一夫人の子供ならば生まれた時に祝いをするが、第二夫人や第三夫人の子になると、生まれた知らせをわざわざしないことも珍しくはない。貴族社会にその家の子供としてお披露目《ひろめ》されるのは洗礼式の時だ。それまでは子供がどれだけいるのか、よほど仲の良い友人でもなければ、知られることは少ないと思う」

「そうなんですか……」

ほぅほぅ、と納得していると、神官長がうっすらと笑って付け加える。

「その家に相応しい魔力がなければ、洗礼式前に格下の家に養子に出されたり、神殿に預けられたりするからな。高位の貴族になるほど子供の魔力が明確になるまでは、不用意に生まれたことを知らせることはない」

……怖いっ！　貴族社会、マジ怖い！

下町と違って魔力があることを前提にしている場所なので、全くわたしの常識は通用しなさそうだ。神殿に入った時もかなりギャップを感じたが、貴族は更に大変に違いない。

「そういうわけで、貴族として育てるならば、子供をどうしても人目に触れさせなければならないのが洗礼式となる。カルステッドは洗礼式を機に、母に似て魔力が高く生まれた娘を領主と養子縁組させることを決意する。そうして、他の妻達から引き離し、確かな身分を与えることで愛娘の身を守ることにした……という筋書きだ。わかったか？」

わたしは大体のお話の流れを思い返しながら、コクリと頷いた。

「貴族社会の『昼ドラ』って感じで、本にしてもいいですか？」

「お前の自伝を書くことになれば、記してもいい」

「……うぐぅ、心から遠慮いたします」

わたしは本を読むのが好きなだけの極々虚弱な女の子だ。自伝なんて書くことはない。即座に辞退すると、せっかく私が考えたのだから世の中に広めてもいいぞ、とジルヴェスターが得意そうに唇の端を上げた。

「よって、其方の洗礼式をこの夏に執り行う。洗礼式はカルステッドの館で行い、それと同時に私との養子縁組を発表する。カルステッド、いつにする？」

「星結びの儀が行われる直前くらいでよいのではないか？　式の手配をする時間が必要だ」

衣装や料理、招待状の準備も必要になるとカルステッドが言えば、神官長は少し考え込んだ後、首を横に振った。

「直前よりはもう少し早めに予定した方が良いと思う。マインの虚弱さならば、いつ倒れるかわからない。様子を見られるだけの余裕が必要だ」

「なるほど。少し予定をずらせるだけの余裕は必要か」

その分、準備の予定も前倒しになるので大変だな、とカルステッドが難しい顔になる。

「カルステッド、洗礼式の招待客は盛大に集めろ。同時に私との養子縁組の披露もするのだ。多くに知らせた方が良かろう」

「あぁ、そうだ。洗礼式までに礼儀作法と挨拶の教師を付けた方が良いぞ、カルステッド。側仕えの指導で基本的な動きはできるが、今まできちんと教師を付けたことがないからな」

三人が呆然としているわたしを放置して、どんどんと予定を決めていく。

「あの、わたくし、もう洗礼式は一年前に終わりましたけど……。この年で年齢詐称《さしょう》するのですか？」

洗礼式を行うのは七歳なので、わたしの洗礼式は一年ほど前に終わっている。

……もう一回洗礼式をして七歳をやり直しって、留年っぽくてちょっと嫌。

わたしがむぅっと唇を尖らせると、ジルヴェスターが深緑の目でぎろりとわたしを睨んだ。

「一歳くらいの違いをガタガタ言うな。貴族社会にすんなり受け入れられるためだ。外見だけを見て考えれば、もう一年くらい誤魔化しても特に問題ないではないか」

「もう一年って、ひどいですよ。……ちゃんと大きくなっているのに」

貴族社会に受け入れられるためには仕方がないこととはいえ、七歳をやり直すことが決定してしまった。わたしの不満など誰も気にせずに話は進んでいく。

「それで、其方の洗礼式後の生活だが、領主の養女として貴族の行事に参加しながら、行事がない時は神殿で過ごすことになる。フェルディナンドと同じだ」

「え⁉」

何やら忙しそうな生活になりそうで、わたしはひくっと頬を引きつらせた。

「魔力的な問題として、お前を完全に神殿から退けるのはフェルディナンドに負担がかかりすぎる。それに、工房の問題もある。これから領地の事業として本の生産をするつもりだが、実際に作るのは下町の人間だ。今まで通りの繋がりがあった方が、私がやりやすい」

ギルベルタ商会にはすでに話を通してある、とジルヴェスターが色々と企んでいる顔でニヤリと笑った。

一体いつの間に⁉　と思ったけれど、ジルヴェスターが工房見学に来た時にベンノを引き連れて行ったことを思い出した。疲れ切ったサラリーマンのようだったベンノの姿を思い出して、わたしは心の中で「ベンノさん、マジ頑張れ」と応援しておく。

「えーと、つまり、洗礼式が終わったら領主の養女と青色巫女見習いと工房長の三役をこなせということですか？」

なかなかハードだ、と指を折りながら自分の肩書を数えていると、ジルヴェスターがふるりと首を振って否定する。

「少し違うな。青色巫女見習いではなく、神殿長だ」

「はい？」

こてっと首を傾げてジルヴェスターを見つめる。聞き間違いだろうか。聞き間違いだろう。聞き間違いに違いない。わたしが現実逃避していると、ジルヴェスターがそっと息を吐いた。

「不正放題で処刑される神殿長の後釜に座りたがる者はいない。言動に向けられる目は厳しくなり、不正は許されず、全くうまみのない役職となるからな。おまけに、下に付くのが、領主の異母弟と養女だ。神経をすり減らすとわかっていて、誰がやりたがる？」

「え？　え？　でも、この場合、神官長が神殿長になるのではないですか？」

わたしより適任《てきにん》がいるよ、と視線を神官長の方へと向けてみたが、ジルヴェスターは呆れたように肩を竦めただけだった。

「対外的には領主の養女と領主の異母弟、どちらも大して変わらぬが、役職に付いてくる実務を考えると全く違う。フェルディナンドは実務をし、神官を束ねる神官長を務めた方が良い。其方に神官長は無理だ」

神官長の仕事は確かに多岐《たき》に渡っている。神官長が神殿長となって、身分的にわたしが神官長となった時に、仕事ができるかと問われれば、否だ。けれど、神殿長は神殿の最高責任者だ。わたしに務まるわけがない。

「神殿長も無理です。わたくし、洗礼式を終えたばかりの子供ですよ」

「あの叔父上にできたんだ。問題ない。どーんと座っていればいいだけの役職だ。むしろ、何もしない分、余計なことばかりしてきた叔父上より優秀な神殿長になれるぞ」

前任者が無能だと楽でいいな、とジルヴェスターは言うけれど、そんな問題ではないと思う。わたしがオロオロしていると、神官長がこめかみをトントンと叩きながら口を開いた。

「確かにあれがいなくなるだけで、ずいぶんとやりやすくなりそうだ。マインは神殿長として、そこにいれば良い。面倒事は基本的に私が引き受けよう。それに、マインは素直に手伝ってくれる分、仕事を押し付けてさっさといなくなる誰かの手伝いをするより気が楽だ」

神官長が「さっさといなくなる誰か」を睨んでそう言うと、ジルヴェスターはフンと鼻を鳴らして、「マインは今まで通りフェルディナンドにこき使われるがよい」と憎まれ口を叩く。わたしはひどいことを言うジルヴェスターを無視して、「神官長、ありがとう存じます」と神官長の優しさに感動しておくことにした。

「マイン、私にそのような態度を取って良いと思っているのか？　神殿長を引き受ける褒美《ほうび》として、今の部屋は引き続き使っても良いし、そこで下町の人間と会う分には目を瞑《つむ》ってやろう、と思っていたのだが……」

「ジルヴェスター様、大好きです」

わたしが目を輝かせて、ぎゅっと胸の前で指を組み合わせると、カルステッドがジルヴェスターの頭を軽く小突いた。

「いい感じに理由付けがなされているが、神殿を自分が下町をうろうろするための拠点にするつもりだ。騙されるな」

「うぇっ⁉」

「カルステッド、人聞きが悪いことを言うな。従兄の愛娘を養女として預かるのだ。様子を見に行くのは当然だろう？」

真面目くさった表情をしているが、よくよく見ると「狩りに行きたい」と顔に書いてある気がする。下町に遊びに行く気満々に違いない。

「ジルヴェスター、マインを下町の人間と接触させるのか？　せっかくカルステッドの娘とするのに、それは危険すぎると思うが……」

「本作りをここの産業として育てていくならば、ギルベルタ商会との繋がりは必須だ。あの店を潰して、一から新しい店を作る方が大変ではないか」

危険性を示唆する神官長に、ジルヴェスターがさらりと恐ろしいことを言った。

「ギルベルタ商会を潰すって……あの……」

「早とちりするな。潰すつもりはない。あそこの店主は呑み込みが良かった。そして、隠匿《いんとく》することを知っている。マインの素性《すじょう》を知っている者は驚くほど少ない。ほとんどがギルベルタ商会の関係者だ。それ以外はベンノの娘だと思っている者やどこかの富豪の娘だと思っている者ばかりだと言っていた。実は貴族でした、と言い張れば問題ない」

領主主導で本を産業にするといっても、実際に本作りをしていくのはわたしを中心としたグーテンベルク達になる。下町の職人全員を貴族街に呼びつけるより、下町の人間が出入りできる場所を残しておいた方が都合は良いらしい。

「今までの部屋で下町の人間と会うのは良い。ただし、今の家族と家族として会うことは禁じる。お前はカルステッドの娘から領主の養女になるのだ。今の家族とは新しい関係を築いてもらう。それができないならば、家族の立ち入りは許さぬ」

自分の部屋ならば会っても良いと言われて、弾んだ心がすぅっと冷めていく。顔が見られるだけマシなのか、顔が見られる分、余計に辛くなるのか、今のわたしにはわからない。

「兵士の父親に下町を移動する時の護衛を任せるとか、姉には紙作りに参加してもらうとか、そういう仕事上で接する程度なら問題ない。だが、お互いに家族とは呼ばないことを契約魔術で誓ってもらうぞ」

ジルヴェスターの厳しい瞳に見据えられ、わたしは心臓が嫌な音を立てるのを聞いていた。

決別

「カルステッドの娘として洗礼式を行うならば、名を改めなければなるまい」

しんと静まってしまったその場を動かしたのは、神官長の提案だった。意味が良くわからず、わたしは首を傾げた。

「名前、ですか？」

「確かにそのままでは外聞が良くないな」

どうやら貴族には長ったらしい名前が必要らしい。つまり、これから嫌でも増える貴族の知り合いは長い名前ばかりになるということだ。今から覚えられるかどうか心配だ。

……長ったらしい神様の名前も記憶できたんだし、何とかなるかな？　なればいいな。

「愛称がマインとなるような名前が良いだろう。ギルベルタ商会の者が間違って呼んだとしても、多少の誤魔化しが利くように。……マイン、何か希望はあるのか？」

ジルヴェスターの言葉にわたしはマインを基にして、何か適当な名前を考えてみる。けれど、咄嗟には思い浮かばない。

「……マインツーとか、ニューマインとか、レッドマインとか、碌《ろく》なものが思い浮かびません」

「変わった響きだが、何か意味があるのか？」

神官長が不可解そうに顔をしかめる。神官長が予測している通り、麗乃時代の英語を使っているので、そこにいる三人には意味が通じていなかったようだ。

「マイン二号、新しいマイン、赤いマインって意味です」

「最後の赤いマインは何だ？　お前の色は生まれならば青、髪の色ならば紺か夜、目の色ならば金ではないか。どこから赤が出てきた？」

「どうしてそう言われているのかよくわからないのですが、赤いと強かったり、速かったりするらしいですよ」

ジルヴェスターが不思議そうな顔をしたけれど、わたしの知識も麗乃時代の幼馴染《おさななじみ》が言っていたことだから、理由はよくわからない。赤パンツ健康法を麗乃時代のお母さんが取り入れていたので、赤が強いのはその辺りが理由だと思う。ちなみに、赤は勝負パンツに良いらしい。受験用に赤パンツをもらったが、親の愛が恥ずかしくてはけなかった。幸い受験には合格して、お母さんは赤パンツを拝んでいたが、あの日はいていたのは水色だった。

……親不孝な娘でごめんね。

思考を飛ばしていると、ジルヴェスターがわたしの発言に目を剥いて驚いていた。

「ちょっと待て！　どうしてそうなるのかよくわからないと言いたいのはこちらだ。赤が強い⁉　強いのはどう考えても火の神ライデンシャフトの貴色《きしょく》である青だろう⁉」

額を押さえてカルステッドも少し遠い目になっている。

「赤は土の女神ゲドゥルリーヒの貴色で温もりや寛容《かんよう》だから、女性らしいと言えるが、ここまで意図したところが違うと不安になるな」

……あぁ、うん。ここの常識に当てはめると、そうなりますよね。

もうちょっと丈夫になりたいなぁ、という願望も込めて、強くなって新登場というイメージだったのだが、誰にも通じなかったようだ。

こめかみを指先でトントンしながら、神官長がじろりとわたしを睨む。

「強いだとか、速いだとか、女性名に相応しいわけがなかろう。残念すぎるにも程がある。これから先ずっと使うことになる自分の名前だぞ。よく考えろ、馬鹿者」

「……申し訳ございません。ですが、正直、貴族の方々の名前にどのようなものがあるのか、どのように付けるのが良いのか、全くわからないのです」

親の名前の一部をもらうとか、寺に頼んで付けてもらうとか、その家によって日本でも決まりのあるところがあった。ここでも何か決まりがあるのだろうか。わたしがそう質問すると、三人は揃って首を傾げた。

「昔の偉人にあやかって名を付ける者や先祖から名をもらう者もいるが、決まりと言えるような規則は特にないな」

ジルヴェスターの言葉に、ほぅほぅと頷いていると、ジルヴェスターの隣で考え込んでいたカルステッドがゆっくりと顔を上げて、わたしを見た。

「親の名前の一部ならば……ローゼマリーから名を取って、ローゼマインではどうだ?」

「わぁ、何だかお嬢様っぽくなりましたね。いいと思います。わたくしが決めるより、断然可愛くて女の子らしいですし」

「マインは美的感覚というものを磨かなければならないようだな」

クッと小さく笑いながら神官長が立ち上がる。これから、家族が来るまでの間に改名と契約魔術の書類作成をするらしい。

神官長が書類の作成を終えた頃、チリンと小さく鈴の音が聞こえた。

「許可する」

神官長の許可に合わせて、外で待機していた側仕えによって部屋の扉が開かれる。アルノーが神官長に客を迎え入れる定例の言葉を告げると、フランに案内されて、トゥーリと手を繋いだ父さん、カミルをスリングに入れた母さんが入ってきた。

「マイン！」

トゥーリが父さんの手を振り解き、輝くような笑顔で駆け寄ってくる。

「トゥーリ」

飛び付くように抱きついてきたトゥーリをわたしはぎゅっと抱きとめた。トゥーリは一度強くわたしを抱きしめた後、バッと離れて、わたしに怪我がないか確認し始める。

「父さんはすごくひどい怪我をして、怖い顔で迎えに来るし、母さんとカミルまで一緒に神殿へ行くことになるなんて、マインに何かあったんじゃないかって、ホントに怖かったんだよ。マインが無事でよかった」

トゥーリは無邪気にわたしの無事を喜んでいるが、母さんは神官長の部屋にいる三人の貴族を見て状況を悟ったようだ。辛そうにきつく目を閉じて、カミルを抱いたまま跪く。

「トゥーリ、ここにいるのはお貴族様ばかりだ。お前も跪くんだ」

父さんはトゥーリの肩を軽く叩きながらそう言って、その場に膝をついた。トゥーリは目を瞬きながら部屋の中を見回して、テーブルのところで悠然とした態度で座っている身なりの良い三人の人物を見つけて、慌てて跪く。

「アルノー、フラン、下がれ」

神官長によって人払いされ、家族を案内してきた灰色神官達が退室し、部屋の扉がぴったりと閉ざされると、この場で一番の権力者であるジルヴェスターが軽く手を振った。

「そこに座れ。直答を許す」

「恐れ入ります」

兵士をしている父さんは兵士としての礼をして、椅子に座った。父さんの様子を見ながら、母さんもそろそろと動き出す。トゥーリはこの場のピリピリとした雰囲気を感じ取って、不安そうに周囲を見回しながら、わたしの隣に座った。

ジルヴェスターが足を組んで、ゆっくりと息を吐き出す。そして、おもむろに口を開いた。

「マインは今回の騒動を丸く収めるため、私の養女となることが決まった」

「……はい」

「平民のマインは対外的に死亡したこととせよ」

トゥーリが弾かれたように顔を上げて、青ざめた顔でわたしを見た。

「わたしのせい!?　わたしが迎えに行ったから、襲撃されたんでしょ?」

「違うよ、トゥーリ。襲撃してきた犯人は神殿にいたから、トゥーリが迎えに来なくても、わたしは襲われたんだよ」

トゥーリにとっての負い目とならないように、わたしは一生懸命に説明する。危険だったから、貴族相手に攻撃してしまったこと、わたしの罪が家族や側仕えにも波及《はきゅう》することを述べる。

「むしろ、巻き込んでごめんね。トゥーリ、怖かったでしょ？」

「怖かったよ。怖かったけど、養女って……」

俯いてぽろぽろと涙を零すトゥーリの頭をわたしは手を伸ばして撫でる。ジルヴェスターがトゥーリを見て痛そうに、ほんの一瞬だけ顔を歪めた後、領主の顔で静かに口を開いた。

「上級貴族の娘として領主の養女となるマインに、其方等は邪魔だ。後腐《あとくさ》れがないように、全員処分することも考えたが、それではマインが暴走しそうなので、其方等を残すことに決めた。ただし、以後、家族として会ってもらっては困る」

覆しようがない決定事項に、家族がびくりと体を揺らして息を呑んだ。大きく目を見開いてジルヴェスターを見つめ、唇を震わせる。

「マイン工房はこのまま紙や本を作る工房として継続する。この神殿の部屋もそのまま残すので、この契約を済ませば会うことだけは許す」

すっとジルヴェスターは契約魔術に使う契約書を差し出してきた。先程、神官長が作成していた契約書だ。

「マイン、読んでやれ。我々が読むより、信用に値するだろう」

字が読めない平民は、契約書が読めなくて損をすることも多い。貴族にしか通じない文言が練り込まれていて損をした商人もいると聞く。信用できる者に書面を読ませるのは、文盲の者にとって大事なことだ。

わたしは席を立って、ペンとインクが並べられたテーブルの一辺へと向かう。左側には神官長とジルヴェスターとカルステッド、右手には家族が並んで座っている。両方を見て契約書を手に取ると、一度きつく唇を引き結んだ。家族と縁を切るために作られた契約書を自分で読み上げなければならないのは、すごく辛い。

「マインは死亡したと周囲に公表すること。以後、マインと会うことがあっても、お互い家族とは名乗らないこと。それから、マインに対して貴族に対する態度で接すること。以上が契約の内容になります」

わたしがテーブルの上に契約書を置くと、一番遠くに座っているトゥーリの目からはまた涙が零れ始めた。

「これに契約したら、マインはもうわたしの妹じゃなくなっちゃうの？」

「ううん、契約しなくてもトゥーリの妹じゃなくなっちゃう」

この契約魔術があれば会っても良いだけで、わたしの養子縁組自体は覆《くつがえ》ることではない。

「そんなの嫌だよ！」

「わたしも嫌だけど、もうトゥーリを危ない目に遭わせたくないの。今回は助かったけど、次は助からないかもしれない。もしかしたら、次は母さんやカミルだって危険な目に遭うかもしれない。

……わたしのせいで」

襲われた恐怖が蘇ったのだろう。トゥーリが血の気の引いた顔をさっと強張らせた。襲われてからまだそれほど時間はたっていない。怖がって当然だ。

「家族を危険に晒すのは、わたしが嫌なんだよ。わかって、トゥーリ」

「でも……」

唇を噛んだトゥーリは、うぅ～っ、と悔しそうな声を漏らすだけで納得してくれない。わたしの方が泣きたくなってくる。視界が潤んで、ぽとりと涙が落ちた。

「ねぇ、トゥーリ。これに名前を書いて。書いてくれないと、もう絶対にトゥーリと会えなくなっちゃう。家族じゃなくなっても、お姉ちゃんって呼べなくても、トゥーリの顔だけでもいいから見たいんだよ、わたし」

「え？」

トゥーリが目を丸くして、わたしを見た。ガタッと立ち上がって、わたしの横まで泣きながら早足で歩いてくる。わたしはトゥーリに抱きついた。

「わたし、トゥーリとカミルのために絵本やおもちゃ、頑張って作るから。孤児院や部屋に遊びに来て。顔だけでも見せて。元気かどうかだけでも知りたいよ」

「マイン、泣かないで」

トゥーリはぎゅっとわたしを抱きしめながら、嗚咽によって途切れる言葉で必死に慰めてくれる。

「わたし、孤児院へ遊びに行くから。マインが作ってくれた本を、ちゃんと読めるように、頑張って、字を覚えるから」

「うん。遊びに来て、それで、絵本やおもちゃを持って帰ってくれると嬉しい。カミルは洗礼式まで神殿に来られないから、トゥーリから渡してほしいの」

トゥーリの温もりに口元を笑みの形に歪めながら、わたしはトゥーリを見上げた。

ずずっと鼻をすすりながら、トゥーリが請け負ってくれる。

「うん、うん、絶対に渡す」

「それから、トゥーリはコリンナさんの工房に入るんでしょう？　いっぱい練習して、一流のお針子さんになったら、わたしの服、注文するから、いつかトゥーリが作ってね」

わたしの言葉にトゥーリの目が強い光を帯びた。潤んで赤くなった目でしっかりとわたしを見つめて、コクリと頷く。

「約束、するよ。絶対にマインの服を作ってあげる」

「大好きだよ、トゥーリ。わたしの自慢のお姉ちゃん」

一度ぎゅっと抱き合った後、ぐしぐしと泣きながら、トゥーリは契約魔術の契約書にサインする。冬の間に孤児院に通って覚えた字がこんな形で役に立つなんて、少し皮肉な気分だ。

トゥーリは自分のナイフを取り出すと、ぐっと血判を押した。サインを終えたトゥーリは必死で嗚咽《おえつ》を呑み込みながら席へと戻っていく。

「マイン」

スリングごとカミルを父さんに預けて、母さんが席を立った。契約書の前で立ったままのわたしに膝をつき、膝立ちのまま、包み込むようにわたしを抱きしめる。お乳の匂いだろうか、甘くて懐かしいような匂いに包まれ、わたしは母さんの背中に腕を回した。

「母さん……」

ぎゅっと抱きついたまま、何と言えばいいのか咄嗟には思い浮かばなくて言葉にならない。黙ってしがみつくわたしに、母さんは困ったような口調で呟いた。

「親の手を離れるのが早すぎるわ」

「……ごめんね、母さん」

抱きしめられたままなので、母さんの心音と声が同時に耳に届く。寝かしつける時のように髪を優しく梳《す》きながら、母さんはこんな時までいつもの注意事項を述べ始めた。

「マインはすぐに体調を崩すんだから、気を付けて。何かあったら周囲の方に相談するのよ。迷惑をかけないように皆さんの言うことをよく聞いて。一人で勝手に突っ走らないこと。自分にできるお手伝いはきちんとして、周囲に頼りすぎないようにしなさい。あとは……」

いつもは、はいはい、と聞き流すお小言ももう聞けなくなるのかと思うとひどく寂しい。抱きついたまま、コクリコクリと一つずつに頷いて耳を傾けていたが、あまりにも注意されることが多すぎて、途中で同じような注意事項がループしていて、何だか笑いたくなってきた。

「それから、これが最後よ」

「まだあるの？」

わたしが顔を上げて、思わずくすっと笑うと、それまで笑顔だった母さんの表情がぐしゃりと崩れて、涙が顔にパタパタと落ちてきた。

「無理だけはしないで。元気でね。……愛しているわ、わたしのマイン」

「わたしも母さん、大好き」

しばらくきつく抱きしめていてくれた母さんがゆっくりと手を離して、立ち上がる。

「母さん、名前書くの、代筆《だいひつ》しようか？」

父さんは仕事で、トゥーリはわたしが教えたり、孤児院で練習したりして字が書けるけれど、母さんは字が書けなかったはずだ。わたしが尋ねると、母さんはゆっくりと首を振った。

「母さんもトゥーリと一緒に冬の間に練習していたのよ。マインの手紙を読みたいと思ったから。これでも家族の名前だけは書けるようになったのよ」

母さんが恥ずかしそうに笑いながらペンを持つと、覚束《おぼつか》ない手で自分の名前とカミルの名前を契約書に書き込んで、自分の分の血判を押した。

父さんがスリングにカミルを入れたまま、わたしと母さんのところへとやってくる。母さんにカミルを渡すのだろう。母さんもその場に立ったまま、席に戻らず待っていた。

「ねぇ、父さん。カミルを抱っこしていい？」

「あぁ」

左腕を不自由そうにぎこちなく動かし、母さんに手伝ってもらいながら、父さんはスリングを外して、わたしに預けてくれる。

やっと様になってきた抱き方で抱いて、覗き込むとカミルが目を開けていた。頬擦りすれば、赤ん坊らしい甘い匂いがする。それを胸いっぱいに吸い込んで、カミルの可愛い額に口づける。

「カミルは覚えていられないと思うけど、カミルのために絵本だけはいっぱい作るから、ちゃんと読んでね」

カミルに嫌がって泣かれる前にスリングごと母さんに返す。母さんは少し躊躇った後、浅くカミルの指に傷をつけ、ほんの少しの血をカミルの名前の上に押す。

痛みに泣き出したカミルをなだめながら母さんがその場を退いたので、わたしは父さんに向き直った。火傷した左腕にはあまり力が入らないのか、父さんが抱きしめてくれるのは右腕だけだ。

「父さん、腕、大丈夫？　痛いよね？　ごめんね、わたしのせいで、こんな怪我……」

「違う。俺が父親なのに、力不足だったんだ。守ってやれなくて、すまない、マイン」

呻くような低い声で父さんがそう言って、悔しそうに顔を歪めて涙を流す。力が籠っている右腕を感じながら、わたしは何度も首を振って否定する。

「ううん、父さんはいつもわたしを守ってくれたよ。わたし、いつか結婚するなら、父さんみたいにわたしを守ってくれる人が良いもん」

わたしの言葉を聞いた父さんは、ぐにゃりと眉を寄せて、泣き笑いで首を振る。

「マイン、そういう時は、父さんのお嫁さんになりたいって、言うんだ」

「うん。……わたし、父さんの、お嫁さんになりたい」

ぎゅっと父さんに抱きついてそう言うと、父さんはわたしの肩口に顔を伏せた。

「そうか。……ずっと娘に言われたいと思っていたが、夢が叶った途端、マインがいなくなるのは辛いものだな」

ずっとわたしを大事に守って、育ててくれた父さんの言葉に涙が止まらなくなった。

「わたし、名前も変わるし、もう父さんのこと、父さんって呼べないけど……父さんの娘だから。だから、わたしも街ごと皆を守るよ」

「マイン」

父さんにきつく抱きしめられて、感情が溢れて止まらない。それと同時に、神官長から借りたままだった指輪に魔力が満ちて、光り始めた。

「なっ⁉」

「マイン⁉」

父さんが驚いたように離れて、光る指輪とわたしと光るタクトを手に立ち上がった三人を交互に見る。

「マイン、抑えろ！」

「ダメ。……この魔力は使わなきゃ。家族を思って、溢れた魔力だから、家族のために使わなきゃダメなんだよ」

そう呟いた途端、一層指輪の光が力を増した。唇が半ば無意識に祈りの言葉を呟く。

「高く亭亭《ていてい》たる大空を司る、最高神は闇と光の夫婦神　広く浩浩《こうこう》たる大地を司る、五柱の大神　水の女神フリュートレーネ、火の神ライデンシャフト、風の女神シュツェーリア、土の女神ゲドゥルリーヒ、命の神エーヴィリーべよ　我の祈りを聞き届け　祝福を与え給え」

神に祈りを捧げながら、わたしはゆっくりと両手を挙げる。神の名と同時に指輪からゆらゆらとした薄い黄色の光が溢れ始めた。それを見つめて、ただひたすらに祈る。

離れてしまう家族にありったけの祝福を。

「御身に捧ぐは我が心　祈りと感謝を捧げて　聖なる御加護を賜わらん　痛みを癒す力を　目標に

進み続ける力を　悪意を撥ね退ける力を　苦難に耐える力を　我が愛する者達へ」

薄い黄色の光が粉のように部屋の中に満ちて、キラキラと降り注ぐ。それは家族だけではなく、わたしにとって大事な人のところへ向かったのか、一部は外にも飛んでいったようにも見えた。

「傷が、消えた……」

「フリュートレーネの癒しの力だよ」

跡形もなく魔力の火傷が消えた父さんの左腕をわたしはゆっくりと撫でた。

「マイン、お前は自慢の娘だ。その力を正しく使って、街を守ってくれ」

「父さんに怒られるような使い方はしない。約束するよ」

握った拳同士を軽く当てた後、父さんは契約書に向かい、震える手でサインした。ナイフで血判を押した父さんが、奥歯を噛みしめて俯く。

わたしはペンを手に取って、順番に家族を見つめた。目を真っ赤にしてこちらを見ているトゥーリ。祝福で傷が塞がったせいか、泣き止んでスリングに入っているカミル。カミルを抱きながらわたしを見て、静かに涙を流している母さん。そして、わたしの隣に立ったまま俯いて目頭を押さえている父さん。

「父さん、母さん、トゥーリ、カミル。愛してるよ」

わたしの前に広げられているのは、家族と呼べなくなる契約書とマインからローゼマインへと改名するための二枚の契約書だ。奥歯を噛みしめて一気にサインすると、わたしは父さんの前に手のひらを広げて差し出した。泣きながら、父さんは仕方なさそうな顔で浅く指に傷をつけてくれる。

ぷくりと盛り上がってきた血を、二枚の契約書に押し付けた。次の瞬間、全員の署名がされた契約書は、金色の炎を上げながら燃えて、消えた。

「契約魔術は成立した。ここにいるのはローゼマイン、上級貴族の娘だ」

金色の炎に包まれる契約魔術の成立を驚いたように見つめていた家族は、ジルヴェスターの言葉に目を伏せながら跪く。

「では、失礼いたします」

「お体に気を付けて元気に過ごされますよう」

「……さようなら」

上級貴族の娘となってしまったわたしは、皆と目線を同じにしてはならない。

意味は通じないだろう。それでも、構わなかった。せめて、自分なりの敬意と感謝だけは送りたくて、腰を九十度に折って、わたしは深々と頭を下げる。

「本日はありがとうございました。また会える日があることを心より望んでいます」

家族だった人達は去り、その場にはローゼマインとなったわたしがぽつんと取り残された。

エピローグ

ルッツはギルベルタ商会にいた。神殿からの帰り道、変な男にマインとトゥーリが襲われ、ギュンター、ダームエル、オットーの奮闘《ふんとう》で取り返し、ギルベルタ商会に逃げ込んだばかりだ。

「オットー、ルッツ、何があった⁉　守秘義務を考慮して、話せる範囲で話せ！」

マイン達が逃げ込んできたという連絡が入ったのだろう。ベンノが階段を駆け上がってきて、そう言った。どう答えれば良いのか悩んでいると、オットーが目を尖らせてベンノを睨む。

「ベンノ、大きな声を出すな。レナーテが起きる」

「あぁ、悪い、悪い。ルッツ、オットーは無視していいから話せ」

オットーとベンノのいつものやり取りに少しだけ緊張が解けた。ルッツはトゥーリが迎えに来て、皆で帰ることになったところから順を追って話し始める。帰宅中に余所の貴族を捜索中のオットーと会ったこと、話をしている途中で襲われたこと。相手はマインを狙っていたようだけれど、「どっちだ⁉」と言っていたことから考えても、マインのことをよく知らない相手だったこと。ダームエルが襲撃者の足止めをし、自分達はギルベルタ商会へ逃げ込んだこと。マインとギュンターが神官長に報告するために神殿へと向かったこと。そして、すでにダームエルによって騎士団が呼ばれたことを説明した。

「そういえば、マインちゃんも助けを呼んでいたみたいだったな」

オットーがポツリと呟くと、全員の視線がオットーに集中した。マインが助けを呼んでいたことに、ギュンターの背中を追いかけて走っていたルッツは気付かなかった。ギュンターから神殿に向かうのを止められたことに加えて、知らないことが増えて、悔しさが増していく。

「首から下げていたお守りに、膝から流れている血で血判を押していたんだ。まずい状況になったら、誰かが助けてくれるらしいよ」

何だ、それ？　と思ったルッツと違い、ベンノには心当たりがあったようだ。「早すぎる！　くそっ！」と舌打ちしながら身を翻して、店へと戻っていこうとする。

「旦那様、一体何が……」

「最大級の守秘義務だ！」

誰に対してかわからないが、悪態を吐きながらベンノは階段を駆け下りていく。自分の知らないところで一体何が起こっているのかわからなくて、ルッツはぐっと唇を噛んだ。こんなにも危険なことが起こっているのに、ルッツにはマインのためにできることが何もない。ルッツがどんなに努力しても乗り越えられない壁が確かに存在した。

「ほら、ベンノの怒鳴り声にレナーテが泣き出した。怖い伯父さんだねぇ。よしよし」

オットーがレナーテを抱き上げて、軽く揺すってあやすと、ベンノの剣幕《けんまく》に驚いて目を見張っていたコリンナがハッとしたように動き出した。周囲がレナーテを中心に動き出すと、恐怖が少し薄れたのか、トゥーリの強張っていた表情が動き始めた。ギルベルタ商会に預けられ、震えて声を出せていなかったトゥーリが「マインと一緒に作ったガラガラを持ってくるはずだったのに」と小さく呟く。そこからオットーによるレナーテの自慢話が始まり、トゥーリはカミルの自慢話で対抗し始めた。

……どっちの話もオレは聞き飽きてるんだけど。

ルッツはウチの子自慢の話には参加せず、窓際に寄って大通りを見下ろす。兵士や騎士達の動きが見られるかもしれないと考えたのだ。けれど、見えたのは襲撃があったことなど嘘のようないつも通りの人の流れだった。

……マイン、大丈夫だよな？

「トゥーリ、これから神殿に向かうことになった。おいで」

しばらくしてトゥーリを迎えに来たギュンターの左腕にはものすごい火傷のような傷があった。赤黒くなっているその傷にトゥーリの顔が一気に青ざめる。

「父さん、この傷、どうしたの⁉　マインは⁉」

「神殿にいる。行くぞ」

娘相手には常に笑顔のギュンターが、トゥーリに対して全く笑顔を見せずに低い声を出す。ギュンターの後ろにはカミルを抱えたエーファの姿もあった。まだ体が本調子ではないはずのエーファが遠出をしなければならず、家族が揃って神殿に呼ばれるということは、マインに何かあったに違いない。そう判断したルッツはギュンターを見上げた。

「ギュンターおじさん！　オレ……」

「後で説明に来る。待っていてくれ」

いくらマインと家族のように親しくても家族ではない。ルッツは呼ばれていないのだ。神殿には行くことはできず、ギルベルタ商会で待機しているしかない。

「……オレは店か、二階の旦那様の家にいるから」

「店か、二階の部屋だな？　わかった」

今までは不安がるトゥーリに付いていていただけだ。ルッツだけならばコリンナの家にいる必要はない。ダプラ見習いなのだから、一階下のベンノの家にいるべきだ。

……じっとしていても不安でイライラするだけなんだから、仕事の一つでも片付けた方が合理的かもな。

ルッツはギュンター達と一緒にコリンナの家を出て、店へ向かうことにした。玄関口で不意にギュンターがくるりと振り向き、レナーテを抱いているオットーを怖い顔で睨む。

「オットー、お前も急いで門へ戻れ。俺は騎士からの命令で神殿に行ったと士長に伝えろ」

「はっ！」

ルッツは神殿へ向かうマイン一家を見送り、店に入った。ベンノとマルクが印刷工房について真剣な顔で話し合っているのをちらりと見る。どうやらマインのお守りには何か秘密があるらしい。それは印刷工房に大きく関わることのようだ。

……今、気合いを入れて仕事しなきゃ置いていかれるな。

マインのお守りの話を聞いて、慌てて下に降りていったベンノの視界にルッツは入っていなかった。今もマルクに相談しているのに、ルッツを呼んではくれない。神殿に行くのを止められたのは仕方がないと諦められても、印刷工房が動く時に「足手まとい」だと言われたら諦められない。

……置いていかれてたまるか！

ルッツは気合いを入れ直して、マイン工房の収支計算を始める。計算はギルも頑張っているけれど、まだギルには完全に任せられないので、見直しは必要なのだ。

「そんなの、工房のヤツにやらせればいいだろう？　間違えて損をしてもそいつが悪いんだ」

神殿で給仕の教育を受けていたダプラ見習いのレオンがルッツの手元を覗き込み、顔をしかめてそう言った。マイン工房に手を出しすぎだ、とレオンは言う。他の工房や店を相手にしているレオンから見ると、マイン工房はルッツに贔屓《ひいき》されすぎているらしい。丁寧にルッツが収支計算をしたり、細々と面倒を見たりしているマイン工房は、他の者から見れば扱いが違うと思われても不思議ではないのだ。けれど、ルッツは贔屓をしているつもりなど全くない。

「マイン工房孤児院支店の立ち上げと経営は、次に新しい印刷工房を作る時の練習だから、オレが手を抜くわけにはいかないいんだ」

「次の工房？　お前、そんな仕事をするのか？」

レオンが驚きの声を上げるのを見ながら、ルッツは大きく頷く。

「工房を立ち上げる旦那様の仕事を手伝えるようにならないと、役に立たないから余所の街に連れていってもらえない。マインの工房なら、オレが多少失敗しても許してもらえるから、練習しろって言われてるんだよ。だから、これは贔屓じゃないんだ」

「ふーん、練習台か……」

レオンの言葉は間違いではない。他の商家出身の子供達と違って、ルッツには練習できる実家がない。失敗しながら成長できる場所がマインのところしかないのだ。


書類仕事をほぼ終え、ベンノの承認をもらっていた時、窓の向こうから突然光の塊が入ってきた。壁も窓も関係なく突き抜けてきて、部屋の中を回り始める。

「な、何だ⁉」

目を剥くベンノとマルクとルッツの頭上で、光の塊はぐるぐると回りながら、光の粉となり、降り注ぎ始めた。その光は不思議なことにレオンを避けている。

ルッツが上を見上げて呆然としているうちに、小さくなった光はゆっくりと消えていき、何事もなかったかのような静寂が戻ってきた。

「……何だったんだ？」

「わかりません」

「俺だけ避けていきましたよ、あれ」

一時は確実に光の粉が乗っていた手のひらを見ても、今は自分の中に溶け込んだような感じで、光の粉は全く残っていない。どうしてレオンだけには粉がかからなかったのか、一体あれは何だったのか、と皆で首を傾げているうちに、ギュンター達が店へ戻ってきた。

「待たせた、ルッツ」

全員が泣き腫《は》らしたような目で暗い表情をしている。神殿にマインを迎えに行ったのだとばかりルッツは思っていたが、マインの姿はなかった。嫌な予感に胸がざわりと動く。聞いてしまったら後戻りできないような気がして、「マインは?」と聞きかけた口をぎゅっと閉ざした。

何か別の話を、と焦ってルッツが視線を巡らせると、あれほどひどい火傷を負っていたはずのギュンターの腕が元通りになっているのが目についた。

「ギュンターおじさん、腕の傷……」

「マインの最後の祝福だ。光の粉が降ってきたら治っていた」

ぎりっと奥歯を噛みしめるようなギュンターの悔しそうな声と「マインの最後」という言葉に、ルッツはトゥーリやエーファを見た。体が震えて、喉がひくりと動く。「最後ってどういうことだよ?」とルッツが声にするより早く、マルクがポンと手を打った。

「では、先程の光の粉もマインの祝福だったのではないでしょうか?」

「……ここにも、来たのか?」

驚いたようにギュンターが軽く目を見張った。ルッツは何度か頷いて、光の粉が飛び込んできたこと、レオンを避けるようにして三人に降り注いだことを報告する。

「マインにとって大事な者のところへ飛んでいったようだな。俺の傷が治るくらいだ。かなり強い祝福だぞ」

悲しげにギュンターが笑う。その諦めたような笑みを見て、ルッツは悟った。全ては自分の手が届かない場所で、すでに終わってしまったのだ、と。

「……マインはどうしたんだ？　なんでいないんだよ？」

「マインはいなくなったの。貴族に取られて、もういないの」

トゥーリがほたほたと涙を落とす中、ベンノは眉間に深い皺を刻んで、目を細めた。

「ギュンターさん、一つ聞きたい。マイン工房はこのまま存続《そんぞく》するのか？」

「旦那様、マインがいなくなったって時に何を⁉」

「黙れ！　大事なことだ。死んでしまったならば、ウチの店が買い取って存続させなければならないし、貴族に取り込まれたならば、別の対処が必要になる」

ベンノの言葉がよく理解できなかったルッツと違い、ギュンターには意味がわかったらしい。

「……ベンノさん、貴方は知っているのか？」

「詳しくは知らないが、オットーがお守りに血判を押したと言った。ならば、マインが本当に死んでいなかった場合、どうなるのかはわかる。アウブ・エーレンフェストに取り込まれたのだろう。

……新しい工房長の名前は何になるんだ？」

ギュンターは横で見ていたルッツの背筋が凍りそうなほど怖い目でベンノを睨みながら口を開く。

「上級貴族の娘、ローゼマイン。それが新しい名前だ。マインは死んだ。そういうことになる」

「そういうことって……」

絶句するルッツの頭を、ギュンターはまるでマインに対してするように軽く撫でた。

「俺達家族を守るために、マインは上級貴族の娘となった。領主様の養女になる予定の上級貴族の娘を守るためだったという建前を作ることで、俺達もマインの命も守られたんだ。その代わり、俺達は家族として接することを契約魔術で禁じられた。お前達もマインと深く関わりすぎている。処分されないように気を付けた方が良い」

「忠告、感謝する」

ベンノは礼を述べた後、溜息と共に肩を落とした。

「それにしても、あと二年ほどは猶予《ゆうよ》があると思っていたが、ずいぶんと急だったな」

「旦那様、マインがいなくなったんだぞ⁉」

上級貴族に取り込まれ、家族として会えなくなったのに何てことを言うんだ、とルッツはベンノの言動にカチンときて思わず叫んだ。しかし、ベンノから返ってきたのは冷たい視線だった。

「あのな、ルッツ。アレは死んだわけじゃない。ローゼマインとしてこれから生きていくことになるんだ。平民から上級貴族の娘になったところで、アレの本質がそう簡単に変わると思うか？　権力を持った分、暴走を始めたら余計に怖いだろうが！」

今でもマインは暴走気味なのに、上級貴族の権力付きで暴走されると止められる者がいなくなる。

ベンノは頭を掻きながら怒鳴る。

「しかも、名前が変わっただけならば、ローゼマインはそのまま引き続きイタリアンレストランの共同出資者だ。下級貴族からやっと中級貴族との取引が増えてきたギルベルタ商会がいきなり上級貴族の御用達で、共同事業主になるんだぞ。おろおろめそめそしている暇があったら、働け！　マインだろうが、ローゼマインだろうが、あいつが望むのは何だ⁉」

死んでも治らなかった本好きが、上級貴族のローゼマインになったところで、治るわけがない。望む物は一つだけに決まっている。

「本です！」

「その通りだ。相手の立場や接し方が変わっても、俺達がやることはただ一つ、商売だ。領主のお墨付きももらっている以上、俺達ギルベルタ商会はローゼマインと嫌でも接することになる」

ベンノの言葉にピクリとマインの家族の顔が動いた。

「貴方達では上級貴族に会えなくても、言葉を交わせなくても、俺達は商売としてローゼマインと話ができる。書類のやり取りがある。その中に手紙を潜《ひそ》ませるくらいは容易《たやす》いことだ。それを想定してルッツとマインはすでに契約魔術を交わしている。最低限の連絡なら取れる」

面と向かって家族と呼べなくても、手紙を書くことまで禁止されたわけではないだろう。契約魔術にも抜け道はあるんだ、と言ってベンノは唇を辛辣《しんらつ》な笑みに歪めた。

「ねぇ、ルッツ。わたしが手紙を書いたらマインに届けてくれる？」

トゥーリの言葉にルッツはハッとした。まだマインのためにできることはある。少なくとも死んでいないのだから、まだ大丈夫だ。本を作ること、家族との橋渡しをすることを考えて、ルッツは大きく頷いた。

「任せとけ」

店を出て帰途に就く。ここから先、マインは死んでしまったことになる。帰るとすぐにマインの葬式を行わなければならない。

「ルッツ、マインは入ってきた余所の貴族に殺されたんだ。そう家族には説明してくれ。こちらもすぐに準備を始める」

ギュンターは眉間に皺を深く刻んだ顔で虚空《こくう》を睨む。余所の貴族が入ってきたせいでマインは貴族になるしかなかった。そう考えると、ギュンターの説明は嘘ではない。

「わかった」

家に帰ると、親にマインの葬式があることを報告して、掻き込むように夕飯を終わらせた。先に食事を終えた両親が黒い布を腕に巻いてバタバタと駆け出していく。ルッツは兄のラルフと黒い布を腕に巻きあった。これは葬儀に関係していることを示すものだ。

「……なぁ、ルッツ。なんで、マインは死んだんだ？　最近は元気だっただろう？」

「貴族に殺されたって、ギュンターおじさんには聞いたけど、現場を見ていないから、オレも詳しくは知らない」

井戸の広場には同じように黒い布を腕に巻いて結んだ近所の人達が集まってくる。本来ならば、墓地に向かって運べるように、板の上に遺体が乗せられるはずだが、遺体のないマインはそれができない。皆の前にあるのは、遺体ではなく小さな木箱だ。中に入っているのはマインの服が一着と普段身に着けていた簪が一本、それだけ。

「遺体がないって、どういうことだい？」

集まった近所の者達は普通ではない葬式に目を見張る。喪主であるギュンターは苦しそうに顔を歪めて俯いた。

「マインは……余所から入ってきた貴族に襲われ、殺され、遺体を奪われたんだ」

「……それは、災難だったな」

貴族に奪われたものは返ってこない。この近隣の者はギュンターが子煩悩《こぼんのう》で、虚弱《きょじゃく》なマインを溺愛《できあい》していたことを知っている。遺体さえ手元に返ってこないことがどれほど辛いかなんて、聞かなくてもわかる。貴族が関連するのだから、それ以上の質問など誰にもできるものではなかった。

「やっと元気になってきたところだったのにねぇ……」

木箱を見つめながら、近所の皆がマインの洗礼式の時の様子やカミルのお披露目の時の様子を思い出しては口々に述べ始めた。

死者の国の扉が開くのは、闇の神と光の女神が出会う夜明けだと言われている。無事に朝日が昇る時、夫婦神の導きで死者の国へと迎え入れられるのだ。故人が無事に死者の国に迎え入れられるまで、故人の思い出を語りながら夜を明かす。

けれど、近所との付き合いがほとんどなかったマインについては語れることも少ない。

「……ルッツはマインと仲が良かったんだろ？　何か話しておくれよ」

ルッツはマインと過ごした二年半を思い出す。最初は門まで歩けなかった。本が欲しくても、紙もインクもなくて、草の繊維《せんい》を編んだり、粘土板を作ったり……。やっと紙が作れても、すぐには本が作れなかった。

「マインは何かやったら、すぐに倒れるんだ。でも、自分が欲しい物のためにすごく頑張ってた。

最初は井戸まで行くにも息を切らせていたマインが、森に行けるようになったんだから」

「そういえば、土をいじったり、木を削ったり、変なことをしていたよな」

「ルッツと一緒に鍋で木を茹《ゆ》でていなかったか？」

一緒に森へ行ったことがあるフェイ達が思い出したように次々と森でのマインの様子を語った。

それにつられたようにルッツの家族がぽつぽつと言葉を零す。

「マインの考える料理はうまかったな」

「マインはギュンターの門の仕事を手伝いながら、字や計算を覚えて、ウチのルッツに教えていたんだ。頭は良かったよ」

「へぇ、それは知らなかったな」

洗礼式を終えて、ルッツは商人見習いになって、マインは神殿の巫女見習いになった。神殿の巫女見習いというのは外聞が悪いので、わざわざ口にはしない。門の手伝いをしたり、ルッツとの繋がりでギルベルタ商会から得た書類仕事を家でしていることになっていた。だから、洗礼式の後のマインを知っている者は本当に少ない。

マインは孤児院に工房を作って、インクを作って、本を作ったんだ。ヨハンのパトロンになって金属活字を手にしたし、ハイディの色インクの研究を応援して、インゴと試行錯誤しながら印刷機を作り上げていこうとしていたんだぜ。マインはすごいんだ。

ルッツはそう言いたかったけれど、言えなかった。本作りに関しては、一体どこまで話して良いのかわからない。

「マインは虚弱で発育も遅くて、いつ死んでしまうのって心配で仕方がなかった子だったわ。自分でやるってイヤイヤを言い出したのも、トゥーリは二歳か三歳だったのに、マインは五歳になる頃で……」

それまではトゥーリばかり元気でずるい、外に行けるなんてずるい、と泣いてばかりいたのだ、とカミルを抱いたエーファがポツリと零す。健康に産んであげられなかったことを責められて、母親として辛かったらしい。

それは、多分、前のマインの話だな、とルッツは思った。ルッツの知っているマインは「ずるい」とは泣かない。何とか体力を付けようと奮闘していた。空回りすることも多かったけれど、本を読むためだけに全力を注ぎ込んでいた。

「ずるいって泣かなくなった後もイヤイヤはずっと続いていて、今度は怒りんぼになったの。もうこんな体はイヤ！　って叫びながら、部屋の掃除をしては熱を出し、妙な踊りを踊っては倒れて、これは体にいいと言って食べてはお腹を壊して……」

そう言ってエーファは小さく笑う。

……そっちはオレの知っているマインだな。

ルッツは脳裏にマインの奇行をはっきりと思い浮かべることができた。

「わけのわからないことが理由でいきなり泣いたり、怒ったりするイヤイヤがおさまる頃には、ルッツと森に行けるようになってきたのよ。普通の子と同じように、とは望めなくても、外に出かけたり、お祭りに参加したりできるようになってきていたのに、こんなふうにいなくなるなんて……」

その後、マインの家族は涙を流していて、何も言葉にできないようだった。けれど、やっと元気になってきていた娘を余所の貴族に殺されて、遺体もないのでは仕方がないだろう、と周囲は囁き合う。語れることが少なくて静かな葬式だ。焚火《たきび》の光の中、ギュンターは涙を流しながら無言で板を削り、マインのための墓碑《ぼひ》を作っていた。

交代で仮眠を取りながら夜を明かす。二の鐘が鳴り響く頃には、奥さん方がパンとお茶を配り出した。葬式が終わるまで肉の類は口にしてはならないからだ。簡素な朝食を終えると、近所の皆で軽い板を担いで、神殿へ向かった。死亡したという届出をして、埋葬に必要なメダルをもらわなくてはならない。

神殿の門番に死亡の届け出の話をして、礼拝室に入れてもらう。街の人間が死んだ時は灰色神官が対応するのが常であるのに、今回は何故か神官長が出てきた。

「七歳の夏生まれでマインという名前だな？　了解した」

しばらく礼拝室で待っていると、神官長は白くて平べったいメダルを持って戻ってきて、ギュンターに渡した。マインが洗礼式の時に血判を押して、登録したメダルだ。これは埋葬の許可証でもあり、金をかけて墓石や墓碑を準備できない貧乏人にとっては墓石代わりに使うことになる。

神殿でメダルをもらったら、街の外にある墓地へ向かう。近所のおじさん達が担ぐ板には木箱しか乗っていなくて軽いので、皆の足は自然と早くなった。そして、マインに関する思い出が少ないので、どうしても皆の口数は少ない。

墓地の中でも入り口から最も遠い一角に木箱を埋める。それほど大きくもない木箱なので、埋めるのも早い。ギュンターは削っていた墓碑とするための板にメダルをぐっと押し付けた。すると、板にメダルがピタリとくっついて離れなくなる。周囲の墓と同じように、この板を墓標として土に深く差し込んで立てておくのだ。

金持ちの墓碑には色々と言葉が彫り込まれているが、この辺りの貧乏人の墓碑は字が読める人が少ないから、言葉が彫り込まれていることはほとんどない。削った木の形やくっつけたメダルの位置で確認するくらいだが、マインの墓碑には「愛する娘」と刻まれていた。

街の外にある墓地への埋葬が済めば、葬式は終了になる。死んだのが一家の主であれば、遺産相続についての話し合いやこれから先の一家を支える跡継ぎの決意表明のようなものがあるけれど、洗礼式を終えたばかりのマインに関しては、そんなものもない。

葬式の次の日には、周囲の人々は元の生活へと戻っていく。ルッツも普段通りの生活に戻った。家を出て、階段を駆け下り、井戸の広場を通って、また階段を駆け上がる。コンコンと扉を叩くと、トゥーリが不思議そうな顔でオレを見た。

「おはよう、ルッツ。何かあったの？」

「何かって……あ！」

ローゼマインとなってしまったマインとは、もう一緒に神殿に行くことがない。あちらこちらとフラフラしながら歩くマインを見張る必要がない。マインの体調を気にして歩くことも、一緒に何かを作ることも、寂しいと甘えてくることも、困って泣き付いてくることも、何もないのだ。

「……マイン、本当にいないんだな」

ローゼマインとなってしまっても、マインはまだいると思っていた。だが、上級貴族の娘として生きていかなければならないローゼマインはもうマインではない。ルッツが知っている、ずっと一緒にやってきたマインではないのだ。

ルッツは今マインがいなくなったことを本当の意味で知った。ぶるりと体が震えて、葬式の時には出てこなかった涙が一気に溢れてくる。

ルッツが落ち着くまで、トゥーリはマインを慰めている時のようにゆっくりと頭を撫でてくれた。

「ルッツはまだお仕事でマインと話ができるんでしょ？」

「……話ができても、もうマインじゃない」

「そうだね。でも、マインは話ができなくてもいいから、顔だけでも見たいって、最後まで言ってたよ」

トゥーリはポツリポツリとマインとの最後のやりとりを教えてくれた。家族とは名乗れなくても、元気な姿だけでも見たい。そう望んでいたマインなら、商売に関することだけでもルッツと話がしたいと言うだろう。

「ねぇ、ルッツ。今日はわたしをギルベルタ商会へ連れていって」

「トゥーリ？」

「わたし、マインとの最後の約束を果たしたいの」

そう言って一度寝室に引っ込んだトゥーリの手にはマインがいつも使っていたトートバッグがあった。その中にはレナーテのためにマインと一緒に作っていたガラガラとマインが使っていた書字板が入っている。

「コリンナ様の工房に入って、一流の針子になって、わたしが服を作ってあげるって約束したの。わたしはわたしの方法で会いに行くよ。ルッツもマインと色んな約束をしたんでしょ？」

トゥーリの言葉にルッツはマインと話をした色々なことを思い出した。マインと一緒に本を作って売ると約束した。マインが考えた物はオレが作ると約束した。

「……オレ、泣いてる場合じゃなかったな」

マインが一日中本を読んで過ごせるくらい、たくさんの本を作ってやらなければならない。

ぐっと涙を拭いて、ルッツは荷物を持つと、トゥーリと一緒に重たい玄関の扉を開けた。

それから貴族街へ向かうまで

フリーダ　貴族街訪問

「あら、もうこんな時期ですのね」

寝る前に着替えている時、ブレスレットの魔石の色が少し変わっていることに気が付きました。黒の小さな魔石が並んだブレスレットですが、そのうちの一つが透き通っています。

貴族と契約している身食いのわたくしには、溢れる魔力を受け取ってくれる魔術具が契約主から与えられています。その魔石の色が変わるのは魔力がかなり溜まってきた兆候《ちょうこう》ですから、契約主であるヘンリック様のところへ行かなければなりません。

「おじい様、ヘンリック様に面会をお願いしてくださいませ。魔石の色が変わってまいりました」

わたくしは翌朝おじい様にお願いしました。貴族街に入るには許可が必要で、未成年であるわたくしはおじい様と一緒に向わなければならないのです。

「もう、そんな時期か」

「えぇ、今回もお土産はカトルカールで良いかしら?」

「先方が気に入っているようだから、それで良かろう」

「では、今回はルムトプフを混ぜた物にいたしましょう」

冬の新作カトルカールは、マインに教えてもらって作ったルムトプフを細かく切って生地に混ぜ込んだ物です。生地に混ぜるルムトプフのちょうどよい量を探すために失敗作も多く出ましたけれど、イルゼの努力でとてもおいしく仕上げることができました。このカトルカールはお酒の香りが強く、貴族の男性にも人気が高い一品となっています。

ただ、ルムトプフ自体が試作品だったため、それほど多くのカトルカールを作ることができませんでした。この夏はもっと多くのルムトプフを作る、とイルゼは張り切っています。

「そろそろ新しい商品が欲しいが……」

そう言いながら、おじい様は意味ありげに厨房《ちゅうぼう》の方へと視線を向けました。厨房にいるだろうイルゼも、わたくしも新しい商品が欲しいとは思っています。

「マインが捕まりませんものね」

ベンノさんが周囲に対して徹底的にマインの存在を隠そうとするので、マインを捕まえるのは大変なのです。ギルドに提出する書類関係は全てギルベルタ商会を経由して来ますし、本来ならばギルドを通じて行われるお金のやり取りや春に行われる年に一度の収支報告さえ、ベンノさん経由で行われます。

商人ギルドの会員でありながら、マインは驚くほど商人ギルドに顔を出さない工房長なのです。そのくせ、売り上げは街の中でもかなり大きい工房になっています。植物紙と絵本、冬の手仕事として作られ、売られ始めたおもちゃの数々……。マイン工房から出されているのは、一見数は少ないですが、どれもこれも高価で利益が高いものばかりです。そして、ギルベルタ商会が取り扱っている新商品の数々もマインから権利を買ったものでしょう。

「ギルベルタ商会からは次々と新商品が出ていますものね。……本来の服飾とは全く関係のない商品まで」

リンシャン、髪飾り、新しい形のハンガーあたりは本来の仕事からそれほど離れていませんけれど、植物紙や絵本、玩具、書字板なんて服飾関係のお店には全く関係がない商品です。

「だが、マインが関わっているのは商品だけではないだろう？」

「えぇ」

商人ギルドへと持ち込まれてくる契約書の中でも、マインの名前が付いている物は、インク協会との契約、鍛冶工房のパトロンとしての大型注文、木工工房への大型の注文、ベンノさんが開く予定の食事処の共同出資者……どれもこれも大金が動くものばかりなのです。

「巫女見習いとして神殿に入ったと言っていたのに、マインは一体何をしているのかしら？　普通の商人よりよほど高額の取引をしているように見えるのだけれど」

カトルカールの契約が切れたというのに、マインはこちらにちっとも顔を見せませんし、連絡もしてきません。

……カトルカールはこのまま独占していても良いのかしら？　何の連絡もないので、このまま独占するつもりですけれどね。

魔石の色が変わり始めてから十日ほどたって、ヘンリック様からの面会許可が下りました。お約束の日は五の鐘を聞いた後、おじい様と一緒に貴族街に向かいます。

「では、行くぞ」

「はい、おじい様。お母様、いってまいります」

馬車に乗り、おじい様と並んで座ると、バタリと扉が閉められます。ガタンガタンと揺れる馬車の中で、手首のブレスレットがゆらゆらと揺れて存在を主張してきました。

「ずいぶんと色が変わっているな」

「早くヘンリック様に渡して、空にしてもらわなければなりませんわね」

このブレスレットをヘンリック様にお渡しすると、魔力を空にした状態でまた返されます。わたくしの用件はそれだけですが、魔力を空にするためには少し時間が必要なようで、いつも夕食に招待されるのです。

「これが昼食ならばもう少し気が楽なのですけれど……」

「夕食への招待は我々を正式な客として遇してくださっている証だ」

「お断りができないことは存じております」

夕食に招待されると、当然のことながら閉門の時間を過ぎてしまうので、ヘンリック様の館に泊まることになります。泊まりともなれば、湯浴みをしなければなりません。

「マインに言われて、お湯につかる時間を短くするように心がけるようになってから、気分の悪さは軽減されましたけれど、熱さで気分の悪くなる貴族の湯浴みは、まだ好きになれないのです」

「……それは慣れるしかないな」

くっと小さく笑うおじい様は、わたくしが長時間かけて湯浴みをさせられている間、執事と商談をしているのです。わたくしは少しだけ膨《ふく》れて見せました。

「わたくしは湯浴みより商談の方が良いのですが、我慢しているではありませんか」

馬車は大通りの突き当たりにある神殿の前で右に曲がりました。神殿と同じ素材で作られている白くて高い壁がずっと続いています。貴族街と下町を区切る白い壁に沿ってしばらく走ったところに貴族街への入り口があるのです。

「数百年ほど昔は貴族街のみが街だったのでしょう？　わたくし、先日習ったのです」

「あぁ、そうだ。今の領主様のご先祖様が領主となった時に街が拡大されたと言われている」

余所の貴族が攻め込んできて、領主が街を守り切れなかった場合、次の領主は以前の領主より力が強いのが普通です。そうすると、新しい領主の力に合わせて、街が拡大されるらしいのです。

「それまで使われていた街が貴族街として一新されて、南側に平民のための下町が作られたのでしょう？」

「そうだ。それに、検問のために旅人の足止めをしていた正門前の宿泊施設が神殿として利用されるようになったそうだ。今も貴族の方々は神殿の奥にあると言われている貴族門を使って出入りしているそうだが、我々には関係のないことだ」

おじい様の言う通り、昔は門番のための通用門だった、それほど大きくはない門を北門として、わたくし達平民は貴族街へと出入りするのです。

北門に立つのは、下町の兵士と下級貴族の騎士が数名です。通行料を払った後、心付けとして商品をいくつか騎士達に渡します。その後、許可証が改められ、貴族街へ入る目的や行き先を聞かれます。騎士の目が明らかに平民を見下したもので、心は波立ちますが、それを気にしていたら、将来ここで暮らしていくことはできないでしょう。わたくしが不愉快な眼差しにも笑顔でいられるようになるのに、それほどの時間はかかりませんでした。

「よし、では、乗り換えを」

「かしこまりました」

下町で使われる馬車は汚れているため、北門で貴族街を走るための馬車に乗り換えます。そして、全く汚れのない美しい白の街並みを、ほとんど揺れることのない快適な馬車で走るのです。

「この馬車、下町でも使いたいといつも思うのですけれど……」

「揺れを軽減するのに魔術具が使われているらしいからな。難しかろう」

下級貴族であるヘンリック様のお屋敷は北門から比較的近い場所にあります。門に近いほど安いのは下町も貴族街も同じなのでしょうか。

「お待ちいたしておりました、フリーダ様」

執事が出迎えてくれ、客間へと通されます。我が家の客間と似たような雰囲気であるのは、おじい様がヘンリック様の家を真似られたせいです。我が家と違って、魔術具が当たり前に使われておりますので、見た目は似ていても大違いなのですけれど。

「待たせたな」

ヘンリック様がいらっしゃいました。わたくしと契約した時が十七歳だったので、今は二十歳でしょうか。見た目通り誠実でおっとりとした雰囲気の貴族様です。二年前にお父様を亡くされて、若い身の上で当主として苦労していらっしゃるそうです。

ヘンリック様には正妻とお子様がいらっしゃいますが、第二夫人はいらっしゃらず、平民のわたくしが成人すると妻の立場には数えられない愛人という立場になります。経済的には我が家に頼っている状態だと言えるでしょう。

ヘンリック様はお金には少々苦労している貴族ですが、それは基本的に真面目で温厚《おんこう》な一族だからだ、とおじい様はおっしゃいました。後ろめたいことや、平民から無理やり搾取《さくしゅ》するようなことをしていないせいだろう、と。そのような人柄からわたくしの契約相手として選ばれたそうです。

「水の女神フリュートレーネの癒しにより緑萌ゆる良き日、神々のお導きによる出会いに、祝福を賜らんことを。……お久し振りに存じます、ヘンリック様」

貴族らしい長々とした挨拶を交わします。季節ごとに称《たた》える神が変わる面倒な挨拶をしている時に、マインから買った絵本のことがふと頭を過りました。

……そういえば、眷属に関する絵本を作ると言っていたけれどできたのかしら。

マインが作っていたのは、表紙を好きなように作り直すことができる絵本です。白黒の絵本ですが、神様についてとてもわかりやすく書かれていて挿絵もとても美しいのです。わたくしは以前に買った神の絵本に眷属の絵本を全て揃えてから、革の表紙を作るつもりです。

「フリーダ嬢、手を……」

ヘンリック様の声にハッとして、わたくしはブレスレットの付いた左手を差し出しました。どこからか取り出された光る棒で、軽くブレスレットを叩くようにして、ヘンリック様が小さく一言呟きます。すると、ブレスレットは大きさを変えて、取り外せるようになるのです。

「あぁ、かなり色が変わっているな。体に不調はないか？」

取り外したブレスレットを見て、ヘンリック様は心配そうにそう言いました。契約をした平民が相手でも、ヘンリック様はあまり尊大《そんだい》な態度を取りません。とても好感が持てます。

「大丈夫ですわ。お心遣いに感謝いたします」

「では、後ほど。食事の席で」

「かしこまりました」

ヘンリック様はブレスレットを持って退室し、その後は執事が入ってきておじい様と商談が始まります。夕食までの間、わたくしは女性の側仕えに呼ばれて、夕食前の湯浴みをして、身なりを整えなければなりません。この館へ来た時の一番の苦行が始まるのです。

時間がかかって疲れ果てるお風呂を済ませた後の夕食の席では、基本的に下町の最近の情勢が話題となります。商品の流通やわたくしの教育についての話題を無難にこなし、イルゼが順調に増やしているカトルカールの新しい味の話をいたします。

「カトルカールは成人して家を出たばかりの弟が好んでいるのだ。私は甘すぎる菓子は得意ではないが、これは酒の香りが強くて、甘さが控えられていて食べやすい」

どうやら、ヘンリック様よりも騎士の弟君が甘いものを好んでいらっしゃるようです。その弟君は秋に騎士として護衛の任務にあたっていたけれど、大きな失敗をしてしまい、罰金が必要になった方です。我が家が用立てたのですけれど、一体どのような人物なのでしょうか。わたくしはまだ面識がございません。

「旦那様、少しよろしいでしょうか」

執事がやや青ざめた顔で、何事かヘンリック様に耳打ちいたしました。ヘンリック様はすぐさま立ち上がります。

「すまない、フリーダ嬢。火急《かきゅう》の用件ができた。今日はここで失礼する」

ヘンリック様が食事の途中で執事と食堂を出ていってしまいました。あれこれと詮索《せんさく》するのは、よろしくないので、おじい様と料理の味について無難な話をしながら食事を終えます。

「では、おじい様。おやすみなさいませ」

「あぁ、良い夜を」

おじい様には男性の側仕えが付き、わたくしには女性の側仕えが付けられ、客間へと案内されます。わたくしが案内されるのはいつも使っている客間で、湯浴みの時も使った部屋です。

「どうぞ、フリーダ様」

「……あら？」

確かに湯浴みの時にはわたくしの荷物が運び込まれて準備されていたはずなのですが、今はわたくしの荷物が見当たりません。首を傾げつつ、わたくしは寝台へ案内されるままに向かいました。

側仕えの女性が寝台の天幕をするりとめくります。

「では、こちらの寝台を……きゃっ⁉」

側仕えの女性が悲鳴を上げました。わたくしが使う予定の寝台に横たわっている男性がいました。ヘンリック様とよく似た面差しで、きつく眉を寄せ、苦しそうに呻いていらっしゃいます。

「ダームエル様⁉……あ、あの、フリーダ様。執事に事情を確認してまいります」

動転したように側仕えが踵を返して部屋を出ていきました。荷物の移動がされているということは、わたくしには別の部屋が準備されていて、連絡がうまくいっていなかったということでしょう。

……困ったわ。どうしましょう。

側仕えを追いかけて一人だけで部屋を出るわけにもいかず、意識がないとはいえ殿方と二人だけで部屋に取り残されている状況も気まずく、わたくしは頬に手を当ててそっと息を吐きました。


「大変申し訳ございません、フリーダ様」

泡を食ったような顔で執事が部屋へと飛び込んできました。

本来ならばヘンリック様の弟君は騎士寮で生活をしているけれど、騎士団の任務中に大怪我をして、癒しを使える者が来るまで貴族門からもっとも近い実家に搬送されたそうです。弟君は意識がない状態なので、部屋を整える時間もなく、すでに整っている部屋へと運び込まれたそうです。

「フリーダ様には別のお部屋を準備させておりましたが、気が動転していて連絡がうまくいっていなかったようです。大変申し訳ございませんでした」

「旦那様の弟君が意識不明で運び込まれれば、気が動転するのも無理はございませんわ。お部屋が準備されているなら、わたくしはそちらに移動いたします」

事情がわかってホッと息を吐いた時、窓から光の塊が飛び込んできました。寝台で眠るダームエル様の上でくるくると回り、光の粉をまき散らします。真っ暗の部屋の中に光の粉が散る様はとても美しく幻想的な風景でした。

「……これも魔術でしょうか。なんて綺麗」

わたくしが手を伸ばしても、光の粉は意思があるようにふわりと避けていきます。くるくると舞い散る光の粉に目を奪われていると、突然ダームエル様が飛び起きられました。

「無事か、巫女見習い⁉」

「え⁉」

ダームエル様が上半身を起こすと同時に、手には光る棒が握られています。ダームエル様は何かと戦っているような険しい表情で辺りを見回し、直後、面食らったような顔になりました。

「……ここはどこだ？」

おそらく意識が途切れた時と混同されていらっしゃったのでしょう。混乱したような顔で周囲を見回すダームエル様の前に執事が進み出ました。

「ダームエル様、お体の調子はいかがでしょうか？　意識不明で屋敷に運び込まれてまいりましたので、こちらで休んでいただいていたのですが……」

「体は何ともない。光の残滓《ざんし》から考えても癒しが効いたのであろう」

ダームエル様は自分の腕を見下ろして、そう言った直後、ざっと顔色を変えられました。

「私は急ぎ騎士団へ戻らなければ」

「ダームエル様、少しお体の様子を見た方が……」

先程まで意識もなく呻いていたようには全く見えない程の身のこなしで寝台から滑り降りると、ダームエル様はバルコニーに向かって駆け出し、大きく窓を開けました。

「護衛任務の途中なのだ！　またしても、任務失敗ということになれば、私は……」

ダームエル様が腕を振るだけで、バルコニーには白い大きな羽のついた馬が現れました。そして、それにひらりと跨《また》がって、険しい顔で空に向かって飛び立ちます。暗くなった夜空に白い翼が大きく動くのが見えました。

光の塊が飛び込んできてから、ダームエル様が飛び立っていくまでは、あっという間の出来事で、取り残されたわたくしと執事は呆然としたまま、見送るしかできませんでした。

「……フリーダ様、お部屋に案内いたします」

「えぇ、お願いします」

ダームエル様を引き留めることもできず、見送ってしまった執事が我に返って、わたくしを新しく準備された部屋へと案内してくれました。

寝台に上がって、わたくしは先程のダームエル様の言葉を思い返します。「無事か、巫女見習い」と確かにおっしゃいました。今、神殿にいる巫女見習いはマインしかいないはずです。ダームエル様が護衛の任務中に大怪我を負ったということはマインも何かに巻き込まれている可能性が高いと思われます。

「一体何があったのかしら？」

たとえヘンリック様に尋ねたところで、貴族がそう簡単に事情を教えてくださるわけがございません。わたくしがマインの友人だと言えば、もしかしたら教えてくださるかもしれませんが、マインが巻き込まれている事情によっては、こちらにとって困る状況になる可能性もあります。わたくしとマインの関係を明らかにするのは、止めておいた方が無難でしょう。

「せめて、生死だけでも確かめなければ……」

次の日の朝食の席で、ヘンリック様から昨夜のダームエル様に関するいざこざを謝罪されました。

「私の弟のことで連絡がうまくいっていなかったようだ。失礼した」

「いいえ、お気になさらず。わたくし、初めて貴族の方々が使う魔術を間近で見ました。とても美しく、不思議で、得をした気分です」

朝食後、全ての魔石が黒に戻ったブレスレットを付けていただき、ヘンリック様の館を辞去して家に戻ります。

「おじい様、調べたいことがあるのです。奥の資料室の鍵を貸してくださいませ」

わたくしは、急いで服を着替えると商業ギルドへと向かいました。ギルド長が許可した者しか入れない、契約魔術に関する書類を集めた部屋で、マインがベンノさんと交わした契約の書類を探すためです。誰でも閲覧《えつらん》できる資料室と違って、こちらに保管されている契約書類には契約者が死んでいたら、何がしかの変化があるはずなのです。

滅多に使われることがない契約魔術の資料なので、マインが交わした契約に関する書類を見つけることはそれほど難しいことではありませんでした。

「……ローゼマイン？」

わたくしが手にした書類には、ベンノさんとルッツとローゼマインが契約したことになっています。身食いと貴族の従属契約ならば改名する必要がないのに、改名しているということは貴族に取り込まれたに違いありません。わたくしも話を持ち込まれたことがあるように、マインはおそらく貴族の養女となったのでしょう。

マインのあの商品知識について知り、価値を見出した貴族がいるのです。影響がこの街だけにとどまるとは思えません。わたくしは書類を握って、ギルド長室へ急ぎ足で駆け込みました。

「大事なお話がございます。これを見てくださいな」

ローゼマインへと改名されている契約魔術の書類を見たおじい様が大きく目を見開きました。

「……マインが貴族と契約をしたのか？　確かに、身食いの女子ならば、貴族の養女となることもできるだろうが、あのマインが？」

ぎりぎりまで家族といたいから貴族とは契約しないと言っていたマイン。家族と離れるならば、死ぬ方を選ぶと言っていたマインが貴族の養女となったのです。

わたくしは貴族になりたいのではなく、商人になりたいと思っていました。金勘定をして過ごしたいのです。それをおじい様に伝えて、最適な方と契約いたしました。おかげで、将来、貴族街に店を構えることもできますし、成人するまで家族と過ごすこともできるようになりました。わたくしは自分の選択に納得しております。

……けれど、マインはどうなのかしら？

「おじい様、ベンノさんを呼んでくださいませ。ベンノさんなら何か事情を知っているはずです」

ジルヴェスター　騒ぎの後始末

「では、失礼いたします」

「お体に気を付けて元気に過ごされますよう」

「……さようなら」

私はたった今、肉親の断罪《だんざい》と一つの家族を引き裂くという嫌な仕事を終えたばかりである。褒め称えろ。本当に、誰かに「間違っていない」と言われなければ、領主などとてもやっていられない。

そう思いながら、私は自分の娘の前に跪く親の姿を見ていた。

「本日はありがとうございました。また会える日があることを心より望んでいます」

ローゼマインが立ったまま、腰を曲げて、深く頭を下げて、家族だった者達を見送る。見慣れない動作だった。神に感謝するならば両方の膝をついて平伏する。立ったまま、頭を下げるという動作を今まで見たことがない。確かに異なる世界で生きた記憶を持つ子供だと実感する。

ただ、見慣れない動作でも、そこに籠っている心情だけは嫌というほど伝わってきた。家族への感謝と思いが目に見えるようだ。お互いを思い合う家族を引き裂いたのが自分であるという自覚があるだけに、別れの光景が鋭い痛みを突きつけてくる。

パタリと閉められた扉を見つめて、一人ポツンと佇む小さな後ろ姿が頼りなげに揺れた。私が少し目を伏せて視線を逸らせるのと、隣に座っていたフェルディナンドが立ち上がるのは同時だった。まるで予測済みだったように、大股で歩いたフェルディナンドが腕を伸ばして、ふらりと傾いだローゼマインを抱きとめる。そのまま扉に向かって鋭い声を出した。

「フラン、入れ！」

フェルディナンドの鋭い声に、扉の向こうに控えていた灰色神官が機敏《きびん》な動きで入ってきた。確か、先程までは体を動かすにも顔をしかめるほどの怪我をしていたローゼマインの側仕えだ。

「マイン様！」

ローゼマインに駆け寄るその姿には祝福の光の残滓が見える。あの父親と同様にフランも祝福の光を受けたのだろうか、怪我らしい怪我は見られなかった。慌てた様子からも主に対して思い入れが深いことがわかる。側仕えの灰色神官にも祝福の光が届いたということは、一体どれだけの範囲に祝福の光が届いたのだろうか。本日、目の当たりにしたように、大事な者に何かあればローゼマインは強大な魔力を簡単に暴走させてしまう。祝福の届いた者が一体どれだけいたのか、調べてみなければなるまい。

「それほど心配せずとも、魔力の使いすぎだ」

そう言いながら、フェルディナンドが常備している薬入れを手にして、ローゼマインの口元に何やら薬を流し込むのが見えた。もしかしたら、あのくそまずい薬だろうか。味を犠牲にした分、効果はあるが、あれを意識のない子供の喉に流し込むとはひどい所業だ。フェルディナンドは相変わらず効率しか考慮していない。可哀想に。

「フラン、このまま部屋に連れ帰り、寝かせてやれ。これからのことについては、明日の午後、説明に向かう。側仕えを全員、集めておくように」

「かしこまりました」

フランがくたりとして意識のないローゼマインを抱えて退室していく。その様子が何だか記憶に残っている過去の情景と重なって見えた。

「アルノー、お茶を頼む。その後は控えていろ」

「はい」

フェルディナンドが重用《ちょうよう》している地味な側仕えに命じている様子を見ながら、私は小声でカルステッドに話しかける。

「なぁ、カルステッド。見れば見るほど、ローゼマインはブラウに似ていると思わないか？」

「ブラウ？　あぁ、お前が昔飼っていたシュミルか」

シュミルは人懐こくて、ぷひぷひ鳴いて可愛くて、愛玩動物として貴族の間では人気のある魔獣だ。私も幼い頃に飼っていたのだが、いかんせん、ブラウは虚弱だった。ローゼマインとブラウは黒と青の間の艶のある毛並みもくりくりとした金色の目も、虚弱なところも、私よりもカルステッドに懐くところもよく似ていると思う。私がカルステッドに同意を求めると、カルステッドは「うーむ」と歯切れの悪い声を出した。

「私に懐いたと言うが、あれはお前が悪い。構っていじりすぎたせいで、瀕死に陥っていたじゃないか。私に懐いたのは命の危機を回避するためだったぞ」

「人聞きの悪いことを言うな。私はちゃんと可愛がっていた」

「子供の頃のお前は本当に手加減を知らなかったからな。あれだけ追い回して、抱き潰して揉みくちゃにすれば、小動物は死にかけるものだ」

ハァ、とカルステッドが溜息を吐いて、こめかみを押さえる。なんと。ブラウが遊んでいる途中で、ぐてっとしていたのは虚弱なのではなく、私のせいだったのか。

「今度は間違えぬように手加減しろ。フェルディナンドの報告から考えても、ローゼマインはあのシュミルより虚弱だ」

「ブラウより虚弱だと？　それは難しいな」

魔獣だからこそ私の偉大さを知って恐れているのだと思っていたが、命の危機を感じて逃げ回っていたのか。初めて知った。

「……ローゼマインにはまだ嫌われてはいないよな？　助けてやったばかりだし」

「初対面でどの程度の忍耐力があるか、突き回って嫌がられていただろう？　うんざりした顔をしていたぞ。それに、今は家族と切り離されたところだからな」

「ぬぬぅ……」

地味な側仕えが飲み物を載せたワゴンを押してくるのが見えたので、私は口を噤む。カチャリと小さな音を立てながらカップが並べられていくのを見て、げんなりした。

……全く華やかさがないではないか。

側仕えが男ばかりで、どいつもこいつもフェルディナンドの教育のせいか、無駄な動作一つなく淡々と仕事をこなしていく。優秀だが、本当に面白味と華がない。

「フェルディナンド。巫女は側仕えにしないのか？」

「愛人狙いで色気を出してくるような女は必要ないし、女が一人いるだけで周囲の雰囲気が浮つくので仕事の邪魔だ」

フェルディナンドは「自分の周りに華やかさは必要ない」とバッサリ切って捨てる。

「アルノー、人払いを頼む。誰も近付けるな」

「かしこまりました」

余所の貴族が入ってきたことも、神殿長を更迭《こうてつ》したことも、ローゼマインの改名と養子縁組も本日不意に起こったことだ。側仕えや他の神官に説明する前に打ち合わせの時間が必要になる。

完全に他の気配が消えたところで、こくりとお茶を飲みながら、フェルディナンドがゆっくりと息を吐き出した。

「何とか目的は果たせたようだな」

「……そうだな」

貴族との契約を嫌がり、ギリギリまで逃れようとしていたマインの確保。目に余る行為が増えていた神殿長の処刑。神殿長を庇《かば》う母親の隔離。加えて、神殿長と繋がっていた貴族の確保ができたし、それによってアーレンスバッハの領主に対する切り札も得た。これで、母親を持ち上げていた領地内の貴族もおとなしくなるだろう。

「結果だけは上々だ。……後味は悪すぎるが」

肉親を罠にはめるような真似をしたり、仲の良い家族を引き裂いたりした重苦しい気分を無視すれば、満足のいく結果に終わったと言ってよいだろう。

「あまり落ち込むな、ジルヴェスター。これが最善の結果だったはずだ」

「お前は効率を重視しすぎだ」

私が時折腹黒いとか、計算高いと言われる原因の八割はフェルディナンドが立案するせいだ。

「私には神殿長にも領主の母にも思い入れなど全くないからな」

フンとフェルディナンドは鼻を鳴らした。私にとっては血族でも、フェルディナンドにとっては、ただの邪魔者だ。わかっていても、正面からそう言われると少々胸が痛い。

「ローゼマインに関してはどうなのだ？　マインという存在を消し、ローゼマインとすることに関しては何も思わないのか？」

「……最速かつ、将来を思えば最善だったとは思っている」

そうは言っても、先程と違って表情が少し暗い。マインの家族は、一族の存続と繁栄を一番に考える貴族ではあり得ない仲の良さだった。お互いを思い合う家族を引き離したことに関してはフェルディナンドも多少の罪悪感があるらしい。

「アレはおそらく……しばらくの間、精神的に不安定になるであろう」

フェルディナンドはそう言って困ったように顔をしかめた。冬の間、神殿に籠るだけでも不安定で、魔力の揺らぎが見えて目が離せなかったという。情の薄いところがあるフェルディナンドが気に掛けるとは珍しい。ローゼマインの存在は効率しか考えないフェルディナンドの情操《じょうそう》教育に良いかもしれない。

「家族を失って不安定になったローゼマインを慰めたり、甘やかしたりするのは、お前達二人に任せる。私は手を出さぬからな」

「ジルヴェスター？」

「私はアウブ・エーレンフェストだ。実の息子さえ甘やかしてはならないのに、養女を甘やかすことなどできぬ」

養女であるローゼマインを甘やかすくらいなら、これから先、自分と同じ重責《じゅうせき》を担うことになる我が子を甘やかしてやりたい。だが、次代の領主を育てるためには、甘やかしてならぬと周囲にくどいくらいに言われている。私はフェルディナンドと違って、割り切るのが下手なのだ。領主という立場に縛られてできないことが多すぎる。

「お前は昔から不器用だったからな」

カルステッドが苦い笑みを浮かべた。フェルディナンドのように合理的で効率的な奴が領主になれば良かったのだ。本当にフェルディナンドの母親が正妻でなかったことが悔やまれる。

「それよりも、ローゼマインは大丈夫なのか？　最高神と五柱の大神へと呼びかけていたのだ。健康な者でも倒れると思うのだが、本当に死んでいないか？」

カルステッドがちらりと扉の方へと視線を向ける。つられるように視線を扉の方へと向けて、私は腕を組んだ。複数の神に一度に祈るなど普通はしない。魔力はごっそりと削られるし、成功率は著しく落ちる。特に命の神は土の女神を隠すので、女神の兄弟神に疎まれているのだ。まとめて祈って成功した例を私は知らない。

……しかも、その祝福を複数人に授けるとは。

「むしろ、成功する方がおかしいだろう。あの祝福は絶対に失敗すると思ったぞ」

私がそう言うと、これから先、ローゼマインの実父という扱いになるカルステッドは、うぅむ、と唸って、空を睨んだ。

「とんでもないことをしでかしてくれたが、ローゼマインは自分がやらかしたことの重要性も貴重性も理解していないのだろう？」

「あぁ、全く」

「フェルディナンドは祝福を受けていただろう？　お前が魔力の使い方を教えたのか？」

私とカルステッドを避けていた祝福の光はフェルディナンドには届いていた。それだけの関係を築いてきたのだろうが、あれだけの祝福が受けられなかったことは少々面白くない。私が養父になるのに、とフェルディナンドを睨むと、逆に睨み返された。

「しつこい。何度も言わせるな。マインは最初から使えたのだ」

トロンベ討伐で騎士団の要請がマインにとって初めての儀式だった。だから、フェルディナンドは魔力の増幅と補助のために魔術具の指輪を貸したらしい。ここまでは理解できる。そうしたら、マインはいきなり武勇の神アングリーフの祝福を騎士団に与えたそうだ。本人はトロンベを見て怖くなって、皆の武運を祈りたいと思っただけらしい。報告を聞いてもわけがわからない。

「貴族が言いそうな言葉を選んだら、勝手に祝福になってビックリしたと言っていたが、いきなり祝福を与えられたこちらの方が驚いたのだ。私は魔力の使い方については何一つ教えてなどいない」

「手慣れた様子に見えたが、まさか初めて、偶然に起こった祝福だったとはな」

アングリーフの祝福を受けたカルステッドが感心したような呆れたような息を吐きながら、顎を撫でる。溢れそうになる魔力を誰にも何も教えられず、補助も受けずに自力で圧縮していたことも、武運を祈って意図せず祝福になるというのも、正直理解不能だ。

「勝手に祝福になるというのが、信じられないのだが、何故、あの年でそこまで魔力の扱いに慣れているのだ？」

「異なる世界で成人する頃まで生きた記憶があり、学習能力が高かったからではないかと思う」

子供の精神力では魔力は抑え込めない。マインは幼い子供の体に異なる世界で成人した記憶を持っていた。だから、抑え込めたのだろう、とフェルディナンドは推測する。

「青色巫女見習いとして神具に奉納することで魔力が動く状態に慣れ、偶然とはいえ、神の名を出したことで祝福になった。魔石があれば､魔力を自由に使えるということを知ったのだ。ついでに、騎士が武器に闇の神の祝福を付与《ふよ》する現場を見ていた。マイン自身も実際に神具を使って祈りを捧げて祝福となった。ここで神に祈りを捧げれば祝福を得られることを覚えたらしい」

「覚えたと言っても、咄嗟にあれだけ祈りの言葉がすらすらと出てくるか？」

神の祝福を得るために必要な祈りの言葉は長い。神の名前はもちろん、どのような祝福を与える神か、全て覚えていなければならない。トロンベ討伐が騎士団の仕事なので、闇の神の祝福を得るために祈り言葉を覚えるのは騎士見習いが初期にやらされることだが、皆覚えるのに苦労していたはずだ。

「マインに言わせると、祈り言葉は一つ覚えておけば、後は聖典に載っている神の名前や聖句を組み合わせればいいだけ、らしいぞ」

思い返してみれば、マインが春の祈念式で襲撃を受けた際に言ったのは「神に祈れば魔法になるんですよね」という乱暴なものだった。間違ってはいないが、貴族院で教育を受けた者はそんな無駄な魔力の使い方はしない。

「……これから先、貴族の娘としてローゼマインは魔術具を持って行動するようになる。貴族院へ入る前に少し魔術について教えておいた方が良いのではないか？」

魔術具は貴族には必須だ。普通の子供ならば溢れそうになる魔力を受け止めるだけの魔術具で問題ない。だが、ローゼマインは何に巻き込まれるか、予想ができないので、魔力を放出する魔石も与えるつもりなのだ。

「ジルヴェスターの言う通り、自己流で勝手な使い方をされる方が危険だ。どこで何を見て覚えてくるかわからない」

私の提案にカルステッドが頷いた。フェルディナンドが眉間に深い皺を刻んでこめかみを指先で叩き始めた。あの考え込む姿は見慣れている。教育計画作成中でフェルディナンドの熱血指導が行われる前触れだ。

……可哀想に、いい気味だ。

「あぁ、そうだ。フェルディナンド、ローゼマインの健康診断もしておけ。以前に少し気になることを言っていただろう？　魔力の流れに問題があるならば、其方が薬を作れるのではないか？」

領主の養女となってしまえば、医者が仰々しく検査して、何か異常があれば騒ぎ立てる。珍しい症状ならば、研究好きな変わり者が見せてほしいとやってくるかもしれない。内々に終わらせるならば、貴族街に移る前に身内だけでやってしまった方が良い。

「ローゼマインの場合は、何をしても普通に終わらない気がするので、ジルヴェスターの言うように神殿で行う方が良さそうだな」

ローゼマインに関しては、あのフェルディナンドが予想を立てることができないのだ。異なる世界の記憶を持つ子供だなんて、あの魔術具を使わなければ信用できなかっただろう。利用価値は高いが、なるべく内密に事を運んだ方が良い。

「それから、これをギルベルタ商会のベンノに渡しておけ」

「何だ、これは？」

「口裏合わせのための設定とこれから先の予定だ」

ローゼマインはカルステッドの娘で、世間から隠すために神殿で育てられていたと我々三人が言いきれば、貴族街や神殿内はどうにでもなるが、さすがに下町には今までほとんど関わっていないので、どの範囲でマインの存在がどのように知られているのか全くわからない。

「下町に関することは下町の人間にやらせればよい。ベンノは実に使い勝手が良さそうだった。指示を出しておけば何とかするだろう」

普段、私から指示を出されて、丸投げされている立場のフェルディナンドが物言いたげな微妙な顔で書類を受け取る。その書類にざっと目を通したフェルディナンドがくわっと目を剥いた。

「ジルヴェスター、口裏合わせの件は理解できる。だが、このイタリアンレストランでの会食というのは何だ⁉」

……ちっ。小うるさい説教が始まってしまった。真面目で頑固で融通《ゆうづう》が利かない合理主義者。一体どうしてこんな男に育ってしまったのだろうか。遊び心に欠けるから、そんなに老けるのだ。

「聞いているのか、ジルヴェスター？」

「それは、あれだ。……ほら、印刷業を広めるに当たって、ベンノと決めなければならないことが多々あるだろう？」

私の答えにカルステッドまでが目を吊り上げる。

「呼びつければよかろう。領主自ら下町に行く必要がどこにある⁉」

「嫌だ。面白くない。それに私はあのご飯が食べたいのだ」

「本音の前に建前を述べろ！」

建前がなければ、自分の街さえ自由に歩けないとは、領主などなるものではない。面倒くさいが、建前があれば良いのだろう。小指で耳をほじりながら、私は建前を述べる。

「……まぁ、建前としては、文官達に取り囲まれた堅苦しい雰囲気の中では、下町の商人と碌な話し合いなどできるわけがないだろう？　こちらが命令を下して終了になる。すでに成功している商人の意見を取り入れることができなくなるではないか」

大勢の文官に囲まれた中では平民に直答を許すことさえ難しい。ましてや、相手から意見を聞き出すなどできるはずがない。

「印刷業に関してだが、すでにベンノと話をしているのだ。少なくともギルベルタ商会にとっては突然の話ではない」


孤児院の視察に行った時にベンノと顔を合わせたのは、私にとっては偶然だった。まさか孤児院の工房に領主である私を知っている者がいるとは考えていなかったのだ。ベンノに口止めをすると同時に、商人としての見解を聞いた。私やフェルディナンドだけではなく、ベンノも印刷事業で歴史が変わると考えていることがわかった。

急激な変化は反発が大きい。だが、急激な変化があるのはマインが異なる世界の知識を持っているからだ。「最悪の場合、マインを殺せば、流れは止まるか？」と私が問えば、ベンノはゆっくりと首を横に振った。

「いえ、もう羊皮紙と違って量産できる植物紙が流通しています。印刷に適したインクの作り方はインク協会を通じて工房へ伝えられ、量産され始めています。印刷に必要な金属活字の作り方も鍛冶工房へ流れています。そして、試作品ながらも印刷機ができました。全てに関与している上に、この街に留まらず、あちらこちらへ本を売るのが夢だと言う商人見習いもいます。すでに、マイン一人がいなくなったところで、止まる流れではございません」

だからこそ、ギルベルタ商会ではマインの存在を隠し、持ち込まれる商品を選別しながら売っているのだとベンノは言った。

「マインがいれば、流れが加速するでしょう。呆れるほど、マインは本のことしか考えていない」

印刷業が世の中に出回るのは時間の問題。植物紙工房を潰し、マイン工房を潰し、インク工房を潰し、鍛冶工房を潰し、インク協会に出回った情報を全て潰すのは、いかに領主であろうと難しい。

流れを変えることができないならば、その流れを領地のために役立てるしかないのだ。

「ギルベルタ商会にはマインを中心とした印刷業をエーレンフェストの産業とすることと、マインが貴族となった時に加速できるよう、準備を整えておくことはすでに伝えてある。手始めに近隣の町の孤児院で同じように工房を作る予定だ」

文官とギルベルタ商会を近隣の街に向かわせて、どのくらいの規模の工房ができるのか、広さ、人数、必要な道具などを視察させなければならない。

「いずれにせよ、ローゼマインを外に出せるのは洗礼式が終わって、神殿長の就任式が終わってからだ。多少の猶予はある。それまでに視察とイタリアンレストランの完成を終わらせるように言っておけ」

これで建前は整ったし、問題なかろう、とフェルディナンドを見ると、眉間に先程より一層深い皺を刻んで、ものすごく嫌な顔になった

「自分の楽しみ以外のためにも、その能力を使ってくれないか？」

「楽しみ以外にも私はいつも全力だが？」

フェルディナンドの目を盗んで仕事から逃げ出すことにも、いかに周りに仕事を割り振って楽をするか画策することにも私は全力を出している。自分の楽しみだけに全力だと思われるのは心外だ。

カランカランと七の鐘が鳴り響く。ずいぶんと話し込んでいたようだ。私が立ち上がると、二人も席を立った。

「今日はここまでだ。洗礼式に関する詳しいことは、領主会議が終わった後にする。これから私は中央に戻らねばならない」

領主会議の夕食会をカルステッドと二人で抜け出してきたのだ。本会議が始まる明日の朝までに戻っておかねばならない。

「護衛は副団長を連れていかれるようお願いいたします。私はローゼマインの洗礼式の準備をしなければなりません。こちらに残らせていただきたく存じます」

「わかった。では、フェルディナンド、カルステッド。健康診断を行い、カルステッドの方で受け入れ態勢を整え次第、ローゼマインを貴族街へ移動させるように」

その間に神殿側では、ローゼマインを神殿長として受け入れるための準備をしてもらわなければ

ならない。

「ベンノへの説明と神殿における諸々の処理や準備はフェルディナンドに、洗礼式の準備と本日捕えた犯罪者に対する諸々の処理はカルステッドに任せる」

私の言葉に二人がざっと跪いた。

アルノー　私とフラン

神殿に余所の貴族が入り、大騒ぎがあり、領主がやってきて神殿長を更迭したのは、昨日のことです。全ての話し合いに、神官長の筆頭側仕えである私を含めて全員が人払いされていたので、全く事情がわからないまま、夜が明けてしまいました。

「アルノー、これをギルベルタ商会に届けるように、マインの側仕えに言ってくれ。大至急だ」

「かしこまりました」

私が神官長から呼び出しのための招待状を受け取ったのは、朝食を終えた二の鐘が鳴るのとほぼ同時のことでした。このような時間から招待状を出し、色々と動き回っている神官長はほとんど眠っていないような顔をしています。

「他の者に昨夜の騒動について聞かれたら、後日まとめて説明する、と言っておけ」

部屋を出る間際、神官長がそう言いました。昨日は、神官長が工房に籠っている時にフランがやってきて、神官長に話がある、と言われました。「私は不在ということにしておけ」と言われていましたが、工房にいる神官長と連絡を取ることは、やろうと思えばできたのです。敢えて無視してみたら、部屋の外は大変なことになっていました。融通が利かない、で済まされましたが、敢えて無視をしたと知ったら、フランはどのような顔をするでしょうか。

「おはようございます、フラン」

井戸で水を汲んでいるフランとギルを見つけて近付きます。マイン様のところは人手不足が深刻なのでしょう。筆頭側仕えがこうして雑務に追われるのですから。デリアが抜けた大変さを目の当たりにして、私はうっすらと笑みを浮かべました。

汲み上げた水をギルの持っている桶に流し入れ、フランは驚いたように私を見ます。今ではマルグリット様もがっかりなさるくらい上背が伸びてがっちりした体格になっていますが、こうして軽く目を見張ると、マルグリット様にお仕えしていた頃の華奢な少年だったフランの面影が色濃くなりました。

「おはようございます、アルノー。こんな時間に一体……」

「神官長のお遣いです。この招待状を大至急ギルベルタ商会に届けてほしいとのことです」

フランは私が差し出した招待状を手に取ると、すぐにギルに渡しました。

「かしこまりました。ギル、着替えてこれを……」

「わかった。すぐに行く」

ギルが片手に招待状、もう片手に水の入った桶を持って、部屋の方へ急ぎ始めました。あのとんでもない悪戯小僧《いたずらこぞう》が普通の側仕えのように働いている姿を見るのは、不思議でなりません。

「人数が少ないと大変ですね」

「今日から増えることになっているので、少しは楽になる、と思いたいです」

デリアが抜けたので、新しい側仕えを入れるようです。もうしばらく苦労していても良いのですが、と思いながら、私はフランに背を向けました。

「では、よろしくお願いします」

神官長室へ戻る途中、騒ぎがあったことを知っている青色神官のエグモント様が私を見つけて駆け寄ってきました。

「アルノー、昨日は一体何があったのだ⁉　神殿長のお部屋は鍵も閉まっていて、扉の前に立つ灰色神官もおらぬし、誰に聞いても全く事情がわからぬ。神官長ならば何か知っているだろう⁉」

神殿長の取り巻きで、神殿長といる時は時折尊大な態度を神官長にとっていたエグモント様に唾を飛ばしながら間近で怒鳴られました。私は顔を拭《ぬぐ》いたいのを我慢しつつ、神官長に言われた通りの言葉を返します。

「後ほど、まとめて説明されるそうです。残念ながら、私も人払いされておりまして、詳しくは存じません」

「詳しくは、と言うならば、少しは知っているのではないか！　さぁ、何があった⁉」

「罪状まではよく存じませんが、領主様と騎士団がいらっしゃって、神殿長は捕えられたようです。本当に何があったのでしょう？」

首を傾げながら様子を窺うと、エグモント様は真っ青になっています。これまで尊大な態度を取れたのは神殿長がいたからです。いなくなれば、神官長が神殿長になるでしょう。エグモント様の立場はどう変わるのでしょうね。溜飲《りゅういん》が下がって、すっきりしました。

部屋の近くまで戻ると、神官長が側仕えであるザームを連れて、どこかへ向かっているのが見えます。私はそちらへと足を向けました。

「神官長、どちらへいらっしゃるのですか？」

「今日は葬式があるはずなのだ。礼拝室へ行ってくる。アルノーはギルベルタ商会を迎える準備を頼む」

この神殿の礼拝室へ向かう葬式は基本的に平民のもので、死亡の届け出に青色神官が顔を出すことはほとんどありません。何故、神官長がわざわざ向かうのでしょうか。疑問に思いつつ、私は部屋へ戻り、来客に対応できるよう準備を整えます。

しばらくすると、裏門の方からギルベルタ商会の馬車が来たと連絡が入りました。私はギルベルタ商会の面々を出迎えるため、正面玄関に向かいます。

「お待ちいたしておりました」

神官長はよほど秘密裏に物事を進めたいのか、この会合でも側仕えを排しました。本当に、一体何が起こっているのでしょう。午後にはマイン様のお部屋を訪れると予定を告げられている以外、私も何も知らされていません。

「アルノー、行くぞ」

「はい」

昼食の後、私は神官長の言葉に従い、渡された数枚の植物紙を重ねて持ち、先に立って歩き始めました。神官長はいつもに増して眉間に深い皺を刻み、難しい顔をしていらっしゃいます。自分の中で納得できないことがある顔ですが、何も知らされていない以上、私があれこれ考える必要もないでしょう。

回廊を歩き、孤児院長室の前に立つと、前孤児院長マルグリット様の側仕えであった頃の感覚に戻ってしまうのでしょうか。孤児院長の部屋の前で自分が来訪のベルを鳴らすのが、未だに不思議な気がいたします。手にしていたベルを鳴らせば、あの頃と同じようにフランが扉を開けました。

「ようこそおいでくださいました、神官長」

ホールの様子はマルグリット様がいらっしゃった頃とほとんど変わりません。同じ家具を使っているからでしょう。扉を開ける人物とホールの様子が変わらないせいで、更に過去の情景がありありと蘇ってきます。懐かしさに目を細めている私のすぐ隣では、フランと神官長が話をしています。

「あれの様子はどうだ?」

「少し熱があるようですが、身支度は整えています。それから、おっしゃられていたように、側仕えは全員集めました」

フランと共に階段を上がると、思わずぐるりと見回し、マルグリット様の姿を探してしまいます。脳裏に浮かぶ黄金のように豪奢な髪に常に微笑んで細められている青の瞳。フフッと笑う唇の端にあるホクロが実に妖艶で、たおやかな手で招かれるだけで心が高鳴ったものです。

しかし、私の記憶と違い、孤児院長室にいるのは、熱があるせいか、普段より少し顔色の良いマイン様と側仕え達でした。側仕えの中にあまり見たことがない少女が二人、緊張した面持ちでこちらを見ています。デリアの代わりでしょうか。まだ成人はしていないようなので、私との接点はほとんどないと思われます。

「その二人は？」

「モニカとニコラです。デリアの代わりにわたくしの側仕えとして召し上げる話を昨日していたのです。わたくしの身の回りのことと料理の補助をお願いすることになっています」

「そうか。では、これからのことについて話をする」

それから始まった神官長の話は衝撃的でした。平民だと偽って神殿入りしていただけで、マイン様は上級貴族の娘、ローゼマイン様だとおっしゃるのです。

平民の家族を何度も見たことがあるのに、何を、と思うより先に、あぁ、そういうことになったのだ、と事実をあっさりと受け入れてしまう自分がいます。神殿は青色神官の横暴が常にまかり通る場所です。貴族の理不尽さに何を言っても無駄です。彼等がそう決めたならば、それが正しいのですから。マイン様、いえ、ローゼマイン様の側仕えも内心はともかく、すぐに「かしこまりました」と頷きました。彼等にとっては平民の主より上級貴族の主の方が理解しやすいでしょう。

「ローゼマインはこの夏に父親の館で洗礼式を行い、同時に領主と養子縁組をする。そして、領主の養女として、神殿長に就任する」

神官長の言葉にマイン様、あ、いえ、ローゼマイン様の側仕えは何度か目を瞬いています。言葉が聞こえていても、意味が理解できないような顔をしています。私も同じことです。

神殿に洗礼前の幼い貴族の子供が成人の青色神官を後見人として匿《かくま》われたり、追いやられたりするのは、それほど珍しいことではありません。洗礼式で貴族の子供としてお披露目されるのですから、お披露目されない子供は洗礼前に神殿へと連れてこられるのが当然なのです。ですから、上級貴族の娘が神官長を後見人として、隠されるように神殿で育てられたのだと言われれば、納得はできます。しかし、さすがに、マイン様、いえ、ローゼマイン様が神殿長になると言われてもすぐに理解できません。

「神殿長は数々の不正で領主の不興を買い、すでに身柄を捕えられた。ローゼマインが領主の養女として神殿長に就任するまでは、私が一時的に神殿長の職務も受け持つ」

神殿長の職務も受け持つと言っていますが、すでに半分以上は受け持っておられたので、仕事量に大した違いはないでしょう。むしろ、細かい注文をつけられたり、文句を言われたりすることがなくなると思えば、実質的には仕事が減るのではないでしょうか。

「洗礼式までローゼマインは父親の館で洗礼式の準備と教育を受けることになる。洗礼式の後には神殿長への就任式を行うので、ローゼマインの側仕えはその準備に励むように。住居も神殿長室へと移ることになるので整えるように。この部屋はギルベルタ商会など下町の者との会合の場として使うことになる」

わけがわからないというような顔をしている側仕えの中で、一番に立ち直ったのはフランでした。

「神殿長の就任式に必要な物は何でしょう？」

「衣装はこちらで手配した。今の神殿長の部屋をローゼマインが使えるように整えることが其方等の仕事だ」

フランはその言葉に頷き、書字板を取り出して、何やら書き込み始めました。神官長はローゼマイン様に視線を向けました。

「ローゼマイン、午前中にベンノと会談したのだが、印刷業を別の町に広げるため、余所の孤児院へ視察に行かせることになっている。工房のことを知っている者を出さなければならないのだが、誰を行かせるのか選んでくれ」

ローゼマイン様は自分の側仕えをぐるりと見回し、期待に目を輝かせているギルと目を合わせてニコリと笑いました。

「孤児院の視察と工房の立ち上げならば、ギルにお願いしても良いかしら？　一番深く関わってきましたし、ギルベルタ商会の人達とも一番馴染みがありますから」

「はい、頑張ります」

てっきりフランを出すものだとばかり思っておりました。正直、街の外に出せるほどギルを信用し、重用していることが不思議でなりません。私が思っていた程フランは重用されていないのでしょうか。

「フランは部屋を整えるための采配を振るってもらわなければならないし、ニコラとモニカの教育もお願いしなければならないでしょう？　フランの仕事を増やしてしまうけれど、ギルがいない間、工房の管理もお願いするわ」

「かしこまりました」

どうやらフランは残って大量の仕事に埋もれるようです。それはいい気味なのですが、フランのわずかに笑みが浮かんだ表情が気に障りました。マルグリット様の側仕え見習いだった頃と同じように、フランは今も青色巫女に仕える立場です。それなのに、あの頃より楽しそうにローゼマイン様の命令を受け入れています。マルグリット様の命令にはあれほど嫌そうな顔で俯き、唇を噛んでいたのに。

「……これから先、ギルが工房を立ち上げるために余所に行くことが増えるなら、誰か灰色神官をここの孤児院の管理者にした方が良いかしら？」

「それはすぐに決める必要もないだろう。むしろ、洗礼式での楽師が必要だ。先々では茶会や宴の度に必要になる。ロジーナをローゼマインの専属楽師として買い取ろうと思うのだが、どうだ？」

「マイン様、いえ、ローゼマイン様。ぜひ、ぜひお願いいたします」

ロジーナがわかりやすく顔を輝かせました。灰色巫女が貴族の下働きではなく、楽師として買われていくのは実に珍しいです。神官長が認める音楽の才能の持ち主なのでしょう。

「そうですね。気心が知れている者が側にいるのは心強いでしょうから、ロジーナを楽師とするのは構いません。ただ、わたくしが貴族街に移る時までは、フランのお手伝いをお願いいたします」

「ありがとう存じます」

成人していて、仕事をある程度覚えたロジーナが側仕えから抜けるのは、フランにとってかなり負担が大きいでしょう。祝福したいがしきれないというような苦い顔のフランを見て、思わず笑いそうになってしまいました。

「それから、これを。ベンノから君に」

書類を差し出されたローゼマイン様が目を通した後、そっと頬に手を当てて首を傾げました。

「わたくしが貴族街へと行く時にお菓子要員としてエラを一緒に連れていくつもりだったのですけれど、フーゴ達もイタリアンレストランの貴族向けレシピを増やすため、イルゼのところに修行に出すらしいのです。ニコラとモニカでこちらの食事が準備できるかしら？」

「ローゼマイン様に出せるほどの腕ではございませんが、こちらで側仕えが食べる程度の物であれば大丈夫です」

ここの側仕えは料理までしなければならないそうです。一体どれほど人材不足なのでしょう。目を瞬く私と違って、神官長は呆れたような顔になりました。

「ローゼマイン、それほど悩まなくても、必要ならば側仕えを増やせばよかろう？」

「神官長、わたくしの収入で賄《まかな》えるのは、これで精一杯なのです」

「馬鹿者。君は上級貴族の父を持ち、領主の養女として神殿長になるのだ。全てを自分で賄っていた今までと違って、予算は増えるに決まっているだろう」

今度ははっきりと呆れた顔になった神官長がそう言いました。上級貴族の娘となり、神殿長となってもまだ自分の収入で全てを賄おうとしているローゼマイン様。どうやらすぐに意識が切り替わることはないようです。

しかし、ローゼマイン様が神殿長となるということは、フランが神殿長の筆頭側仕えとなり、建前上は神官長の筆頭側仕えである私の上に立つということではないですか。これは少し面白くないですね。マルグリット様の寵愛《ちょうあい》を得て、私よりも重用されていたことを思い出します。

……前言を撤回いたします。とても忌々しいです。神官長に見つからない程度の嫌がらせでは我慢できないくらい、腹立たしいです。

マルグリット様が亡くなられてから神官長は神殿にいらっしゃったので、フランが一時は青色巫女を見るだけで気分が悪くなっていたことも、この孤児院長室に不快な思い出を持っていることも知らないのです。だからこそ、私はローゼマイン様の部屋にこの部屋を推薦しましたし、同僚となる側仕えもギルを推薦しました。トロンベ討伐の時も、奉納式の時も、不快そうだったり苦痛の表情を浮かべたりしているフランを見て、楽しんでいたのです。ローゼマイン様は私の悪意の巻き添えを食らっていますが、フランの主なので仕方がありません。

それなのに、フランがすでに過去を克服したようにローゼマイン様に接し、平然とこの部屋で過ごしているのを見ると、フランの変化が腹立たしく感じられます。私が無表情の仮面の下で苛立ちを募らせていると、神官長が大きな青の魔石がはまった指輪の魔術具を取り出しました。

「ローゼマイン、これを。其方の父からの贈り物だ」

神官長の手からローゼマイン様へと渡され、指にはめられました。小さい手に不似合いなほどの大きさの魔石です。

「ローゼマイン、こちらの扉に君の魔力を登録しよう。来なさい」

神官長の部屋と同じように、寝台の天幕を退けると、そこには一つの扉が現れます。懐かしくて、心が波立って、とても腹立たしい気分になるその扉。私は波立つ感情を抑えながら、フランへ視線を向けました。

案の定、フランの顔色は青ざめていて、その目には怯《おび》えさえ見てとれました。先程はフランが平気そうな顔をしているように見えましたが、やはり完全に過去が克服できていたわけではなかったようです。昏《くら》い喜びがジワリと胸に広がっていくのがわかります。

「どうかしたの、フラン？　顔色が悪いけれど」

ローゼマイン様が心配そうにフランを覗き込みます。

「何でもございません。お気遣いなく」

「何でもないわけがないでしょう？　そんな顔色で」

皆の心配そうな顔にフランが困り切った顔になりました。

……そうですよね。毎晩のようにマルグリット様に呼ばれて、連れ込まれたあの部屋の過去の出来事など誰にも知られたくありませんよね。

「神官長、詳しくはこの場では省略させていただきますが、フランはこの奥の部屋にあまり良い思い出がないのです」

「案ずるな。魔力によって空間を作り出すので、前と同じ空間が広がることはない」

事情を知らない神官長は軽くそう言うと、ローゼマイン様と扉の前で、魔力の登録を始めました。その扉を見るだけで顔色が変わるフランには、その奥がどうであろうと精神的な負担は大して変わらないのですが、そこまでは気付いていないようです。フランができるだけ平静に見えるように我慢しているせいでしょう。

「これで登録は終了だ。ここは側仕えにも聞かれたくない話をする時に使うといい。君の部屋は人払いしても聞こえるからな」

「誰でも入れるのですか？」

「私の工房と違って、特には制限を設けてはいない」

これから日常的にこの扉が使われるようになるのです。文句を言うこともできず、一人でじっと我慢して耐えるフランの様子を見ているだけでも、とても愉しい気分になってきます。

「大丈夫ですか、フラン」

「……助かりました、アルノー」

「神官長に問われた場合はご報告いたします。それについては承知しておいてくださいね」

……神官長に聞かれなくても全て報告するつもりですが、尊敬する神官長に最も知られたくない過去を暴露される気分はいかがですか？

そんな毒を内に秘めて、うっすらと笑みを浮かべる私に対し、仕方なさそうにフランは頷きました。

「神官長はおそらく追及するでしょうが、仕方がありません。マイン様、いえ、ローゼマイン様のお耳に入れずに済んでよかったと思うしかないでしょう」

……おや、神官長よりもローゼマイン様にはもっと知られたくないのですか？　あぁ、では、いつどこでどのように吹き込んで差し上げましょうか。

私が何よりも欲したマルグリット様の寵愛を受けておきながら、拒否したフラン。灰色神官と交わったことで、貴族社会に戻ることができなくなり、絶望に陥ったマルグリット様が自害なさるのを救おうともせずに、ただぼんやりと眺めていたフラン。マルグリット様が亡くなってしまった後に「助かった」と心底安堵したフラン。

私はまだ貴方を許せないのです。

ベンノ　仕事を減らそう

……どいつもこいつも次々と仕事を持ち込みやがって！　俺を殺す気か⁉

マインがローゼマインとなったと聞かされた翌日の朝早く、俺は神官長からの呼び出しを受けた。マインに関しては色々な事情を知っているのだから、呼び出しは来るだろうと思っていたが、いくら何でも騒動の翌朝に来るとは思っていなかった。面会予約を取ろうと思ったら何日もかかる貴族のくせに、仕事が早すぎるだろう。

二の鐘が鳴り、開門されると商品を持ち込む者が増えて、店は忙しくなる。その忙しい最中にギルが招待状を持って駆け込んできた。日時の指定など何もない、「大至急」とだけ書かれた貴族の招待状など初めて受け取った。

「お前達、後は任せた！」

慌ててマルクと二人で衣装を着替えて神殿に向かう。これから先のギルベルタ商会がどのように扱われることになるのかが決まる極めて大事な会合だ。上級貴族の娘となるローゼマインにとって不要だと判断されれば、簡単に消されてもおかしくないのだ、と忠告されている。正念場だ。


「よく来たな、ギルベルタ商会のベンノ。アルノー、人払いを頼む」

神官長との面会は側仕えさえも人払いされた内密の話だった。

「何の話か、わかるか？」

「……ローゼマイン様のお話でしょう？」

「耳が早いな。誰が知っている？」

ここで嘘を吐いても意味がないし、神殿におけるローゼマインに一番近い人物である神官長の心証を悪くするのは避けたい。

「マインの家族が店に来た時に、同じ場にいた私とここにいるマルク、ルッツ、それから、もう一人のダプラのレオン。以上です」

俺はルッツとオットーから聞いた下町での騒動とウチに避難してきたこと、マインの家族がルッツを迎えに来たことを告げる。

「そういえば、ルッツが一緒に巻き込まれていたと、ダームエルからも報告があったな」

そう呟いた後、神官長はローゼマインのこれからについて話を始めた。神殿に預けられていた上級貴族の娘が、孤児院を救うためにローゼマイン工房を作った。そして、その功績《こうせき》からローゼマインが領主の養女となり、洗礼式の後、神殿長として就任するのだ、と聞かされる。

「孤児に仕事と食事を与えた美談を作り上げることで、洗礼前から工房を持っていた不自然さを隠すことになる。ベンノ、ギルベルタ商会及びマイン工房に関わってきた者をうまく言い含めておくように。いつ消されてもおかしくないということを肝《きも》に銘じておけ」

「かしこまりました」

マインの父親であるギュンターからも言われていたことだが、貴族である神官長から直接言われると、重みが全く変わってくる。

「面倒で大変なことを命じているることはわかっているが、下町にさほど詳しくない領主が面倒になって、ローゼマインに関わった者を端から消すようなことは起こってほしくないと思っている」

ゴクリと喉が鳴った。貴族ならば都合が悪い平民を消すくらいのことは簡単にする。領地を守る領主が、これから先どんどんと金を生むローゼマインと我々のどちらを取るかなど考えなくてもわかることだ。マインとローゼマインに関する情報統制を自分の中の最優先課題にあげておいた。

「それから、これを。領主からだ」

神官長に押し付けられたのは領主からの命令書。ずらずらと貴族らしい装飾の文章だったけれど、内容を要約すれば、大まかに分けて二つ。

一つは「印刷業に関する例の計画は前倒しでよろしく」というもので、もう一つは「星結びの儀が終わったら、食事処に行くので、店を完成させて待っていろ」だった。

……工房見学に来た青色神官が領主だった時の俺の動揺がわかるか？

あの時も相当驚かされたが、今回もまた頭が痛い。二年は余裕があると思っていた印刷事業の拡大がいきなり目の前に倒れ込んできた。くらりと頭の芯が揺れる。だが、驚きに頭を真っ白にしている場合ではない。この無茶苦茶な命令をこなさなければ、命の危機に繋がるのだ。

「近いうちに商会の人間と文官を近隣の町の孤児院に派遣すると言っていた。文官との打ち合わせに行くように、とのことだ」

「それはいつになりますか？」

貴族である文官の打ち合わせは他に任せられる仕事ではない。きっちりと予定を空けておかなければならないし、マルクを同伴するとなれば、店の中の仕事をどうするかの調整も必要になる。

「文官に話を通してからになるので、すぐの話ではないだろう」

「孤児院側からも視察する者を派遣していただいてよろしいでしょうか？　できれば、工房ができる前の孤児院と今の孤児院を比較できる人物が良いのですが」

商人を胡散臭《うさんくさ》い目で見るだけの文官と一緒では進む話も進まない。現場の変化を知っていて、領主の養女となり、神殿長となるローゼマインに近い者がいるのといないのでは大違いだ。自分達の身を守るためにも、借りられる威はいくらでも準備していた方が良い。

「そうだな。ローゼマインの側仕えから、一人は視察に同行させるように伝えておこう」

「恐れ入ります。それから、こちらの領主様からのご要望なのですが、本気、なのですか？」

領主が下町の食事処に来るなど、誰に言っても信じないと思う。命令書をもらっても信じられないくらいだ。神官長はその命令書を苦々しそうに睨みながら、ゆっくりと頷いた。

「食事をしながら、視察について話を聞きたいと言っていた。謁見室《えっけん》では君の意見を聞くことなどできない、というのが理由らしい」

……ちょっと待て。つまり、ただの食事会や試食会ではなく、孤児院の視察や印刷業に関する意見を聞くための報告会にしろということか？　まさか。

「それは、文官と打ち合わせをして、視察に出かけ、結果をまとめて、イタリアンレストランで報告しろということで間違いないでしょうか」

「間違いないな」

「期限は星祭りのすぐ後……？」

「……そうなる」

できるか！　と叫びたいのを必死に呑み込んで、こめかみを押さえると、神官長から非常に同情の籠った目で見られた。

「其方の能力を測る試練だと思って耐えるしかなかろう」

常に貴族然とした神官長の投げやりな言葉に、軽く目を見張った。珍しく苛立ちのような感情が表に出ている。よくよく見ると、神官長の顔色は悪く、あまり眠っていないような顔をしているのがわかった。騒動の翌朝に自分を呼び出すのだから、おそらく一晩中、騒動の後始末に奔走していたに違いない。暴走する領主に振り回されているのが瞬時に理解できてしまった。神官長の方が領主とローゼマインに近い分、苦労は多いのかもしれない。自分よりも大変な人がいると考えれば、少しだけ救いがあるような気がする。

「当店にいらっしゃる貴族の方々について、どれだけの人数でいらっしゃるのか、お伺いしてもよろしいですか？　下町の食事処に領主様自らいらっしゃるというのは前例がないもので……」

「前例などあってたまるか……」

そこで神官長の表情が何とも苦々しいものになった。視線が合ったので、軽く肩を竦めておく。

「お互い、苦労しますね」という心の声は、十分に通じたらしい。神官長の雰囲気が少しだけ緩み、苦い笑みが浮かぶ。

「ローゼマインと付き合う限り、あの領主との繋がりも切れることはないのだ。私は神殿と貴族街で手いっぱいだ。下町分の苦労は其方に任せる」

「全力でお断りしたいですが、そういうわけにはいかないのでしょうね」

「できるならば、私がしている」

クッとお互いが小さく笑った後、神官長は顔を引き締めた。

「食事処に向かう貴族についてだが、領主、領主の護衛として騎士団長、印刷業の中心人物になるローゼマイン、それから、私だ。護衛の騎士が数人つくだろうが、共に食事をする人数には含めなくても良い。ただ、交代で食事を摂ることになるので、控えの間の準備は必要になる」

下級貴族が来ても大騒ぎになるに違いないのに、領主が来るのだ。箔付けだなんて言っていられる余裕はない。面倒事を起こさないように、徹底的に隠した方が良い。領主と騎士団長と神殿長と神官長が連れ立ってくるなど、一体どんなことになるのか、予測できない。

俺は神官長の言葉を書字板に書きながら、顔をしかめた。いくら何でも仕事量が多すぎる。印刷業もイタリアンレストランも、元々のギルベルタ商会の事業ではないため、手伝いに回せる人間が少ない。しかし、領主から直接命じられた印刷業に関しては手を抜くことなどできるはずもない。いかにして仕事を回していくか。そして、急成長するギルベルタ商会への風当たりを弱めるか、考えなければならないことは山積みだ。

何か申請する度に小さい文句を付けてくるギルド長を押さえるところから始めなければならない。領主の意向だと言えば、表面上はおとなしくなるだろうが、わかりにくくて陰険なことを始めるに違いない。何か餌が必要だ。

「……領主様を始め、貴族の方々がいらっしゃるならば、料理人に別の場所で修行させたいと存じます。ローゼマイン様のところで今は修行しているのですが、連れ出しても問題ないでしょうか？」

「ローゼマインは洗礼式まで貴族街で教育を行うつもりだ。貴族街へ向かった後ならば問題ないと思われるが、一応確認してみよう」

「では、こちらを渡していただけますか？」

俺は植物紙にギルド長をイタリアンレストランの共同出資者にしたい旨を記す。イタリアンレストランを餌に今後の協力を得て、仕事と周囲の風当たりの軽減を図りたい。ついでに、フーゴ達をギルド長のところに預けて修行させて、貴族向けのレシピの充実を図りたい。

神官長はその間に棚の上に置かれた包みを持ってきた。

「ローゼマインの洗礼式が終われば、すぐに神殿長の就任式がある。星結びの儀式の直前に就任式を予定しているが、それまでに、これをローゼマインの寸法《すんぽう》に合わせて仕立ててくれ」

バサリと広げられたのは、神殿長の儀式用の衣装だった。ローゼマインの洗礼式の衣装は、父親である上級貴族が準備するが、神殿長としての衣装は神殿側で準備しなければ、とても針子が足りないらしい。

「君のところならば、ローゼマインの寸法がわかるであろう？　帯は今までの儀式用の衣装を使うので問題ない。何やら仕立て方に思い入れがあったようなので、それで頼む。それから、洗礼式用の簪も注文しておこう。最高級の糸を使って、華やかな物を作ってほしい」

「……かしこまりました」

情報統制、印刷業、イタリアンレストランに加えて、本来の服飾まで仕事を振られた。

……死ぬ。このままでは絶対に仕事に押し潰されて死ぬ。

とんでもない量の仕事を抱えて店に戻れば、ギルド長からの呼び出しがあった、とレオンから報告がきた。貴族向けの服を着替えながら、その報告に耳を傾ける。

「ローゼマイン様について話があるそうです。一体どこから情報が漏れたのでしょうね？」

俺はマインの家族から直接聞いたが、ギルド長の情報の出先は確認しておかなければ、今後に差し障るだろう。舌打ちしながら、会合の日時を午後で指定する。使いがギルド会館から戻ってくるまでに急ぎの仕事を片付けなければならない。

「マルク、鍛冶工房に使いを出せ。活字をどんどん作っていくように依頼するんだ。ビアスのインク工房にも印刷用のインクを作るように依頼しておけ。領主からの命令で、印刷業を領地内に広げることになると話をしてきてくれ」

孤児院の視察の結果はともかく、印刷業が拡大することだけは確実だ。準備はなるべく迅速に進めた方が良い。マルクも服を着替えて頷き、ゆっくりと溜息を吐いた。

「このような状況になったからには、なるべく早くギルド長を取り込まなければなりませんね。今のように申請書一つに時間をかけられていては到底間に合いません」

「今日、その件に関しては話し合ってくる。あのじじいは利益に敏い分、面倒だが動かせない相手じゃないからな」

そう言い残して、着替え終えた俺は神官長から預かった衣装を抱えてコリンナの家へと階段を駆け上がった。

「コリンナ！　急ぎの仕事だ。この衣装をマインの寸法で仕立て直してくれ」

真っ白の儀式用の衣装を見たコリンナが目を見張った。

「ベンノ兄さん、これは神殿長の衣装でしょう？」

「マインの寸法とそっくり同じだが、袖を通されるのは上級貴族の娘、ローゼマイン様になる。くれぐれも間違えないように、気を付けろ」

オットーからある程度の情報を得ていたのだろう。コリンナは一度目を伏せた後、ゆっくりと頷いた。コリンナも貴族と付き合う商人だ。理不尽も不可解さも呑み込んで仕事をすることを知っている。

「わかったわ」

「それから、上級貴族の娘の洗礼式で使う華やかな簪も頼まれている。洗礼式なので、白が基調だ。季節の青と瞳の金色を差し色に使え。……職人は手慣れた者が良いと思うがどうだ？」

「そうね」

言外にマインの家族に仕事を振れと言えば、コリンナはくすっと小さく笑った。きちんと意図は通じたらしい。コリンナに仕事の注文を終えて下に戻ると、商人ギルドに出していた遣いが戻ってきたところだった。

「ギルドに行く。マルク、準備を」

「できています」


俺が商人ギルドに行くと、すぐにギルド長の部屋に通された。いつものもったいぶった態度を見せないところから、あちらの焦り具合も見てとれる。部屋にはギルド長と孫娘のフリーダが二人で待ち構えていた。

「ベンノ、ローゼマインに関して何か知っているだろう？」

「単刀直入に聞く。ローゼマインに関する情報は伏せられているはずだ。どこから漏れた？　場合によっては、貴族に潰されるぞ」

「……やはり事情をご存じですのね」

フリーダが目を細めた。

「わたくしの契約している貴族の弟君が青色巫女見習いの護衛だったのです」

フリーダは自分の身の上と、魔術具の交換に訪れた時に起こったことを話し始めた。意識不明で運び込まれた騎士は、いきなり部屋に飛び込んできた光の粉で飛び起きて「無事か、巫女見習い」と叫んで駆け出していったそうだ。巫女見習いはマインしかいないので、生死について調べようと契約魔術の契約書を調べたら、改名されていたのだという。

フリーダが言った騎士というのは、冬からずっとマインに付いていたあの護衛のことだろう。まさかそんなところに繋がりがあるとは思わなかった。

「さぁ、ベンノ。お前が知っている情報を話せ」

情報をどう隠すか、一瞬考えたが、このじじいと孫娘はすでにマインについて詳しく知っている。ある程度の事情を話して、ローゼマインと領主から逃れられないように雁字《がんじ》搦《がら》めにしてやった方が、今後自分が楽になるかもしれない。

「教えるのは構わんが、今後、全面的に協力してもらうことになる」

「ほぉ？　儂が、お前に？」

面白がるような余裕のある表情で眉をくっと上げたギルド長の目には、わずかに焦りが見えている。ギルド長がいくら下町で影響力があり、大富豪だとはいえ、貴族に睨まれれば一溜《ひとたま》りもない。ギルド長側が持っているローゼマインの情報は推測がほとんどだ。きちんと情報を手に入れなければ、どこでどのようなごたごたに巻き込まれるかわからない。何が何でも情報が欲しいはずだ。

「そうだ。嫌でも俺に従ってもらう」

「……ギルド長の座を明け渡せということか？」

「阿呆なことを言うな！　この上にギルド長の仕事なぞ、増やしてたまるか！　できうる限りの便《べん》宜《ぎ》を図れ、と言っているんだ！」

領地内全域に仕事が広がることが目に見えているのに、この街のギルド長まで兼任していられる余裕はない。すでに死ぬかと思うほど、忙しいのだ。

「便宜を図る、か。ずいぶんと上の貴族が関係しているようだな。……いいだろう」

しばらくの睨み合いの後、ギルド長が頷いた。ギルド長とフリーダにマインが死んだこととその偽装。上級貴族の娘として領主の養女となり、領主が主体となり、本作りを領地の産業として進めていくことを話した。

「……空恐ろしいな」

「いくら何でも領主の養女だなんて、予想外すぎますわ」

領主の養女となるローゼマインは上級貴族の娘ということになった。気軽に手を出せるような対象ではない。それは、たくさんの貴族と接しているギルド長の方がよくわかっているだろう。

「印刷業が領地の産業となるならば、商人ギルドの全面的な協力が必要になる。領主主導の産業に文句を付ける危険さはわかるだろう？」

「うぅむ……」

唸りながらも何とか利益を得られないか考え込むギルド長に、俺はぺいっと餌を投げ入れる。

「ウチの料理人をそちらで一時預かってくれないか？　領主を始めとする上級貴族が来店するまでの間に貴族向けの料理を叩き込んでおきたい」

本当に貴族が来店する以上、マインのレシピだけではなく、貴族のレシピも知っておいた方が良い。そして、ギルド長も巻き込むことで、こちらへの風当たりと仕事の軽減を図りたい。

「……こちらへの見返りは？」

「イタリアンレストランの共同出資者にするというのは、どうだ？」

ギルド長のところの料理人に挑発《ちょうはつ》されて始めた食事処だが、領地全体に広がる印刷業を取りまとめようと思えば、とても別業種に手を広げてはいられない。そして、イタリアンレストランをそのまま営業できるのは、貴族の生活に詳しく、貴族の食事を提供できる料理人を持っているギルド長くらいだ。教育された給仕もギルド長の家にはゴロゴロいるに違いない。

「……いいでしょう。いくら出資すればよろしいのかしら？」

ギラリと目を輝かせたフリーダが、ギルド長よりも先に食いついた。

フラン　神殿長の側仕えになるために

「マイ……失礼いたしました、ローゼマイン様。三の鐘が鳴ったら、ギルと神殿長のお部屋の片付けに行ってまいります」

「フラン、体の方は本当に大丈夫？　痛まない？」

孤児院長室の寝台の中、まだ熱のある少し赤い顔でローゼマイン様は神殿長やビンデバルト伯爵が連れてきた者達と戦った時にできた私の怪我の様子を尋ねます。その心配そうな様子に私は苦笑が隠せませんでした。

「何度も言ったように、私の傷の数々は突然降り注いできた不思議な光の粉によって完全に治っています。私よりも御自分の心配をしてください。ローゼマイン様は上級貴族の娘として生きていかなければならないのでしょう？」

重そうな青い石のはまった魔術具の指輪が今のローゼマイン様の立場を表しています。私の視線をたどって左手の中指にはまっている青い指輪を見たローゼマイン様は、少しだけ苦い笑みを浮かべました。

「ローゼマインと呼ばれる度に、自分がマインではなくなったことを突き付けられる感じがして少し苦しい気がするのですけれど、早く慣れなければなりませんね。……貴族街へ行く前に」

名前が変わったことにすぐに馴染めないのは周囲だけではないようです。ローゼマイン様は上級貴族の娘となり、領主の養女になることが決まった事情について少しだけ教えてくれました。

「フランはビンデバルト伯爵と対面した上に、ジルヴェスター様がいらっしゃった場にも居合わせたから、少ない言葉でも何となく想像がつくでしょ？」

そして、神官長には内緒ですよ、と言いながら平民の家族を心配し、本当の貴族になれるのか不安だ、とポツリポツリ弱音を吐きます。

……ローゼマイン様が精神的に不安定な時は魔力が揺らぐので、必ず報告するように神官長から命じられているのですが、どうしたものでしょう?

内緒にしていても良いものか悩みながら、私は図書室から借りてきている本を差し出しました。

「熱はほとんど下がったようなので、寝台から出ないのであれば本を読んでも構いません。少しは気分転換になりませんか?」

「ありがとう、フラン」

分厚い本を抱えて喜ぶローゼマイン様の前を辞し、私は部屋の中を見回しました。ロジーナが嬉しそうに微笑んでフェシュピールを磨いているのが見えます。

「ロジーナ、私とギルは神殿長室の片付けに向かうので、ローゼマイン様のお世話をお願いします。本を読んでいるので、頃合いを見て水を飲むように声をかけてください」

「かしこまりました」

ロジーナは口ではそう答えましたが、目はフェシュピールから全く動いていません。灰色巫女が貴族の専属楽師に取り立てられたのですから浮かれる気持ちはわかりますが、新しく側仕え見習いになったモニカとニコラの教育や仕事の引き継ぎなど、ロジーナがやるべきことはたくさんあります。側仕え見習いになったばかりの二人にローゼマイン様の世話を任せることはまだできません。

「ロジーナ、仕事はしっかりしてください。モニカとニコラに引き継ぎを終えなければ、神官長にお願いして楽師として貴族街へ向かう時期を遅らせてもらうことになります」

ローゼマイン様が女性である以上、灰色巫女でなければできない仕事はいくつもあります。湯浴みや着替えなどは同性の側仕えの仕事です。以前は神官長の側仕えとして仕事をしていたので、私でも教えられると思っていましたが、デリアを指導していたロジーナを見て考えを改めました。同じ仕事でも性別によって求められることに違いがあるのです。

「普段の生活に必要な衣装の着せ方や保管方法、湯浴みの手伝い、儀式時の準備の流れなどは私でも多少の指導はできます。けれど、髪の結い方、飾り方、手入れの方法などは私に教えられることではありません。神殿長として戻ってくるローゼマイン様が神殿の生活に困ることがないように、二人に基本的なことを教えておいてもらわなければならないのです。……貴女からそれを習っていたデリアはもういませんから」

ロジーナはハッとしたようにフェシュピールから手を離し、モニカとニコラを呼びに行きました。ここまで言っておけばロジーナはしっかりと二人の教育をしてくれるでしょう。私は一階の掃除をしていたギルに声をかけ、孤児院長室を出ました。

「あぁ、来たか。では、神殿長室へ向かうぞ。ザーム、フランに現状の報告を」

神官長の側仕えであるザームから貴族区域の現状について説明を受けつつ移動します。どうやら青色神官達は事の詳細については教えられず、「神殿長が亡くなられた」とだけ知らされたそうです。神殿長と繋がりが深い青色神官達は何が起こったのかわからずに、戦々恐々としているようです。

「フラン、其方等は祭壇を片付けろ。我々は書類を片付ける」

「かしこまりました」

神殿長室をローゼマイン様の部屋として整えるためにも神殿長の私物を片付ける必要があります。神官長の側仕えのほとんどが忙しく働いているこの場に筆頭側仕えのアルノーの姿が見当たらないことに首を傾げつつ、私はギルと一緒に布で丁寧に聖典や祭壇の上の燭台などを包み、保管しておくための木箱に納めていきます。そして、ローゼマイン様のお部屋に新しく注文する家具の参考とするため、様々な家具の寸法を測り、書字板に書き込んでいきました。

「神殿長になったら聖典が読めるようになるから、マイ……あ、違う。ローゼマイン様は喜ぶだろ……喜ぶと思います」

周囲を気にして言葉を直しているギルの言葉を私は「きっとお喜びになるでしょう」と肯定します。大きく立場が変わることに不安そうなローゼマイン様にも、新しい本という楽しみがあることに少しだけ安堵しました。

「書類関係はこのくらいか。予想以上に少ないな」

「こちらの棚にも木札がいくつか入っていました」

神官長がほとんどの職務を請け負うことになるので、神官長とその側仕えが率先して書類整理をしています。神殿長の仕事の杜撰《ずさん》さに頭を抱えた神官長がどんどんと仕事を奪っていったので、神殿長が抱えていた書類はずいぶんと少なかったようです。

「では、こちらを孤児院長室に運んで、しっかりと管理しなければなりませんね」

ギルと共に木箱を運ぼうとした時、書類や道具の入った木箱を運ぶように命じていた神官長が私を呼び止めました。

「フラン、午後から私の部屋に来なさい。神殿長の家具を下げ渡すための打ち合わせとローゼマインが行う神殿長の職務について話がある」

「かしこまりました」


孤児院長室へ戻ると、先程測った寸法とロジーナが書いていた家具の寸法を見比べて訂正していきます。領主の養女となるローゼマイン様の家具は見栄えや価格はもちろん、寸法もきちんと準備しておかなければなりません。

四の鐘が鳴りました。ローゼマイン様から本を取り上げ、昼食を摂っていただきます。その後、側仕えは食堂で下げ渡された食事を食べるのですが、デリアがいなくなり、代わりにニコラとモニカがいる食堂は不思議な感じがしました。

「二人は仕事の手順を覚えられそうですか?」

「せっかく側仕え見習いに召し上げられたのです。短い引き継ぎ期間ですが、頑張ります」

真面目な顔でモニカがそう言うと、ニコラも笑って頷きました。ここの食事がおいしいので頑張れるそうです。食欲が一番なニコラに笑いを誘われましたが、二人ともやる気に燃えているのですぐに覚えてくれるでしょう。ロジーナによると、孤児院にいた頃からヴィルマに教えられていることもあるようで、教育は予想以上に早く進みそうだということでした。

昼食を終えると、神の恵みを孤児院に運びます。ヴィルマとフリッツが駆け寄ってきて、すぐに神の恵みを受け取ってくれました。ぐるりと孤児院を見回しますが、孤児院の中は特に混乱もないようで、いつも通りに動いているようです。

「ヴィルマ、問題はありませんか？」

「そうですね。デリアが少し気になります。ディルクの世話を一人で抱え込んでいるのです。その内、倒れそうで……」

デリアの名前を聞いて、私はわずかに目を伏せました。正直なことを言ってしまうと、私はデリアが苦手です。女を武器に神殿長に取り入ろうとしていた姿勢も、自分が仕える主ではなく、孤児のディルクを最優先にした言動も自分とは相容れません。主を裏切って神殿長についたデリアがどうなっても私は構わないのですが、領主様に対して命乞いをしたローゼマイン様はデリアとディルクに何かあれば気になさるでしょう。

「デリアが倒れるまでは好きにさせるしかないと思います。思い詰めている今は何を言っても聞く耳を持っていませんから。デリアが倒れた時にディルクの面倒を見る者やデリアの面倒を見る者を決めて準備しておけば良いでしょう」

「……そうですか。わかりました」

ヴィルマは心配そうに食堂の奥へ視線を向けながら、私の助言に頷きました。

「フランは神官長室だろ？　オレはこれからちょっと工房を見てくる。明日は森へ行くことになってるからさ」

孤児院から戻ると、ギルがそわそわとした様子でそう言いました。工房が気になるあまり、言葉遣いが荒くなっています。私が注意すると、ギルが一度息を吸って訂正しました。

「これから工房の様子を見てきます」

「ギル、貴方は自分の立場を守るために自分だけができる仕事を確保しようと、一人で仕事を抱え込みすぎるところがあります。貴方は神殿長の側仕え見習いとなるのですから、これからは他の灰色神官に仕事を割り振れるようになってください。ローゼマイン様は努力を重ねる貴方を切り捨てるようなことはなさいません」

表情を引き締めたギルが足早に工房へ向かい、ロジーナは再びモニカとニコラの指導を始めました。私はローゼマイン様が寝台から出ないように本を渡してから神官長室へ行きます。

入室すると、神官長は忙しそうにいくつもの木札や書類を仕分けしているのが見えました。神殿長の部屋から持ち出した物でしょう。

「フラン、わざわざすまないな。あれの様子はどうだ？　熱が長引いているようだが……」

「熱はほとんど下がりました。ですが、精神的に不安定なように思えます。家族を心配し、今のお立場に不安を感じているようで、弱音を吐いていらっしゃいました」

私の報告に神官長は少し安堵したように表情を緩めました。

「弱音が吐けるならば、それほど心配はいらぬ。今回与えた薬は魔力を回復させる効果はほとんどない物なので、しばらくは魔力の揺らぎもほとんどないはずだ。何か異変があれば、報告してくれ」

神官長の側仕え達と共に神殿長の部屋から運び出す家具の処分について話し合いました。ご実家の方では神殿長の荷物を引き取ることはなさらないようで、基本的には青色神官に家具を下げ渡すことになります。どのような順番で家具を見せるのか、誰がそこについて監視するのかなどを話し合った後、神官長は軽く手を振りました。

「ローゼマインが神殿長として行う儀式の話をする。其方らはそれぞれの仕事に戻るように」

神官長の前に残ったのは私だけで、神官長の側仕え達はすっと執務机から遠ざかっていきます。皆が離れるのを見てから、神官長は言葉を書き留めるために書字板を取り出した私をちらりと見ました。そして、少しばかり言いにくそうに心持ち声を潜めます。

「フラン、アルノーから事情を聞いた」

ざわりと肌が粟立ち、ゴクリと喉が鳴りました。神官長に事情を聞かれたら話す、とアルノーには言われていましたが、実際そうなってしまうと神官長の前に立っているのも許されないような気がして、思わず一歩下がってしまいます。

「知らなかったとはいえ、青色巫女に仕えるのは苦痛に思うところもあっただろう。フラン、其方はこれから先もローゼマインに仕えられるか？　私に仕えていた頃と同じように、ローゼマインを自分の主とすることができるか？」

過去の一切を語ることなく、神官長は金色の目で静かに私を見据えて先のことを尋ねました。今までのことは関係がない、と言外に言われたことで気持ちが軽くなるのがわかります。

「神官長のおっしゃる通り、初めは陰鬱《いんうつ》な気持ちになりました。青色巫女見習いの側仕えとして孤児院長室で過ごすことになったのですから」

ローゼマイン様の個室として与えられた孤児院長室は家具や食器さえもそのままで、嫌でも思い出を引きずる場所でした。けれど、主が違うだけでここまで違うのか、と驚愕したのはすぐでした。

ローゼマイン様は神殿から出ることを許されていなかった灰色神官を下町に連れ出し、孤児院や工房に平民のやり方を取り込んでいきます。どんどんと自分の周囲が変わっていくのが目に見えてわかりました。次々と新しいことを始め、神殿にはなかったことを取り込むローゼマイン様に順応することに手一杯で、とても過去を思い出している余裕などなかったのです。

「ローゼマイン様はマルグリット様と全く違います。自分の利となるように孤児院を使うのではなく、孤児院を少しでも良くしようと奮闘されていらっしゃいます」

自分の好きなように孤児達を動かせるから。

孤児院に与えられた金額を着服し、利益を得ることができるから。

役職に就いていた方が多くの補助金が回ってくるから。

そのような理由で孤児院長の役職に就いていた他の者とローゼマイン様は全く違いました。自分の身銭を切って孤児達を救い、自分達で生きていけるように仕事と生活の術を与えたのです。ローゼマイン様が神殿長や青色神官に隠しつつ、やりきったことの貴重さと素晴らしさは、孤児院で育った者にしかわからないでしょう。

「孤児院では灰色神官を始め、見習いも子供達も皆が感謝し、慕っています。驚かされることも多いですが、私はこれからもローゼマイン様のお役に立ちたいと思っております」

「そうか。ならば良い。青色巫女に色々と思うところがあって立ち回っていたアルノーは遠ざけたが、フランはこれからもローゼマインに仕えてくれ」

短い神官長の言葉に含まれた意味を察して私はそっと息を吐きました。神官長の周囲に筆頭側仕えであるアルノーの姿が見えなかったことが不思議でならなかったのですが、どうやらはるか高みに続く階段を上がっていったようです。

……青色巫女に思うところがあったということは、恐らくアルノーもマルグリット様の犠牲者だったのですね。

「貴族社会では些細《ささい》な失敗が取り返しのつかない汚点として残る。それを念頭に置き、ローゼマインに仕えるように。命令を唯々《いい》諾々《だくだく》と聞いていれば良いのではない。ただの貴族ではなく領主の養女として相応しい成果を残せるように厳しく導いてほしい」

私達ローゼマイン様の側仕えがしておかなければならない仕事と、領主の養女にお仕えするための心構えについて神官長は話してくださいました。

「かしこまりました。誠心誠意お仕えいたします」

神官長は深く一度頷くと下がるように、軽く手を振りました。私は手を交差させて跪くと、神官長の部屋を出て孤児院長室へと戻ります。

……領主の養女に相応しい成果。

ローゼマイン様は貴族の常識が足りず、巫女見習いとしての経験も知識も不足していらっしゃいます。神殿長として領主の養女に相応しい成果を残せるように補佐することが、私の役目だと言われて、その責任の重さにぞくりとしました。

……ローゼマイン様が神殿長として初めて民衆の前に立つのが星結びの儀式ですから、そこで失敗することだけは避けなければ。

「ロジーナ、モニカ、ニコラ。手伝ってください」

私は皆を呼んで儀式に関することを少しでもわかりやすくなるように木札にまとめ始めました。一年間の儀式がたくさんあり、それぞれの儀式で覚えなければならないことがあります。神殿長の役職をこなさなければならないローゼマイン様が万が一にも失敗などしないように、全力で補佐しなければなりません。

ギルはローゼマイン様の一番の関心事である本の制作に関わり、お役に立っています。ならば、私はローゼマイン様の筆頭側仕えとして、神殿長の補佐という仕事に全力で取り組まなければならないでしょう。

どんどんと積み重なっていく木札を見て、私はローゼマイン様が休んでいる寝台へ視線を向けました。さて、少しでも時間があると図書館へ行きたがるローゼマイン様は、これを覚えてくださるでしょうか。

「これらを覚えてもらうために、まず、本に突進するローゼマイン様の押さえ方を考えなければなりませんね」

私の呟きを拾ったロジーナが同じように寝台へ視線を向けると、「難しいでしょうけれど……」と小さく笑って頷きました。

エーファ　前を向いて

真夜中にカミルの泣き声で目を覚まし、わたしはカミルを抱き上げた。お乳の時間だ。カミルの髪の色と目の色がマインに似ているから、お乳をやりながら見つめているとマインとの思い出が蘇ってくる。マインはいつだって熱を出したり寝込んだりしていたから、いつ死ぬのか、今度は大丈夫か、ずっと心配してきたのだ。やっと元気になってきたと思ったら、今度は手が届かないような遠くへ行ってしまった。

……でも、まだ本当に死んでしまったわけではないもの。

気分が沈みそうになれば、自分にそう言い聞かせて気持ちを立て直す。本当に死んでしまったわけではないし、家族として接することができなくてもマインとの細い繋がりは残されている。そう思えばちょっとだけ気が楽になるのだ。

……ギュンターは大丈夫かしら？

あまりよく眠れないようで、何度も寝返りを打っている大きな塊を見ていると、知らず知らずのうちに溜息が零れた。

葬儀を終えれば、皆が日常へ戻っていくものだ。どんなに悲しくてもギュンターは仕事に戻らなければならない。だから、昨日はギュンターも門へ行った。昼勤だったので三の鐘が鳴った後で嫌そうにのそのそと仕事に向かったけれど、四の鐘が鳴る前に帰ってきた。

上司である士長を殴って、「気持ちはわかるが、少し頭を冷やせ」と他の皆からもうしばらく休むように言われたそうだ。どうやらマインのことで士長に何か言われたらしい。士長が何を言ったのか、聞いていた者はいないようだけれど、「門番への連絡不備で余所のお貴族様の侵入を許すことになって、俺がマインを失うことになったのはお前のせいだ！」とギュンターが士長を殴り飛ばしたところは目撃者がたくさんいたようだ。ギュンターを送ってきてくれたオットーという部下が教えてくれた。

子煩悩なギュンターは病弱なマインを大事に、大事にしていたから。余所のお貴族様の侵入を防げなかったこと、マインを守り切れなかったこと、最終的にマインから守られる形になったことを悔やんで、落ち込んで、少し投げやりになっている。

……もう少しだけ、そっとしておいてあげた方が良さそうね。

お乳を終えたカミルの背を軽く叩いてゲップさせると、おむつの様子を確認してわたしも眠りにつく。少しでも早くギュンターが立ち直ってくれれば良いと思いながら。


「マインの祝福のおかげだと思うの」

朝になって、仕事へ向かう準備をしながらトゥーリが突然そう言った。すごい思い付きだ、というように顔を輝かせているけれど、何を言っているのかわからない。

「何の話？」

「昨日、わたしがコリンナ様との約束を取り付けたこと。マインとの約束を守るんだって思ったら、北へ向かうのも怖くなかったし、コリンナ様にお願いするのも全然怖くなかったの。あれって絶対にマインの祝福のおかげだと思うんだよね」

トゥーリは昨日ルッツと一緒にギルベルタ商会へ行って、ダルア契約の切り替え時にギルベルタ商会へ入ってコリンナ様の工房で働くという約束を取り付けてきた。街の北に行くのも緊張すると言っていた今までのトゥーリからは考えられないような突飛《とっぴ》な行動だ。

……まるでマインみたいって言ったら怒るかしらね？

「今でも信じられないよ。マインの髪飾りの注文はわたしに任せてくれるって、コリンナ様が言ってくれたなんて。他の人にお仕事を取られないように、もっと上手にならなきゃね」

トゥーリは誇らしそうな笑顔でそう言った後、「こんなに上手くいったのはマインの祝福のおかげ」と呟いた。

マインの祝福というよりはギルベルタ商会の打算だと思う。貴族の娘になったマインとの繋がりが欲しくてトゥーリを雇ったはずだ。それでも、マインに繋がる糸をトゥーリがつかんだことが嬉しい。トゥーリの中でマインはまだ死んでいない。頑張れば会える相手だと考えているのがわかる。前を向いて突き進もうとするトゥーリの姿は眩しいほどだ。

「母さんもマインの祝福を受けたでしょ？　動きが軽くなってるもん。でも、母さんはあんまり無理しちゃダメだよ。産後の痛みやだるさからは解放されても、カミルの授乳で寝不足の生活はこれからも変わらないんだから」

マインの祝福で産後のどうしようもない体の痛みや疲労感は消えたのだから、前に向いて進んでいかなければならない、とトゥーリに指摘された気がした。「わたしだって負けていられないわね」という気分になったわたしは、マインがいなくなってから数日ぶりの笑顔を浮かべて家事をするためのエプロンを身に着ける。

「マインの祝福があったもの。わたしの心配はいらないわ、トゥーリ。ほら、二の鐘よ。お仕事にいってらっしゃい」

少し明るい気分になって見習いの仕事に向かうトゥーリを送り出した後、わたしはカミルの様子を見ながら水瓶の水でお皿を洗った。家の中をよく見回してみれば、洗濯はトゥーリがしてくれたけれど、水汲みをしなければならないし、今日は市が立つ日なので、買い物にも行かなければ食材がない。ご近所さんからの差し入れはもう食べ尽くしてしまった。一人なら残り物で終わらせてしまう昼食もギュンターがいるので量が必要になる。

……さて、何から片付ければいいかしら？

そう考えていると、夜勤でもないのにギュンターが今頃になってのっそりと起きてきて、エプロンをつけて動いているわたしをじっとりとした目で見た。

「トゥーリもエーファもどうしてそんなに割り切って普通の生活ができるんだ？　マインがいなくなったんだぞ」

「お葬式も終わって、ご近所さんが手助けをしてくれる期間が終わったからよ。わたしとトゥーリがいつまでも泣いて悲しんで動かなかったら、誰がカミルにお乳をあげるの？　誰がご飯を作るの？　誰が洗濯をしてくれるの？」

いくら悲しくても、喪失感があっても、体を動かして生活していかなければならない時が来ている。それはギュンターにもわかっているはずだ。

「それに、わたし達は他の人達とは違うわ。マインがたくさんの祝福をくれたもの。痛みを癒す力、目標に進み続ける力、悪意を撥《は》ね退ける力、苦難に耐える力を愛する者達へって。だから、平気よ」

ハッとしたように顔を上げたギュンターにわたしは笑って見せる。

「マインの祝福を受けたトゥーリはマインとの約束に向かって進み始めたのに、ギュンターは苦難に耐えることもできずにしょげているなんて、実はマインに愛されてないんじゃない？」

本当に祝福があったの？　と言ってみれば、ギュンターはくわっと目を見開いた。

「そんなことはないぞ！　父さんのお嫁さんになりたいって言われたし、腕の傷だって治った！俺はマインに愛されてる！」

マインのことになると過剰に反応して、むきになるギュンターが単純でちょっと可愛い。

「だったら、ギュンターも前を向いて動けるでしょ？　とにかく、やらなきゃいけないことは山積みなの。仕事に行けなくて暇なんだから、ギュンターも手伝ってちょうだい。まずは水汲みね」

「まずは……？」

「水汲みが終わったら買い物をお願い。今日は市が立つ日だけど、わたし、まだカミルを連れての遠出は無理だから。マインに怒られちゃうでしょ？」

外は病気の元がたくさんあるから首が座る頃まではカミルをなるべく外に出さないように、とマインはしつこいくらいに言っていた。それを思い出したのだろう。ギュンターがぐっと言葉に詰まる。

「あぁ、ほら。カミルが泣き出しちゃった。もうお乳の時間ね」

情けない顔のギュンターに桶《おけ》を突き出して外へ追い出すと、泣いているカミルを抱き上げる前に寝室の窓を大きく開けた。初夏が近付いている眩しい春の日差しが差し込んで部屋が一気に明るくなる。涼しい風が吹けば、悲しみで重くなっていた空気が吹き飛ばされていくようで気分も少し上向きになった。

「お待たせ、カミル」

ちょっと待たせすぎたようで、カミルは小さな口を動かして必死に飲み始める。そこへギュンターが水のたっぷり入った桶を持って戻ってきた。むすっとした不機嫌な顔で水瓶の中にザパッと水を流し込み、また井戸へ向かう。

何度も井戸と水瓶の間を往復して水汲みを終えたギュンターは「俺がマインに愛されてないわけがない」とブツブツ言いながら、買い物籠を手にのっそりと出かけていった。


授乳を終えて、おむつを替えて、カミルを寝かしつけながら明るくなった寝室を見回すと、部屋の隅に埃《ほこり》が積もり始めたのが見えた。部屋を綺麗にしないとマインが必死に掃除をしようとして、そのせいでまた寝込むので馬鹿みたいに丁寧に掃除をしていたけれど、マインがいなくなってから数日間掃除をしていないだけで汚れてきている。

「カミルが寝ている間に掃除しなきゃ。少しでもマインがいた時と同じようにしておきたいもの」

掃除を終えて、カミルの汚れたおむつがいくつか溜まっていたので洗濯をしてしまう。おむつを広げて干していると、大きな荷物を抱えたギュンターが帰ってきた。しばらく買い物に行かなくても大丈夫なように、ずいぶんとたくさん買い込んできたようだ。

「帰ったぞ。荷物は冬支度部屋に入れておけばいいんだな？」

ギュンターは出ていった時と違って、声が明るくてずいぶんと晴れ晴れとした様子になっている。

「何かあったの？」

「買い物に行く途中で孤児院の奴等を連れたギルと会ったんだ。マインの近況が聞けた。近いうちに貴族街へ行くけど元気で、こっちの心配をしてたと言ってたぞ」

ギルはマインの側仕えでよく家まで送ってきてくれていた子だ。ルッツと一緒に孤児院の工房で働いている頑張り屋さんだとマインが言っていた。

「ギュンターはギルに何て答えたの？　こっちの近況も伝えてもらったんでしょ？」

「皆、目標に向かって動いてるから心配するな、と言っておいた。……何だ、その目は？　士長を殴って仕事を休んでるなんてマインに伝わったら心配するだろう？」

ギュンターがばつの悪い顔になって早口でそう言う。子供達に尊敬される父親でありたいギュンターは、マインにカッコ悪いところは見せたくないらしい。

「じゃあ、マインに心配をかけないように仕事も行かなきゃダメね。いつから行くの？」

からかうようにフフッと笑って見上げると、ギュンターは悔しそうに鼻の頭に皺を寄せて「明日

から行くさ」とそっぽ向いた。

でも、その横顔には微かな笑みがある。声に力が戻っている。下を向いていた顔が上向きになっている。まだ空元気だろうけれど、前を向いて進む気にはなってくれたようだ。マインとの間に微かな繋がりが確かにあること、そして、ギル達孤児院の子供達や仕事で接するルッツから自分達の様子がマインに伝わることを実感したからに違いない。


その夜、ギュンターはカミルが泣いてもピクリとも動かずに寝ていた。たった一日での変化が単純なギュンターらしくてちょっと嬉しい。

「ギルからマインの話を聞いただけで復活するなんて、ギュンターはホントにマインが大好きなお父さんよねぇ、カミル」

お乳を飲み終わったカミルの背中を叩きながらそう言うと、カミルが「けぷっ」と返事をした。

ベルーフの資格

「今日は親方達も一緒に食事だってさ」

仕事の終わり際、道具の片付けに奔走しているダプラ達に声をかけると、彼等は揃って親方であるビアスの様子を一度見て、俺に小声で問いかける。

「おい、ヨゼフ。今日はパトロンのお嬢様も来てたし、イイ感じなんだよな？　前みたいな夕飯はごめんだぞ」

彼等の心配そうな響きの中にからかうような口調が混じっていることに気付いて、俺はおどけた顔を作って軽く手を挙げた。

「心配するな。今日は楽しく飲み食いできるさ。浮かれたハイディを抑えなきゃいけない俺以外は、な」

一瞬の沈黙の後、ゲラゲラと皆の笑い声が響いた。からかう声が工房内で飛び交うくらいに雰囲気が明るいのは久し振りだ。そんなことを考えていると、職人の一人がニヤニヤと笑いながら俺の肩をバンと叩いた。

「おい、ヨゼフ。夕飯時だけじゃないぞ、お前の仕事は」

「そうそう。今こそお前の出番だ。ハイディに片付けさせろ。ま～た考え込んでるぞ」

雰囲気の明るくなった職人達が指差す先には、素材を睨みながら何やら考え込んでいるハイディの姿がある。俺は職人達に背を向けるとハイディのところへ速足で向かった。ハイディは俺が近付いたことにも気付かずに小皿に入った素材を睨んで、何やらブツブツと呟いている。

「こら、ハイディ。その辺にしておけ。お前が片付けないと、他の奴等が終われないだろ」

ハイディの頭を軽く小突いた後、俺は彼女の前に並んでいる小皿を取り上げて、近くにいたダルアに無造作に渡していく。思考の海にはまっていたハイディも自分の前から素材がなくなると、顔色を変えて立ち上がった。

「あぁぁ！　ヨゼフ、待って！　丁寧にっ！　素材が混ざっちゃうよ！」

ハイディの思考を中断させるのには成功したようだ。俺は粉々に潰されているインクの素材が入っている小皿をハイディに返す。

「文句を言う暇があったら、さっさと片付けろ。鐘が鳴るぞ」

「わかった！　すぐに片付けるから、そっと扱ってよ！」

「お前じゃあるまいし、素材は丁寧に扱ってるさ」

周囲から「やっぱりハイディの扱いはヨゼフに任せるのが一番だな」と言われて笑われているけれど、そんな仕事仲間からの冷やかし言葉さえ久し振りで懐かしい。以前の雰囲気が戻ってきたことに、俺は胸を撫で下ろしていた。

「貴族にインクを売るのは商人ギルド長の協力を得られるようにギルベルタ商会が間に立ってくれることになった。ハイディのインク研究にも出資してくれるパトロンも見つかったし、新しい製法のインクも売れた。今日は大いに飲んでくれ」

ビアスの言葉にわっとダプラ達が喜びの声を上げて、目の前の酒を飲み、器の料理を食べ始める。俺も注がれたベレアをグイッと飲んだ。

ギルベルタ商会と繋がりを作るためと説明されて作らされていた新しいインクが売れて、貴族へのインク発売をギルベルタ商会とギルド長に任せる方向へ向かうことが決まり、ハイディの研究にパトロンが見つかったのだ。今日くらいはいいだろう。やっと少し苦労が報われた。明日からはハイディとまたインク研究で新しい苦労が始まる。

……あの小さいパトロン様のご機嫌を損ねないようにしなきゃな。

俺は今日一緒に色インクの研究をしていた幼い姿を思い出す。マイン様は研究馬鹿のハイディと気が合う変わったお嬢様だが、変なことをしていてもハイディと同列で叱り飛ばすわけにはいかない。あっちのお付きとの調整がいる。それに、際限なく研究を始めたがるハイディをどこで止めるのか、もっときちんと決めておかなければ、マイン様の資金を食い潰すことになったら大変だ。後になってから「ここまでしか払えません」と言われても困る。

皆が大騒ぎをしながらベレアを飲んでいる最中も、俺の頭の中は明日からの仕事のことでいっぱいだ。新しいインクに関することがハイディと俺に任された以上、研究以外の雑事は全部俺の仕事になる。今更言うことではないが、ハイディは研究以外では全く使えない。余計な手間が増えたり、全く進まなくてイライラしたりするだけなのだ。

「ヨゼフ、いい飲みっぷりじゃない。やっぱり自分達が作ったインクが売れると嬉しいし、こうやって皆で食べるのはおいしいから？　いつもこうやって食べたいよね？」

自分もベレアを飲みながら、ハイディがニヘッと笑った。ハイディは大人数で食べる食事が楽しいようで、こうしてダプラも含んで皆で食事を摂るのが好きだが、この工房ではビアス一家とダプラは別々に食事を摂るのが普通だ。

「ダプラだって親方の目がなくて気の抜ける時間が必要だって、親方は言ってただろ？　お前はたまにこうやって食べるので我慢しろ」

「ダプラ達が羨ましいよ。アタシだってたまには父さんの目がないところで食べたいもん」

ビアスの様子を見ながらこっそりとそう言ったハイディに苦笑しつつ、俺もちらりとビアスを見た。上司であるビアスの目がないところで食事くらいはのんびりしたいとダプラが思っているのは事実だ。間違ってはいない。

でも、ハイディと結婚してビアス一家と食事を摂るようになった俺は知っている。五人ほどいるダプラ達と家族の食事の内容に差があることを。ダプラ達の食費を抑えるためには食事を別にした方がビアスにとって都合が良いのだ。

そんなふうにいくつかの理由や建前のため、普段は別々に食べるけれど、工房にとって重要な話がある時は夕食を一緒に摂ることになっている。ダプラ達はちょっと豪華になる食事に喜び、ビアスの報告に一喜一憂することになる。

……今日は嬉しい報告だけど、前回はヴォルフさんが死んだ時だったもんな。

前回、ダプラ達と一緒に食事を摂ったのは、前インク協会のヴォルフが不審な死を遂げ、ビアスがインク協会の会長就任を断り切れなかった時だった。今までヴォルフがやってきた後ろ暗いあれこれを引き受けなければならないことになれば、いつビアスがお貴族様のいざこざに巻き込まれるかわからない。

当然、話を聞いたダプラ達は顔色を失った。ビアスがいなくなれば工房は間違いなく傾く。三年契約のダルアは契約更新時に逃げられても、ダプラは逃げられない。工房と命運を共にすることになるからだ。跡取り娘のハイディが研究のことしか考えておらず、夫である俺がまだベルーフの資格を持っていない以上、皆の不安は仕方がない。

……俺も早くベルーフの資格を取らないと。

ベルーフは工房の親方になるために必要な資格だ。親方が死んだ時、資格を持っていない者でも後を継ぐことは可能だが、ベルーフの資格が取れるまで協会内での立場が弱くなり、取引の制限がかけられる。そして、今いる以上のダプラやダルアを雇ったり、契約期間が過ぎたダルアの契約更新をしたりできなくなるのだ。

技術がものを言う職人の世界は厳しくて、ベルーフの資格を持たない者は自分の工房を持つことができない。腕のない者が工房を乱立し、技術や評価が下がることを防いでいるのだが、その分、親方を失った工房は一気に勢いを失うことになる。

……ヴォルフのインク工房のように。

ベルーフの資格を持つ者が前インク協会長のヴォルフしかいなかったため、ヴォルフを亡くしたインク工房は急速に衰退している。取引を制限され、ヴォルフがこれまで行ってきた後ろ暗い過去が面白おかしく噂されたせいで、春を迎えた途端、何人ものダルア達が契約を切ったそうだ。

……ウチが同じ道をたどるわけにはいかないんだ。

俺はダプラで、跡取りのハイディと結婚したため、何があってもこの工房から離れられない。もうハイディの研究馬鹿の面倒を見つつ、そのうちベルーフの資格を取ればよいとのんびり構えていられるような状況ではなくなった。ヴォルフの死によってインク協会の協会長にならざるを得なかったビアスは、ヴォルフのようにいつ不自然な死に方をしてもおかしくない。

……できるだけ早くベルーフの資格を取るんだ。

ビアスがインク協会の会長に就任することが決まり、「ヨゼフ、頼むぞ」と肩を叩かれた時の手の重みを今、俺は痛いほどに感じている。

「……うぉっ⁉」

真面目に考え込んでいたら、ハイディが突然俺の眉間をぐりぐりと指で突いてきた。

「ヨゼフは難しい顔をしてないでドンドン食べなきゃダメだよ」

「何だよ、突然……」

「新しいインク作りにはヨゼフの協力が必須なんだから。アタシ一人じゃあのインクはたくさんできないもんね」

ハイディが「明日も色々作ってみたいんだ」と言いつつ、次々と俺の皿に肉を盛っていく。新しいインクは長時間素材と油を混ぜるので腕力と体力がいる。ハイディだけでは研究するのも大変なのだ。

……お前にとって俺はインク製造機か。

自分の研究のことしか考えていない妻に苛立ちを感じつつ、俺は皿の肉を食べてベレアを飲む。

「よかったねぇ、父さん。あのお嬢様がパトロンになってくれて。おかげで何もかも上手くいったよ」

多少工房の状況は改善されたが、ビアスがインク協会の会長に就任したことは覆せないし、商人ギルド長の判断によっては貴族との取引だってどうなるのかわからない。ベルーフの資格を持つ者がこの工房にビアス以外にはいない現状だって変わってないのだ。

……上手くいったのは、新しいインクが売れたこととお前の研究費用が助かったことだけじゃないか。それがお前にとっては何もかもか！　この研究馬鹿！

能天気なハイディの笑顔を心の中で罵《ののし》りながら、俺はその日の夕食を終えた。

それから、パトロンのマイン様が毎日のように工房を訪れ、新しい色インクの研究が行われるようになった。油や素材の種類によって全く色が変わったり、紙に塗って時間がたつと変色したり、色インクの製造は失敗の連続だ。皆が頭を抱えながらいくつもの色インクを作っていき、マイン様が結果を書き留めていく。

「どうしたらいいんだろうね？」

ハイディはそう言いながら、寝食を忘れる勢いでインク研究にのめり込んでいった。「お嬢様に納得してもらえるインクを作らなきゃ」と呪文のように唱えながら油の種類を変えてみたり、市場で色の出そうな素材を探したりする。それくらいならば今までにもあったので、呆れはしても特に心配していなかった。適当なところで声をかけて口に飯を突っ込み、研究の途中で頭がゆらゆらと揺れ始めたら寝台へ放り込めばいいだけだ。

ところが、今回はそれだけでは済まなかった。朝食のパンをガニガニと噛みながら「何か秘密があるはずなんだけどなぁ……」と呟くハイディを放置して工房の仕事に行っていたら、何故か血相を変えたダルア見習いが走り込んできたのだ。

「ヨゼフさん、ハイディさんが捕まったって連絡が！」

「はぁ⁉」

今日のハイディはやけに工房へ来るのが遅いので、食事をしながら寝てしまったのかと思っていたら、なんと絵を描いている美術系の工房の様子を探ろうとして、工房の人達に不審者として捕らえられてしまったらしい。

……ハイディは何をしているんだ⁉

知らせてくれたダルア見習いと一緒に駆けつければ、ハイディは恐い顔の職人達に囲まれてうとうとしていた。

「ハイディ、なんでこんなところにいるんだ⁉」

「何か良い思い付きがないかなと思いながらパンを噛んでたら、いつの間にかここにいたんだけど……なんでだと思う？」

眠そうに目をしぱしぱとさせながら、ハイディが首を傾げる。俺は即座にハイディの頭に拳骨を食らわせ、「俺にわかるわけがないだろう！　きっちり目を覚ませ」と叱り飛ばした。

そして、俺は険しい顔をしている美術系の工房の人達に謝り倒す。「寝ぼけた妻が大変迷惑をかけました」と。ハイディがここにいるのは、無意識だろうが何だろうが、変色しないインクの作り方の秘密を探りたかったからに決まっている。しかし、門外不出の製造方法を盗もうとするのは重罪だ。寝ぼけてフラフラしていただけで他意はない、ということにしなければならない。

「ふざけるな！　本当のことを言え！　寝ぼけてこんなところに来るわけがないだろう！」

「寝ぼけてなかったらこんなところへ来るはずがない。何の用もないんだから」

「絵具の製法を盗みに来たに決まってる！」

「俺達はインク工房のダプラと跡取りだ。インクと関係のない絵具の製法なんて必要ないし、製法の秘匿性《ひとく》とそれを盗もうとする者に対する罰はよく知ってる。そんなことはしない」

険しい顔をしていた職人達に俺が怒鳴られている間、ハイディは俺の腕にすがりながら本格的に寝始めた。自分のしでかしたことが原因で夫が他人に怒鳴られて必死に謝っている中で、頭をカクンカクンと動かしている。

すぅすぅと寝息が聞こえ始める頃には、職人達から「お前、とんでもない妻をもらったんだな」と同情の眼差しを向けられるようになってしまった。

「とにかく、よく面倒を見ておけよ」

「本当に迷惑をかけました。すみません」

いくら揺すっても起きないハイディを背負って俺がインク工房へ戻ると、四の鐘が鳴り始める。午後からはマイン様がやってくるのに、碌に仕事が進まないまま昼になってしまった。

……俺、本当にこいつの夫としてやっていけるのか？

ハイディのあまりの奇行に思わず離婚を考えてしまったくらいに腹を立てていた俺は、寝台にハイディを放り込みながら怒鳴る。

「やっと状況が改善してる時に足を引っ張るようなことをするなよ。変色しない絵具の製造方法は門外不出だ。ウチがインクの製法を盗まれそうになったらどうするかくらいはわかるだろ？」

「うっ……」

まずい状況だったことはハイディにもわかっていたようだ。のっそりと起き上がって「ごめん」と謝ってくる。

「お前は本当に何も考えてないな」

「……今のアタシは頭がバーンってバラバラになりそうなくらいに考えてるよ」

「研究以外の話をしているんだけど、噛み合ってるか？」

不満そうな顔をしたハイディに指を突きつけると、ハイディはきょとんとした顔で灰色の瞳を何度か瞬いた。

「え？　研究以上に考えなきゃいけないことなんて、今はないでしょ？　お嬢様が研究費用を出す気になってくれているうちに何とかしなきゃダメなんだから」

ハイディに「当たり前のことを言わせるな」と言わんばかりの顔でそう言われて、何も言う気が失せた。ギルベルタ商会とビアスの間で研究費用については話ができていると聞いている。そこはハイディが心配するようなことではない。むしろ、ハイディの奇行でパトロンを逃さないようにすることを一番に考えなければならないくらいだ。

「ヨゼフ、ハイディ！　定着液の作り方がわかりました」

その日の午後、お嬢様は満面の笑みで工房に入ってきた。ハイディと二人で華やいだ声を上げながら、布を染める時に使う定着液の作り方について話を始める。

「うわぁ！　すごい！　すごい！」

結果として、マイン様から定着液の存在と作り方を教えられたおかげで、色インクは変色することなく使えるようになり、ひとまず完成となった。

……やっと肩の荷が下りた。

これでマイン様が工房へやってくる必要はなくなるし、ハイディがインク研究に没頭する時間も減らすことができる。正直なところ、毎日のようにパトロンが工房へやってくるのは気疲れするのだ。ハイディが失礼なことをしないように目を光らせなければならないし、パトロンが工房内にいれば新しいインク研究に関わっていない職人達も気を張り詰めていなければならない。

俺はホッとして身体中の力を抜いたが、ハイディはガッカリして肩を落とした。

「どうしてあんな変化が起こるのか、原因究明をする前に終わっちゃったよ」

「色インクができたんだから、お嬢様が出資してくれる研究はもう終わりだ」

ハイディの頭を小突きながら、俺は願う。誰も彼もこれ以上余計なことは言ってくれるな、と。

そんな俺のささやかな願いは叶わなかった。パトロン様はニコリとした笑顔で「研究を続けたいなら多少のお金は出しますよ？」と言ったのだ。

「お嬢様、最高！」

「お嬢様、ハイディを甘やかしすぎです！」

……誰がこの研究馬鹿の面倒を見ると思ってるんだ⁉　これからもこの生活が続くなんて勘弁してくれ！

両手を挙げてくるくる回っている研究馬鹿を指差しながらそう言うと、マイン様は「わたくしにとって、ハイディもヨゼフもグーテンベルクの仲間ですから」とはにかむように微笑んだ。

「……グーテ……え？　何だって？」

「グーテンベルク。本の歴史を一変させるという、神にも等しい業績を残した偉人です。今のところ、金属活字のヨハン、植物紙のベンノさん、それから、本を売るルッツがこの街のグーテンベルクです。あとは、印刷機を作ってくれる人としてインゴさん、インクを作ってくれる人としてハイディとヨゼフをグーテンベルク仲間に考えています。わたくしが読むための本を作るために必要なグーテンベルクに出資するのは当然です」

意味がわからないのは俺だけだったらしい。マイン様のお付きは「増えちまった」と呟いていたし、ハイディは飛び上がって喜んでいる。

「グーテンベルクだって、ヨゼフ。お仕事だって。出資してくれるんだって。研究していいんだって。いやっふぅ！」

「変色の原因がわかれば、これから先、役に立つこともあるでしょう。どんどんインクの研究をしてくださ い」

「任せてください！」

……あぁ、そうだ。そうだった。パトロンだからってなるべく目を逸らすようにしてたけど、このお嬢様、ハイディと気が合う変人なんだよ！

気の合う二人を見てげんなりしていたが、小さいながら自分の工房を構えてギルベルタ商会の後ろ盾を得ているマイン様は、ただの研究馬鹿であるハイディとは一味も二味も違った。

「ただし、最優先はインク作りです。注文したインクを期日までに納品できないようなことがあれば、容赦なく出資は打ち切ります」

「ひぇっ⁉」

「ハイディのような人は研究を始めると周りが見えなくなることが多いですから。最優先にしなければならないことを叩き込み、しなかった場合の罰は予め決めておかなければ」

ビシッとハイディに言って聞かせる姿には貫禄がある。

……さすが経営者。幼く見えるけど、しっかりしてるな。

「さすが同類。やりそうなことがよくわかっているな」

自分の心の声に似て非なる言葉の発生源は、マイン様といつも一緒に来ているギルベルタ商会の見習いのものだ。

……なるほど、同類か！

俺は思わず笑ってしまった。マイン様にムッとした顔で睨まれたので、急いでハイディの研究の監視をすることを約束し、機嫌を直してもらう。


その夜のハイディはご機嫌だった。

「よかったねぇ、ヨゼフ。あのお嬢様がパトロンになってくれて、何もかも上手くいったよ」

「ハイディ、お前な……」

午前中に問題行動を起こしたことを綺麗さっぱり忘れたような浮かれた様子に、俺は思わず口を開いた。だが、俺の文句が出るより先に、ハイディは夏の日差しのような眩しい笑顔を浮かべた。

「これで間違いなくヨゼフもベルーフの資格が取れるね」

「へ？」

「今一番ウチの工房に必要なものでしょ？　新しい色インクを作成してパトロンから研究費を勝ち取ったんだから、会長を押し付けた負い目もある今のインク協会にねじ込めば、結構簡単にベルーフの資格が得られると思うんだ。これで工房も安泰でしょ？」

多分、俺はものすごく間抜けな面をしていたと思う。仕方がないだろう。ハイディの口から工房の将来を心配するような言葉が出てくると思っていなかったのだ。ベルーフの資格はすぐにでも欲しいものだが、まさかそのためにハイディがインク研究に没頭しているとは考えもしなかった。

「……色インクの研究をしているのはハイディじゃないか。ベルーフの資格に相応しいのはお前だ」

一つの成果で二人が資格を得ることはできない。寝食を忘れて研究に没頭していたハイディが資格を得るべきだろう。俺の言葉にハイディは灰色の目を見開いて、「え？」と首を傾げた。

「ヨゼフがいなきゃこんなに早くインクはできなかったし、工房の経営をするヨゼフにこそベルーフの資格が必要じゃない。今更何を言ってんの？」

「それはそうかもしれんが……」

「アタシは難しいことを考えるなんてしたくないの。色んな素材でいっぱい研究したいんだ。だから、ヨゼフはアタシのためにベルーフの資格、取ってね」

ハイディが「可愛い妻のお願いだよ」と言いながらニヒッと笑った。可愛い妻という部分を肯定してやるのは癪《しゃく》だったので、俺はハイディを無言で寝台に放り込む。

後日、インク協会の会長であるビアスから俺はベルーフの資格を得た。

領主のお忍び

「レオン、今日は森へ行くから……」

ルッツが今日の予定を告げながら着替えのために足早に自室へ戻っていった。俺も自室へ戻って、着替えを始める。開店直後の一番お客様が多い時間を終えると、俺はルッツと一緒に神殿へ向かうことになっているのだ。

「孤児と一緒に森へ行くのがギルベルタ商会のダプラの仕事とは……」

神殿の孤児達と南門を通るのに浮かないボロ服を着ながら、俺は小声で不満を零す。俺の実家は布を扱う商家で、洗礼式の後にギルベルタ商会の見習いとなって、十歳でダプラ見習いとして契約をした。服飾を扱うギルベルタ商会との繋がりを強化したいと考えた親の意向に沿った形のダプラ契約である。俺は実家の店を盛り立てるためにギルベルタ商会にいるのだ。

ところが、変な仕事を持ち込んでくるマイン様のせいで、ギルベルタ商会は専門外の高級食事処を作ることになり、俺は神殿で貴族に仕える側仕えから給仕の仕方を教わってくるように、と旦那様に言われて神殿へ行くことになってしまった。給仕や行儀作法の訓練はこれから先にも有用だと思うので、神殿で貴族に仕えている側仕えから教えてもらえるのはありがたいことだと思う。

……でも、なんで訓練の時間より工房で職人みたいに働かされる時間が多くて、孤児を引き連れて森へ行く仕事をさせられてるんだよ。

貧民出身のルッツと違って、俺は森へ行った経験も少ない。森へ行くことが実家のためになるならば不満などなかっただろう。けれど、木を切って集めたり、紙を作ったり、印刷をして本を作ったりするのは、実家の仕事でもなければ、そもそも商人の仕事ではない。物を作るのは職人の仕事で、商人の仕事は商品を売ることなのだ。どうして、自分が商品を作らされているのか全く理解できない。

……神殿へ行くにしてもマイン様との伝手に利益があればまだ良かったんだろうけど。

神殿で給仕の仕方を教えてくれるフランの主は青色巫女見習いのマイン様だ。神殿にいる間は貴族の令嬢として扱うように、と旦那様に言われているが、実はルッツと同じ貧民出身である。ボロ服を着てギルベルタ商会に出入りする姿を見ているので間違いない。

どうして貧民だった子供が青色巫女見習いになったのか、経緯や理由を俺は教えられていない。それでも、旦那様が体裁を取り繕うために身の回りの物を揃える手伝いをしていたことは知っている。

マイン様は神殿で着るのに相応しい服を揃えたけれど、どの衣装も基本的に中古服ばかりで新しく仕立てることがない。儀式用の衣装は誂《あつら》えたけれど、旦那様から贈られた布を使っているので、布を買っていない。多分、これからも買うことはないだろう。マイン様は俺の実家のためには何の役にも立たない似非《えせ》お嬢様である。

もちろん、糸を編んで作る髪飾りや植物紙などの発明はすごいと思うし、ギルベルタ商会の利益にはなっている。俺が神殿に行くことがなかったら、遠くから見て「すごい子供もいるものだ」と思えただろう。だが、俺の役には立たないし、いつもルッツとべたべたしていて見苦しいので、あまり近付きたいとは思えない。

ちなみに、ルッツは大工の息子のくせに商人になりたいなんて言っている変なヤツだ。商人としての常識や知識が全くない。ルッツがダプラ見習いになったのはマイン様との繋がりが考慮されたからだろう。そうでなければ、商人見習いとして失格としか思えないようなヤツが十歳になる前からダプラ契約をするなんて考えられない。

確かにルッツはマルクさんが褒めているように、努力家だとは思う。文字の読み書きや計算を覚えるのは早かったし、様々な仕事を必死に覚えようとしているのはわかる。でも、なかなか身にはついていないし、根っこのところで理解できていないとしか思えない。

……だって、おかしいだろう？　ルッツは「マインが考えた物はオレが作る」って言うんだぜ？　商人見習いならば「オレが作る」ではなく、「オレが売る」とか「オレが広げてやる」と言うはずだ。俺から見ると、神殿の工房で嬉々《きき》として体を動かし、孤児を引き連れて森へ行くルッツは商人ではなく、職人にしか見えないのである。

……まぁ、工房の会計関係はできるようになってきたみたいだけどな。

「おはよう、ルッツ。おはようございます、レオン」

工房の前に森へ行くための恰好をした者が何人もいる。一番手前に青の衣装を着た小さい姿があった。マイン様が何の連絡もなく工房にいることは珍しい。この時間は楽器の練習をさせられているはずだ。

「おはようございます、マイン様」

挨拶をした俺は、森へ行くためのボロ服を着ている孤児達の中に、異様な存在感を放っている者がいることに気付いた。昨日紹介された青色神官のジルヴェスター様が貧民しか着ないようなボロ服を着て仁王立ちしている。

……一体何事だ⁉

恰好には不釣り合いな一目で高価とわかる弓矢を持っているジルヴェスター様を見て、俺は思わず悲鳴を上げそうになった。口元を押さえて何とか堪えたものの、頭の中は真っ白だ。

「ルッツ、本当に悪いのだけれど、ジルヴェスター様をお願いね。レオンとギル、今日は二人が子供達の採集組をよく見ていてくださいませ。……もう任せても大丈夫でしょう？」

……おい、こら、マイン様！　領主を連れて下町の森へ行けなんて無茶を言うな！

ジルヴェスター様はアウブ・エーレンフェストだ。工房の見学に来た彼と話をした旦那様が夜遅くにマルクさんと話をしている様子を見聞きしていれば、何となくわかる。いきなり大規模な事業の拡大を望まれたようで、ダプラは意見を求められたのだ。

……本気か？　本気でこんなのを連れて下町や森へ行くのか⁉

ギルは「かしこまりました」と元気よく返事をしているし、ルッツは「もうマインの無茶ぶりには慣れた」なんて言っているが、そんなふうにやすやすと引き受けられることではないだろう、とできることならば怒鳴りたい。

……もしかして、ルッツもマイン様も気付いていないのか⁉　ジルヴェスター様が領主だと知らないのか⁉

そういえば、領主の顔を知っていた旦那様は即座に工房から連れ出されたし、ルッツは夜になると家に戻るので、仕事が終わった後に始まる旦那様とマルクさんの会話は聞いていない。マイン様もルッツも、ここにいる孤児達も、俺以外は全員領主だと知らないのだ。

あれは領主様だ、と口に出してよいのかどうかわからず、口をハクハクと開け閉めした後、俺は基本的にルッツに任せるつもりで、ジルヴェスター様に背を向けて歩き始めた。青色神官に扮した領主の相手をするよりは、孤児の相手をしていた方がよほどマシだ。少なくともちょっとした失敗で将来が左右される心配がない。


「これが平民達の住む下町か。汚いし、臭いな」

ジルヴェスター様は神殿から出るなり、嫌そうに顔をしかめて下町を見回す。

「ここを清める下働きの者はいないのか？　怠慢ではないか」

ジルヴェスター様を案内するために少しだけ前に出ているルッツが少しばかり振り返りながら
「街の掃除をする下働きなんて誰が雇うのですか？」と質問した。確かに下働きに掃除をさせたければ、雇い主は必要だ。街の掃除のために金を出すような奇特な者には心当たりがない。

「……誰が雇うか、だと？」

「えぇ。街は誰の物でもないでしょう？」

「バカ！　この街は領主様の物だろうが！」

当たり前の顔で言ったルッツの言葉に俺は思わず反論してしまった。領主の前で誰の物でもないと言うなんて、怖いもの知らずにも程がある。

「あぁ、そうか。じゃあ、ジルヴェスター様から領主様に下町を掃除するための下働きを雇うようにお願いしてください。平民から領主様にお願いなんて厚かましくてできませんから」

青色神官は貴族だからできるんですよね、と笑顔で言っているルッツの頭を後ろから思い切り殴りたくなった。

……ルッツ、今のお前はこれ以上なく厚かましいぞ！

ジルヴェスター様が怒り出さなかったことに胸を撫で下ろしながら、下町の道を歩く。

「たくさんの色があって目が疲れそうだな」

「神殿は真っ白ですから、全然違うでしょう？　孤児達も初めて下町を歩いた時に同じような反応をしていました。……なぁ、ギル、フリッツ。お前達からジルヴェスター様に下町の歩き方を教えてあげてくれないか？　オレは神殿と下町の違いがよくわからないから」

ルッツがそう言って、下町を歩く時の注意点を教える役を孤児達に譲る。確かに俺達では神殿育ちの者が下町の何に驚くのか、どこに気を付けなければならないのか、わからない。

「其方は確かマインの側仕え見習いだな？　よし、教えろ」

緊張した面持ちでギルがまだ丁寧とは言えない言葉遣いで説明するのを、フリッツが横でところどころ訂正していく。まだ丁寧な言葉を使えないギルには任せておけないと思ったのか、成人済みの神官達がジルヴェスター様を取り囲み始めた。ルッツの手が空いたのを見て、俺はクイッとルッツの襟元を引っ張った。

「おい、ルッツ。森へ狩りに行くジルヴェスター様に何を食わせる気だ？」

小声で尋ねると、ルッツは何も考えていない顔で俺を見上げた。

「何って下町の森を体験したいんだから、同じで良いんじゃないか？」

「良くねぇよ」

……領主に芋と塩スープなんて食わせられるか！

森へ採集や紙作りに行った時に食べる昼食は、枝と一緒に蒸したカルフェ芋にバターを挟んだものが主食になる。それから、持って行った干し肉とそこら辺の野草を適当に放り込んだ塩スープだ。ちなみに、木の皮を湯がく鍋で作られる。とても領主に出せるようなものではない。

「俺はとりあえず旦那様に報告してくるから。お前は先に行ってろ」

見えてきたギルベルタ商会を指差し、俺は孤児達の列から離れると、お客様を見送っていたマルクさんに近付いた。マルクさんはこちらを振り向き、目が合った瞬間に笑顔を深める。

「レオン、上で詳しいお話を聞かせてください」

マルクさんは孤児達の中心でボロを着ているからこそ目立っている銀の髪留めやきちんと仕立てられている革の靴を履いた男が誰なのか、予想がついたのだろう。少し早口でそう言いながら、さっさと店の外から上がる階段へ向かっていった。

俺は二階の部屋に入ると同時に、事情説明を始める。なるべく簡潔に、ジルヴェスター様がお忍びで下町の森で狩りをすること、ルッツが案内役を務めること、そして、昼食の内容を告げた。

「マチルダに言って、パンとハムとチーズと飲み物を準備させましょう。基本的なカトラリーも準備した方が良いかもしれません。彼等は手づかみでカルフェ芋を食べると旦那様から伺ったことがあります」

旦那様は以前ルッツやマイン様と森へ行ったことがあるようで、その時は木の板に置かれたカルフェバターを手づかみで食べさせられたらしい。今は孤児達の提案でスープを作るようになったので、木のお椀と匙はそれぞれが袋に入れて腰から下げているが、飛び入り参加のジルヴェスター様がカトラリーを持っているかどうかわからない。全ての準備は側仕えに任せるお貴族様が狩りに行くのに自分の食器を持っているとは思えない。準備していくのが無難だろう。

「レオン、ジルヴェスター様の給仕は貴方に任せます。フランに習った経験を活かしてください。

……はい、どうぞ」

俺から事情を聞きながら、下働きのマチルダに昼食の準備をさせていたマルクさんはいつも通りの笑顔で手提げ籠を差し出した。

「ジルヴェスター様はマインやルッツにご自身のお立場を知らせるつもりはないようです。不用意に漏らさないように気を付けてくださいね」


準備された昼食を持って、俺は急いで森へ向かう。いつも作業している河原ですでに作業は始まっていた。木の皮が鍋でぐつぐつと煮込まれているのが見える。川で芋を洗っている子供もいるし、森で採集をしている者もいるいつもの風景だ。ただし、ルッツとジルヴェスター様の姿はない。

「ジルヴェスター様とルッツはどうしている？」

「森へ入るところで分かれ、二人は狩りをする場所へ向かいました。四の鐘が鳴ったら、こちらへ来るそうです」

鍋の番をしているはずのフリッツは鍋に背を向けて石を組みながらそう言った。何を作っているのか尋ねると、ジルヴェスター様が食事をするためのテーブルを準備しているらしい。

「ジルヴェスター様は青色神官ですから必要だと思ったのです。テーブルもなく食事をするのは、我々でも慣れるのに時間がかかりましたから」

ジルヴェスター様を貴族として扱う気が全くないルッツに頭を抱えているのは俺だけではなかったのだ。そう思った途端にちょっとした仲間意識が芽生える。

「それはいいな。俺はジルヴェスター様が食べるための昼食を準備してきた。さすがにジルヴェスター様が召し上がる昼食が芋とスープだけというわけにはいかないだろう？」

店に寄って準備をしてきたと俺が告げると、フリッツは少し驚いた顔をした。

「神殿では食事の準備をするのは青色神官ですから、ジルヴェスター様のために食事の準備をするということは全く考えつきませんでした」

フリッツはむしろジルヴェスター様が同行するので、今日は豪華な下げ渡しがあると思っていたらしい。

「神の恵みである料理の準備をするのは青色神官の領分ですから」

……料理人がいないのにどうやって準備するんだよ？

灰色神官との常識の壁の厚さに俺は目眩《めまい》がした。

四の鐘が鳴り、俺はジルヴェスター様の昼食を整える。ルッツと一緒にジルヴェスター様が仕留めた鳥を二羽持ってきた。

「ジルヴェスター様、ここに吊っておくといいですよ」

「どのようにするのだ？」

ルッツが指差す枝を見ながらジルヴェスター様が首を傾げる。しかし、ルッツはジルヴェスター様が持っている鳥を受け取ろうとせずにやり方を説明するだけだ。

「紐などないぞ、ルッツ」

「どうして狩りに来るのに紐も持っていないのですか？　血抜きもできませんよ。ジルヴェスター様の腰の革袋には一体何が入っているのですか？」

そう言いながらルッツは自分が腰に巻いている紐を解いて差し出す。俺は思わずルッツのところへ駆け寄り、どうしてルッツが処理をしないのか、と問い詰めた。ジルヴェスター様に獲物を持たせているのも、下処理をさせるのも、俺には信じられない。

「どうしてって言われても、自分で狩った獲物なんだから、自分で処理をするのが当然じゃないか。他人にさせるのは獲物を譲り渡すのと同じだぞ？」

「それは下町のやり方だろう？　ジルヴェスター様は……」

「下町の森で狩りをするんだから、下町のやり方で何の問題があるんだよ？」

ルッツは当たり前の顔でそう言い、ジルヴェスター様は「貴族らしい狩りがしたいならば、貴族の森でしろ、とマインにも言われているのだ。気にするな」と苦笑しながら枝に鳥を吊っていく。

「ジルヴェスター様、獣が血の匂いで寄ってきて獲物を奪いに来る可能性もあるので、気を付けて見ていてください」

「うむ。……ところで、ルッツ。側仕えがいない場合はどのように手を洗うのだ？　平民は洗浄の魔術も使えぬはずだ」

血で汚れた自分の手を見ながらジルヴェスター様は尋ねた。側仕えがボウルに入れて水を持ってくるのが日常なのだろう。

「そこに川があるではありませんか。川で洗うのです。やり方は子供達に尋ねてください。私は紐代わりに使える草を採ってきます。午後も狩りをするのでしょう？」

ジルヴェスター様は「もちろん午後も狩りをするぞ」と胸を張って答えた後、子供達を振り返った。

「……よし。子供等、私に川での手の洗い方を教えろ」

「私が教えます、ジル様。こちらへどうぞ。私もルッツに教えてもらいました。桶に水を汲まずに手を洗うなんて最初は驚いたのですよ」

川辺へ駆けていく子供達を見て、ジルヴェスター様は面白がるような顔で川へ近付いていく。俺は森へ草を採りに行こうとしたルッツの腕をつかんだ。

「おい、ルッツ。ジル様って何だ？　いくら何でも不敬じゃないか？」

「本人がそう呼べって言ってたから良いんじゃないか？」

ルッツは肩を竦めて「ジル様」と呼ぶことになった経緯を教えてくれる。

「小さいのがなかなかジルヴェスター様って言えなくてさ。チビが呼び間違える度に無礼なことをした、って真っ青になりながら灰色神官達全員が詫びるために跪くんだよ」

「はぁ？」

「三回目の時には後ろの方に並ぶ小さいのが歩道から出ちゃって、危うく荷馬車にひかれるところだったんだ」

子供はルッツが助けたらしい。そして、呼び間違えるたびに全員が跪いて許しを請うのでは面倒すぎる、と感じたジルヴェスター様が「ジル様」と呼ぶように言ったそうだ。

「青色神官なのに、ずいぶんと鷹揚《おうよう》で融通が利くと思わないか？　変わった人だけど、横暴で嫌な貴族じゃなくてホッとしたよ」

ルッツはそう言いながら俺に背を向け、草を探すために森へ分け入っていった。


昼食は俺の給仕で無事に終えた。一人だけメニューが違うし、石を組んで板を渡しただけだがテーブルがあることにルッツは何も言わず、ジルヴェスター様も静かに受け入れてくれる。

「ところで、其方等から見たマインはどのような娘だ？　親交があるのであろう？」

「そうですね。……変わったことは何でも知っているのに、常識的なことは何も知りません。病弱でいつでも死にかけているし、他人を頼らないと何もできません。でも、優しいし、私の夢を応援してくれる心強い相棒です」

言葉は丁寧だけれど、特に隠しもしないルッツの言葉にジルヴェスター様は少し考え込むように空を見上げた。

「私が聞いた話とは少し違うようだな。マインは孤児院の改革を行ったようだが、一体どのように感じている？　素晴らしい成果を上げているように本人やフェルディナンドは言っていたが、それが事実ならば、それこそ領主に進言して褒美の一つでも出さねばなるまい。マインの報告が嘘ならば、何らかの罰を下すこともできるぞ」

事実を述べよ、と言われた孤児達はマイン様が来る前の孤児院の状況と今の状況を口々に話し始めた。孤児院を救った話。おいしいご飯が増えた話。自分達でスープが作れるようになった話。冬の間、火を切らすことなく暖炉を囲むことができた話。誰の目も輝いていて、マイン様を尊敬しているのがよくわかる。

……孤児院の改革なんて、そんなことをしてたのか。

俺が出入りするようになった孤児院長室や工房はどうやら孤児院の改革が終わった後のようで、以前の孤児院がそんなに壮絶な場所だとは知らなかった。

……それにしても、お前等、そんなに喋れたんだな。

孤児院の改革の話を聞いて、一番俺が驚いたのは神官達の饒舌《じょうぜつ》さだった。幼い子供は神殿から出れば他愛ないお喋りもするのだが、成人した灰色神官達は工房でも森でも黙々と仕事をすることがほとんどで、必要事項以外はあまり喋らない。今は青色神官の質問に答えているのだから、彼等にとっては必要事項に当たるのだろうが、それにしても普段の姿に比べると饒舌で驚く。

……っていうか、褒め言葉しか出てないぞ。欠点も話してやれ！　ルッツとべたべたして他人の言うことを聞いていないとか、わけのわからないことを思いついては周囲を振り回して大変なことになるとか、色々あるだろう！

心の中ではそう叫んでいたが、「レオン、其方は？」とジルヴェスター様に尋ねられると、「マイン様個人とはほとんど親交がないのでよくわかりません」という当たり障りのないことしか言えなかった。業務上のことはどこまで話をしても良いのかわからないし、下手に欠点ばかりをあげつらうと、工房での居心地が悪くなるのは確実だからだ。

「……なるほど。其方等の話を聞くと、まるで聖女だな」

何を考えているのかわからない顔でジルヴェスター様はそう呟きながら腰に下げている革袋から黒い石の付いているネックレスを取り出し、しばらく見つめて考え込み始めた。

「ジルヴェスター様、獲物が狙われています！」

「ぬ⁉」

ルッツの声にジルヴェスター様はネックレスを革袋に入れると、即座に弓矢を構えて獣に向かって放つ。三本の矢を外すことなく当てると同時に、鳥のところへ駆け出した。走りながらその右手が一瞬光り、次の瞬間には剣を握っている。

「それは私の獲物だ！」

剣が一閃。それだけで獣は地に伏した。平民とは違う、貴族の武器と強さに恐怖を感じた俺と違い、子供達は歓声を上げた。

「ジル様、すごいです！　強いです！」

「そうであろう」

子供達の称賛に気を良くしたのか、ジルヴェスター様は午後からも狩りを続ける。子供達に見える位置から高く空を飛ぶ鳥を落としては喝采《かっさい》を浴びていた。

「そろそろ帰りましょう。料理人が帰る前に戻らなければ、肉の処理ができません。こんなに狩るなんて想定外ですよ」

ルッツはジルヴェスター様が狩った獲物を見て、困った顔になった。下町の常識では自分で持てる分だけを狩るらしい。それ以上狩っても食べきれずに腐らせるからだ。

「ジルヴェスター様は青色神官だ。孤児院の食事も準備しているんだから、孤児達に持たせればいいだろう？」

回り回って自分達の食事になるのだから、と俺が言えば、灰色神官達は喜んで手を貸してくれる。自分が狩った獲物を運ぶのを孤児達に任せると、ジルヴェスター様はご機嫌で号令をかけた。

「よし、これより帰還する！」

「はいっ！」

神殿に帰るとすぐに肉の処理が始められる。その中でジルヴェスター様がマイン様に黒い石のネックレスを渡しているのが目に入った。

あとがき

お久しぶりですね、香月美夜です。
この度は『本好きの下剋上　～司書になるためには手段を選んでいられません～　第二部　神殿の巫女見習いⅣ』をお手に取っていただき、ありがとうございます。これで第二部は完結です。

今回、新しくインク工房のハイディとヨゼフが印刷集団グーテンベルクに加わりました。インク研究に全てを捧げるハイディ。そして、見習い仕事を始めたハイディの指導役を押し付けられ、懐かれて、気が付いたら婿として一生お世話役をすることになってしまっていたヨゼフ。マインが身食いではなく、健康で神殿に入らずにルッツとずっと紙作りをしていたらこんな感じかな、と思いながら書いていた二人です。

さて、弟カミルの誕生によって絵本や玩具作りを加速させようとするマインは、色インクの作成に着手しました。失敗も色々とありましたが、印刷のための色インクが完成して、絵本に色を付けることができるようになりました。本に関してはまずまずの進み具合です。
そんな中、神殿に捨てられた身食いの赤子とアーレンスバッハからやってきたビンデバルト伯爵、そして、ジルヴェスターにもらった黒い魔石のお守りを通してマインを取り巻く環境は大きく変化します。

家族を守るために、貴族となったローゼマインの活躍が「第三部　領主の養女」に続きます。どうぞお楽しみに。


そうそう、第二部完結で区切りが良いため、キャラクターの人気投票を行うことになりました。投票してくださった方には壁紙プレゼントもあります。せっかくなので、皆様のご贔屓キャラを教えてくださいませ。このキャラとかこのキャラは人気があるだろうな、という何となくの予想はあるのですが、順位は予想できませんね。私も楽しみです。


楽しい企画を考えて準備してくださったTOブックス様、ありがとうございます。

表紙のマインは凛々しい表情のせいか、とても大人っぽく見えます。第二部完結に相応しいイラストだと思いました。椎名優様、ありがとうございます。

最後に、この本をお手に取ってくださった皆様に最上級の感謝を捧げます。

第三部は秋の初めになる予定です。そちらでまたお会いいたしましょう。

二〇一六年五月　香月美夜

第三部完結記念！
突然はじまる
巻末おまけ
うちの姉（妹）がいちばんかわいい。
漫画 しいなゆう
？
メイド風
小さくってかわいい
ギュンター家のトゥーリです
三人兄弟の長女で下に妹と弟がいま
ねぇねぇ
トゥーリトゥーリあのね！
カミルがねカミルがねわたしの指をねぎゅっとしてくるの♡
ぴょこ
ぴょこ
はぅあぁかわいいねぇ♡小さいのにすごいねぇ♡
こんなに小さいのにちゃんと爪もあってこんなに小さいのにぎゅってするの♡
ぎゅ
はぅ
小さくてフレームに入らない

将来の不安

リスペクト

大コリンナファン 仝

父さん、母さん、
トゥーリ、カミル。
2016年
9月
発売予定！
www.tobooks.jp
/booklove
本好きの
下剋上
司書になるためには
手段を選んでいられません
第三部 領主の養女I
香月美夜
miya kazuki
イラスト：椎名 優
you shiina

愛してるよ
家族にありったけの祝福を
マインの
下剋上は新章へ突入!
公式HPにて、第1回人気キャラクター投票開催中!
http://www.tobooks.jp/booklove/

2ヶ月連続刊行!
第1巻
6月25日
発売!
作りを
返ろう!
本好きの
下剋上
司書になるためには
手段を選んで
いられません
本がないなら
作ればいい!
原　作:香月美夜
miya kazuki
漫　画:鈴　華
suzuka

コミックス、待望の
第2巻
7月10日
発売!
第一部
マインの本
振り
電子書籍版、先行発売中!
詳しくは≫ http://www.tobooks.jp/booklove/
ニコニコ静画にて好評無料連載中!
http://seiga.nicovideo.jp/comic/booklove

気づいたら、
魔物使い《モンスターテイマー》に
なってました。
（17歳 ポジティブJK）
かわいいモンスターが大集合！
もふもふファンタジー開幕!!
I
レア・クラスチェンジ！
～魔物使いちゃんとレア従魔の異世界ゆる旅～
著：黒杉くろん
イラスト：ちま
2016年
7月10日
発売！

みんなの笑顔のため
お菓子を作るんだ！
お菓子で世界を統べる！
『本好きの下剋上』に続く
大人気王道スイーツ・ファンタジー‼
おかしな
転生
著 古流 望
イラスト 珠梨やすゆき
7月10日
3巻 パンプキンパイと恋の好敵手
8月10日
4巻 家出息子はフルーツ味
待望の2ヶ月連続刊行！

（通巻第7巻）
本好きの下剋上
～司書になるためには手段を選んでいられません～
第二部　神殿の巫女見習いⅣ

2016年7月　1日　第　1刷発行
2021年8月10日　第15刷発行

著　者　　香月美夜

発行者　　本田武市

発行所　　TOブックス
〒150-0002
東京都渋谷区渋谷三丁目1番1号　PMO渋谷Ⅱ　11階
TEL 0120-933-772（営業フリーダイヤル）
FAX 050-3156-0508

印刷・製本　中央精版印刷株式会社

ISBN978-4-86472-492-0